W9-BLH-382

LAIS
DE MARIE DE FRANCE

Présentés,
traduits et annotés
par

Alexandre MICHA

GF Flammarion

La littérature du Moyen Âge
dans la même collection

Aucassin et Nicolette (bilingue).
BODEL, *Le Jeu de saint Nicolas* (bilingue).
La Chanson de Roland (bilingue).
CHRÉTIEN DE TROYES, *Érec et Énide* (bilingue). — *Lancelot ou le Chevalier de la charrette* (bilingue). — *Perceval ou le Conte du graal* (bilingue). — *Yvain ou le Chevalier au lion* (bilingue).
COMMYNES, *Mémoires sur Charles VIII et l'Italie* (bilingue).
COUDRETTE, *Le Roman de Mélusine.*
Courtois d'Arras, L'Enfant prodigue (bilingue).
MAÎTRE ECKHART, *Traités et sermons.*
Fables françaises du Moyen Âge (bilingue).
Fabliaux du Moyen Âge (bilingue).
La Farce de Maître Pierre Pathelin (bilingue).
Farces du Moyen Âge (bilingue).
HÉLOÏSE ET ABÉLARD, *Lettres et Vies.*
IDRÎSÎ, *La Première Géographie de l'Occident.*
LA HALLE, *Le Jeu de la Feuillée* (bilingue). — *Le Jeu de Robin et de Marion* (bilingue).
Lais féeriques des XIIe et XIIIe siècles (bilingue).
LA LITTÉRATURE FRANÇAISE DU MOYEN ÂGE (bilingue) (deux volumes).
LORRIS, *Le Roman de la rose* (bilingue).
MARIE DE FRANCE, *Lais* (bilingue).
Nouvelles occitanes du Moyen Âge.
L'Orient au temps des croisades.
ROBERT DE BORON, *Merlin.*
Robert le Diable.
Le Roman de Renart (bilingue) (deux volumes).
RUTEBEUF, *Le Miracle de Théophile* (bilingue).
THOMAS D'AQUIN, *Contre Averroès* (bilingue). — *Somme contre les gentils* (quatre volumes).
VILLEHARDOUIN, *La Conquête de Constantinople* (bilingue).
VILLON, *Poésies* (bilingue).
VORAGINE, *La Légende dorée* (deux volumes).

A ma femme.

© Flammarion, Paris, 1994, pour cette édition.
ISBN 978-2-0807-0759-8

INTRODUCTION

Marie de France, un noble nom, et doux comme une caresse, que celui de notre plus ancienne poétesse qui vivait voici huit cents ans. Un nom ? Un simple prénom en réalité, suivi de son lieu d'origine, comme il arrive pour tant d'écrivains médiévaux, Chrétien de Troyes, Philippe de Novare, Étienne de Fougères, etc. Par cette indication *Marie ai nun, si sui de France,* elle nous laisse entendre qu'elle a vécu ailleurs qu'en France ou en Ile-de-France, c'est-à-dire très probablement en Angleterre : elle écrit en anglo-normand.

Mais on ne sait rien de sa vie et tout ce qu'on a avancé à ce sujet n'est que pure hypothèse. Était-elle la fille illégitime de Geoffroy Plantagenêt et, par là, la demi-sœur d'Henri II, la future abbesse de Reading ? Ou bien la fille d'un comte normand, Galeran de Meulan ? Mystère. La dédicace qui termine le prologue des *Lais* s'adresse à un « noble roi » qui est presque certainement Henri II Plantagenêt. C'est dans cette brillante cour anglaise qu'elle a écrit son œuvre, d'abord les *Lais* (et il n'y a aucune raison valable de douter qu'elle soit l'auteur de la totalité), peut-être vers 1160, puis ses *Fables,* entre 1167 et 1189, dates plus présumées que certaines, enfin après 1189 l'*Espurgatoire de saint Patrice,* récit d'une descente dans l'Au-delà, dans le royaume des morts, genre littéraire qui a connu, d'abord en latin, un grand succès depuis le IVe siècle : c'est une traduction du *Tractatus de purgatorio sancti Patricii* d'Henri de Saltrey (vers 1185).

Le roi Henri II est un mécène qui s'entoure d'écrivains de premier plan, un Jean de Salisbury, un Giraud de Barri, un Gautier Map. Son épouse, Aliénor d'Aquitaine, l'ex-femme de Louis VII de France et la petite-fille du plus ancien des troubadours, Guillaume IX d'Aquitaine, est férue de poésie et assure par sa seule présence le rayonnement de la cour de Londres. C'est là qu'ont été écrits les romans antiques, *Thèbes, Énéas, Troie.* Le *Brut* de Wace (1155) entrepris sur l'ordre du roi est dédié à Aliénor, ainsi que, peut-être, le *Tristan* de Thomas.

Sur le continent d'autres cours favorisent l'essor des lettres. Parmi elles, retenons celle de Champagne où la comtesse Marie règne sur un cercle d'écrivains, dont Chrétien de Troyes à qui elle a donné la *matière* et le *sens* (l'esprit qui inspire le livre) de son roman du *Chevalier à la Charrette),* et André le Chapelain, auteur d'un *Traité de l'amour* qui codifie les règles de l'amour courtois. À la cour de Blois chez le comte Thibaut V, Gautier d'Arras commence à écrire son *Éracle* qu'il offrira ensuite à Baudouin V de Hainaut, autre ami des lettres. À la cour de Poitiers, Aliénor, séparée de son mari, retient nombre d'artistes et de troubadours ; à celle de Flandre, le comte Philippe fournit à Chrétien le livre qui est à l'origine du *Conte du Graal.* C'est dans ce monde littéraire en pleine effervescence qu'a vécu Marie de France. On comprend que dans son *Prologue* elle ait tenu à marquer sa place dans cette abondance de productions ; et puisqu'il faut gagner l'estime par une œuvre qui se distingue de celles qui ont reçu ou reçoivent les faveurs du public, elle a songé, dit-elle, à écrire des lais, simples contes en vers, qui peuvent paraître aisés à écrire, mais qui en fait exigent de longues veilles.

Cultivée, lettrée, Marie sait le latin : elle a traduit ses *Fables* d'après une version anglaise attribuée au roi Alfred. Elle est au courant de la littérature qui la précède immédiatement ; plusieurs de ses lais portent la marque du roman de *Thèbes,* du roman d'*Énéas,* du *Brut* de Wace qui est une chronique des rois bretons. Le *Tristan* lui a peut-être donné l'idée du *Chèvrefeuille,* et le conte ovidien de *Pirame et Tisbé* celle des *Deux Amants.*

Elle appartient à cette période de la deuxième moitié du XIIe siècle qu'on a qualifiée de Renaissance, non seulement parce que les auteurs de l'Antiquité sont mieux connus et mieux appréciés, mais parce que la création littéraire connaît un essor nouveau. On ne peut épuiser la liste des grandes œuvres qui voient alors le jour, contemporaines du premier âge gothique : la première pierre de Notre-Dame de Paris est posée en 1163. Rompant avec l'austérité des anciennes chansons de geste, les romans antiques font une place à l'amour. Le *Brut* prélude à l'apparition des romans arthuriens que Chrétien de Troyes inaugure avec *Érec et Énide* et sa carrière (1170-1189) est exactement contemporaine de celle de Marie. Son rival, Gautier d'Arras, poursuit son œuvre avec *Ille et Galeron.* Le roman d'aventures est illustré par *Partonopeus de Blois.* La chanson de geste se renouvelle, avec des chefs-d'œuvre qui témoignent de la belle vitalité du genre, entre autres *Aliscan* et *Raoul de Cambrai.* Le *Roman de Renart* fait son apparition avec Pierre de Saint-Cloud, auteur de la branche II, bientôt suivie de beaucoup d'autres. Dans le même temps les premiers trouvères, Conon de Béthune, Huon d'Oisy, Gace Brulé, le châtelain de Coucy sont les émules des troubadours qui les ont précédés de peu. Ajoutons enfin que le théâtre sort de l'église pour adopter la langue « vulgaire ».

Apportant sa contribution au lustre de cette période aussi riche que variée, Marie a-t-elle créé le genre court ou illustré un genre qui existait avant elle ? Il est difficile de répondre à cette question. Il semble en tout cas que son exemple ait suscité d'autres œuvres de sujets voisins, sinon d'inspiration, ces lais anonymes qui remontent peut-être à des sources communes.

Une formule revient sans cesse au début ou à la fin de chaque récit, « Les Bretons en firent un lai ». Marie désigne donc ses sources. Mais des questions se posent.

Et d'abord qu'est-ce qu'un lai ? C'est à l'origine une composition musicale : celui de *Guigemar,* nous dit-elle, fut fait « en harpe et en rote », et Tristan peut composer le sien parce qu'il est un bon harpeur. Le lai primitif contenait-il en germe un conte, puisqu'on le chantait comme on fait aujourd'hui des lieder ? De là serait sorti le lai narratif qui s'attache à rappeler une aventure mémorable. Les lais celtiques, poèmes musicaux, se répandirent sur le continent à partir de récitants-exécutants, gallois et cornouaillais, et cela dès la fin du XIe siècle.

Les sources de Marie sont donc bretonnes, même si *Équitan* et *Le Pauvre Malheureux* se taisent à ce sujet. Il n'y a aucune raison pour mettre en doute les déclarations de la poétesse. Le cadre est presque toujours breton, que ce soit la Grande-Bretagne ou la Petite Bretagne (Armorique) et plusieurs de ses personnages portent des noms bretons : Guildeluec, Yonec, Maldumarec, et elle maintient pour un de ses lais le titre de *Laüstic.* Ces sources sont aussi bien orales qu'écrites ; elle se réfère à deux reprises à un écrit *(Guigemar, Le Chèvrefeuille),* mais elle indique aussi qu'elle a entendu raconter l'histoire qu'elle a rimée pour son public *(Équitan, Le Pauvre Malheureux, Le Chèvrefeuille).* Et quand elle affirme que ce qu'elle raconte est vrai, *selon le conte qu'elle sait (Fresne),* elle ne fait qu'évoquer un garant, comme le font volontiers les auteurs de cette époque.

Le sujet d'un lai est toujours une *aventure,* c'est-à-dire étymologiquement « quelque chose qui arrive », un événement inopiné, surnaturel ou non, qui va marquer à jamais le destin de celui ou de celle qui le vivent. C'est souvent la mise en présence, directe ou à peine retardée, de deux êtres, qui va décider de leur sort, même si cette rencontre se fait à distance, comme dans *Le Rossignol.* Guigemar blesse une biche qui lui apprend les conditions de sa propre guérison ; un oiseau-chevalier apparaît soudain aux yeux d'une belle prisonnière ; dans son dénuement Lanval se voit tout à coup invité à l'amour par la fée. Éliduc qui est allé offrir ses services à un roi rencontre Guilliadon et s'en éprend sur-le-champ.

Marie veut, dit-elle au début de *Milon,* écrire des contes variés. Ils le sont en effet, et d'abord par leurs dimensions qui vont des 118 vers du *Chèvrefeuille* aux 1184 vers d'*Éliduc.* C'est dire que les lais sont plus ou moins chargés de matière. Le *Chèvrefeuille* se limite à de brèves retrouvailles sans lendemain, préparées par Tristan. *Le Rossignol* est une simple idylle interrompue par la vengeance d'un mari. *Le Bisclavret* peut se résumer à une double métamorphose. Dans *Les Deux Amants,* une épreuve unique, d'ordre physique, est immédiatement suivie du dénouement.

Mais *Milon* comporte plusieurs phases avec l'enfant élevé en cachette, les prouesses pour se faire un nom, et enfin la quête d'un fils par son père. *Guigemar* se déroule en plusieurs temps : la chasse où le héros blesse la biche, le navire qui l'emporte, la rencontre de la dame, etc., car l'*aventure* survient aussi en cours de route et donne une nouvelle orientation à l'action. *Éliduc* est riche en épisodes : Éliduc quitte deux fois son pays, soutient et gagne deux guerres, enlève Guilliadon, essuie une tempête en mer, croit son amie morte et l'épouse enfin. Dans ces trois derniers récits il était facile de développer les divers incidents, campagnes militaires, rebondissements *ad libitum,* pour déboucher sur un roman de 3 à 4 000 vers, de l'importance de *Joufroi de Poitiers,* de *Floire et Blanchefleur,* ou même davantage.

Marie de France s'en est bien gardée ; suivant à l'avance le conseil du fabuliste, loin d'épuiser une matière, elle n'en a pris que la fleur. Le genre court qu'elle a choisi inclut cependant la durée (qui est avec la mobilité la marque propre du roman). « Ils s'aimèrent longtemps » est une formule qui se répète avec des variantes : c'est le cas d'*Équitan,* de Goron et de Fresne, de la dame du *Rossignol.* Guigemar vit un an et demi dans un parfait bonheur et son amie reste longtemps l'hôtesse forcée du château de Mériadeuc. L'héroïne d'*Yonec* est enfermée plus de sept ans dans son donjon. Le loup-garou reste plus d'un an introuvable, en attendant l'occasion de se venger. Si l'aventure de Lanval se passe dans une seule et même année, Milon et son amie correspondent pendant vingt ans grâce au cygne dressé à cet effet. En outre les personnages ont la mobilité de ceux du roman, le théâtre de l'action n'est pas unique, surtout dans *Milon* et *Éliduc.*

Mais à aucun moment le lecteur ne vit une durée, même si entre le point de départ de l'aventure à son origine et le dénouement il se passe un long espace de temps. Le récit est souvent coupé par un long intervalle, simplement indiqué, qui transporte d'un seul coup le lecteur des années plus tard. Ces enjambées par-dessus le temps, ces brisures sont de simples parenthèses qui n'interrompent pas l'avancée de l'action centrée autour d'un noyau. Bref, l'esthétique des lais reste celle de la nouvelle, d'autant plus que chacun d'eux ne met en scène qu'un nombre très restreint de personnages et que ces personnages n'évoluent pas, indéfectiblement amoureux et identiques à eux-mêmes du début à la fin, avec à peine une exception pour Éliduc.

Marie nous conte des histoires d'amour, un amour qui doit soutenir des luttes infiniment diverses ; histoires de solitudes, de déboires dus à une vengeance, de naissances illégitimes à cacher, d'enlèvements, de sourdes machinations *(Équitan ; Le Bisclavret)*, d'exils forcés, d'affrontements suivis de reconnaissances *(Frêne, Guigemar, Milon)* ; avec çà et là des exploits chevaleresques. Mais malgré la variété des péripéties, ces récits n'ont que peu de rapport avec les romans d'aventures.

L'amour naît par coup de foudre : la vue d'un beau corps et l'appétit sexuel allument le désir. Dès les premiers regards de Guigemar la dame répond aussitôt à ses sentiments. Il arrive, selon le thème lyrique de « l'amour de loin » des troubadours, qu'on aime une femme sur la simple renommée de sa beauté et de ses mérites : ainsi en est-il dans *Milon,* pour la dame, dans *Éliduc,* pour la fille du roi, dans *Frêne,* dans *Équitan,* mais l'amour brûle vite cette étape préliminaire et ne reste pas longtemps platonique. Le baiser, l'étreinte, le « don de merci », c'est-à-dire les ultimes faveurs ne sont pas longs à suivre (sauf dans *Milon*) et à créer des liens charnels, à l'origine de prochaines souffrances, ou même de naissances à cacher. Quant à la fée de Lanval, elle se donne sans préambule à celui qu'elle a choisi. Sauf dans *Le Pauvre Malheureux* où les quatre chevaliers tâchent de gagner le cœur de la dame par leurs exploits au tournoi, la prouesse n'est pour rien dans la naissance de l'amour. L'appétit de la gloire ne fait agir que le seul Milon qui quitte son pays en quête de renommée.

Une nécessité s'impose à ces amours, parce qu'adultérines (neuf lais sur douze) ou contrariées par les circonstances, quand elles unissent deux jeunes gens : elles sont condamnées à rester plus ou moins longtemps cachées. La hantise de ces couples est d'être surpris ; pour échapper à un scandale ils usent de la plus grande prudence, mais un jour ou l'autre ils finissent par être découverts. La passion se heurte alors à un obstacle qu'il faudra surmonter : là est le nœud et le moteur de l'action, et ce schéma s'apparente à celui des contes populaires. L'obstacle préexiste souvent, qui contrarie les élans du cœur et les désirs de la chair : la seule existence d'un mari s'oppose au bonheur des amants, ainsi pour les mal mariées de *Guigemar, d'Yonec,* du *Rossignol,* de *Milon* où la dame est prisonnière d'un mari jaloux qui la surveille étroitement et la condamne à la claustration, loin du monde et des tentations ; mari gênant qu'il faudra berner par une ruse, éliminer par un crime *(Équitan)* à moins que le mariage ne soit annulé canoniquement avant sa consommation *(Frêne)*. La passion d'un père pour sa fille *(Les deux amants)* contrarie les aspirations des deux jeunes gens, et une interdiction qui émane de l'être aimé lui-même crée des barrières, comme dans *Lanval.* Mais l'obstacle surgit aussi à la faveur d'un incident imprévu : le désir de vengeance de la reine prive Lanval de la présence de son amie. Dans *Le Bisclavret* c'est la double nature du mari qui vient briser une union qui semblait durable. L'obstacle est plus raffiné dans *Le Pauvre Malheureux* ; il tient à l'impossibilité de choisir entre quatre soupirants également méritants qui maintient la dame dans une attente non sans une délicate jouissance. Ce qui vient troubler l'amour profond d'Éliduc est son état d'homme marié.

Pour sortir de ces situations bloquées, les amants doivent avoir recours à des subterfuges. Ce sera pour Éliduc le silence, il ne dévoile rien ni à Guilliadon, ni à Guildeluec. Sans compter la précaution prise par Guigemar et son amie avec la chemise indénouable et la ceinture, le héros doit accepter la condition posée par le seigneur : prendre la mer sur le navire. Équitan et la femme du sénéchal machinent un crime qui tourne à leur perte. Un philtre peut permettre à un prétendant de gagner l'épreuve imposée. Tristan a recours à la baguette de coudrier pour avertir la reine. Une mal mariée trompe la vigilance de son époux en veillant à sa fenêtre. Muldumarec se joue du prêtre et de la vieille en prenant l'apparence de celle qu'il aime ; le cygne-émissaire brise l'isolement. Frêne n'a pas manqué d'emporter les pièces à conviction qui lui permettent de retrouver un bonheur gravement compromis. Pour mettre fin à la terreur que lui inspire son mari, la femme du Bisclavret n'hésite pas à lui dérober ses vêtements. Mais Lanval ne se tirera d'affaire que grâce à la compassion de la fée.

Quels que soient l'habileté et l'esprit d'à propros mis à se sortir d'embarras, les amants n'échappent pas à la cruauté de la séparation. Marie a trouvé dans ce thème de l'absence une source profonde de pathétique. Vient un moment où les amants ne peuvent se rejoindre ou sont contraints de se séparer : Guigemar, Lanval, Milon, Goron et Frêne, Éliduc connaissent ces durs moments qui sont épargnés, il est vrai, à Équitan et, en partie, aux Deux Amants. Tristan, après une brève éclaircie dans son sombre destin, voit s'éloigner Iseut. Chacun connaîtra des traverses diverses. C'est par des voies variées qu'on s'achemine au dénouement.

Les dénouements sont le plus souvent heureux : *Frêne* et *Milon* finissent par un mariage ; Éliduc épouse celle qu'il aime et tout se termine dans un monastère où chacun trouve la paix du cœur ; Bisclavret se venge de l'infidèle et retrouve sa forme humaine ; Guigemar arrache son amie à Mériadeuc ; Lanval part avec la fée pour le pays de l'Autre Monde. Trois lais ont un dénouement tragique : Équitan et la femme du sénéchal périssent ébouillantés ; dans *Les Deux Amants* la mort de l'imprudent entraîne celle de la fille du roi ; Maldumarec meurt de ses blessures et son amie ne lui survit pas, mais un second dénouement se produit plus tard, quand Yonec venge son père en abattant son parâtre. Trois lais sont teintés de mélancolie dans leur phase finale, mais dans une issue malheureuse perce une note consolatrice : le culte du souvenir *(Le Rossignol ; Le Pauvre Malheureux)* ou l'espoir de retrouvailles *(Le Chèvrefeuille)*. Pour Marie, au-delà de la souffrance, l'essentiel est d'avoir aimé, lointain et discret prélude aux envols lyriques de Musset.

L'adjectif *courtois* revient à satiété dans le portrait moral des hommes comme des femmes. Il souligne des qualités de politesse et de comportement mondain, raffinement des manières, échange de cadeaux, bienséance dans les propos (seule la reine jalouse dans *Lanval* se laisse aller à l'injure grossière). Mais l'amour, tel que le conçoit la poétesse, est dans son esprit étranger à l'amour courtois, à la *fin' amor*. Certes, il est question du service d'amour (*Équitan*, v. 170 et s.), c'est-à-dire de la dévotion à l'égard de celle qu'on aime ; la fée pose de façon impérieuse ses conditions à Lanval ; la dame du *Pauvre Malheureux* reçoit avec délectation les hommages de ses quatre soupirants ; l'amour ne s'adresse pas qu'à des jeunes filles, mais unit deux êtres hors du mariage. Si les amours doivent rester cachées, ce n'est cependant pas en vertu d'un code transcendant qui oblige à la discrétion, c'est par pure prudence, pour éviter de désagréables complications et pour jouir d'un plaisir sans mélange.

Il arrive que les femmes, ce qui est contraire à la règle courtoise, fassent les premières avances ou ne se laissent pas longtemps prier *(Guigemar, Lanval, Éliduc)* mais les hommes plus souvent encore passent à l'aveu *(Frêne, Les Deux Amants, Yonec, Le Rossignol)* et l'accord se fait d'emblée, quand les partenaires se sont plu. On ignore ici les lentes approches et les longues patiences de la *fin' amor*. La déclaration est immédiate, à peine retardée parfois pour des raisons de prudence, par une retenue due à la timidité, ou préparée par un intermédiaire complaisant, confidente ou chambellan *(Guigemar, Milon, Éliduc)*.

Un sentiment puissant fait agir les personnages : l'aspiration à l'amour et au bonheur. L'amour partagé, l'amour dans sa plénitude est la clarté qui, en dépit des souffrances et des détresses, illumine toute vie humaine. L'amour ne s'embarrasse pas des conventions sociales, il a sa fin et sa justification en lui-même. S'il ne va pas jusqu'à braver les interdits religieux (les scrupules d'Éliduc en sont la preuve), il ignore les impératifs dictés par la société. Le force d'amour ne tient pas compte des différences de rang social *(Équitan)*. Contrairement au *Tristan*, la notion de faute ou de péché n'affleure à aucun moment et c'est parce que Guildeluec a compris que l'amour a tous les droits qu'elle s'efface devant Guilliadon.

La pierre de touche du véritable amour est la sincérité, et une fidélité qui lie à jamais les amants au-delà même de la mort. Même dans le cas spécial du *Pauvre Malheureux*, la dame entend rester fidèle à ses soupirants disparus, au détriment du survivant ; et le malaise d'Éliduc vient de ce qu'il ne peut être fidèle à deux femmes en même temps.

Une seule et unique fois une moralité est tirée en clair du récit :

Tel purchace le mal d'autrui
Dunt tuz li mals revert sur lui *(Équitan)*.

Marie n'est pas une moraliste, elle se défend de tout didactisme latent, pose à peine çà et là un problème, comme chez Chrétien de Troyes, dont la solution appartient au lecteur. Certes, la fin édifiante d'*Éliduc* illustre sans commentaire la grandeur d'un renoncement qui unit dans la paix de l'âme et le souci du salut trois êtres qui ont eu chacun beaucoup à souffrir. Ailleurs, comme dans les contes populaires, les méchants sont punis, Équitan, et le parâtre d'Yonec, la femme infidèle du Bisclavret, Mériadeuc qui paie de sa vie son entêtement, tandis que les victimes et les innocents sont vengés. Mais, au-delà de ces quelques leçons implicites, la vraie morale de Marie se déduit de sa conception de l'amour. Sincère et fidèle, il est, sinon au-delà du bien et du mal, au-delà de toute règle factice établie. Amoralisme de la part de la poétesse ? Liberté d'esprit plutôt, loin de tout laxisme, et qui ne méconnaît pas les strictes exigences d'un sentiment profond : constance, force d'âme devant les épreuves, union indissoluble des corps et des cœurs. Car, comme le dit Montaigne, on va plus facilement en se repérant sur les bornes placées en bordure du chemin étroit que sur une large voie où tous les écarts sont possibles.

Beaucoup de lais avec leur entrée *in medias res* pourraient commencer par la formule *Il était une fois un seigneur qui demeurait à...* Mais les récits de notre poétesse sont tout autre chose que des contes populaires. Il est vrai que les portraits moraux et physiques se ressemblent tous : tous les hommes sont *beaux, preux* et *courtois,* comme toutes les femmes sont *belles, sages* et *courtoises.* Mais quand on voit les uns et les autres engagés dans leur aventure, on découvre toute une galerie d'êtres vivants. Sans avoir le puissant relief des personnages balzaciens, ils échappent à la stylisation et à la simplification. Voici, chez les femmes, une criminelle par amour *(Équitan),* une sournoise qui cède à une subite terreur *(Bisclavret),* une vindicative, furieuse de se voir éconduite *(Lanval),* une femme modèle d'abnégation *(Frêne),* et une autre qui accepte un immense sacrifice *(Éliduc),* une femme douée d'une séduction et de pouvoirs surnaturels *(Lanval),* l'impatiente amoureuse du *Rossignol,* une curieuse sentimentale éprise de plusieurs chevaliers servants *(Le Pauvre Malheureux)* et la mère des deux jumelles *(Frêne)* qui déborde de tendresse pour sa fille retrouvée. Les hommes font preuve de moins d'initiative qu'elles. Équitan est un faible, dominé par sa passion et par une femme prête à tout et qui lui impose le choix à faire. Pris dans un débat de conscience entre ses deux amours dont l'un l'emporte sur l'autre, Éliduc, longtemps irrésolu, va vers un avenir dont il refuse de voir les conséquences. Lanval le délaissé, victime de l'envie, figure presque romantique, on l'a dit, est sauvé au dernier moment après un difficile procès. L'ingénieux Tristan trouve une fois de plus le moyen de rencontrer la reine, et l'impétueux prétendant des *Deux Amants* oublie toute mesure dans son ardeur juvénile.

À la manière de l'*Énéas* qui a exercé son influence sur tant d'écrivains de cette génération, Marie est attentive aux premiers émois de l'amour naissant, avec ses doutes, ses interrogations, ses perturbations d'ordre physique, tourments, larmes, soupirs, insomnie. Mais là n'est pas le plus original. Le besoin de se savoir aimé(e), les affres de la séparation, la perpétuelle crainte de perdre celui ou celle qu'on aime, les élans et les mouvements profonds du cœur, voilà ce que Marie excelle à suggérer. C'est par le geste, l'attitude, par des notations concrètes qu'elle saisit les nuances de sentiments et révèle les secrets de la vie intérieure.

Une discrète émotion se dégage de ces récits ; des deux moyens classiques de toucher le lecteur, la pitié et la terreur, Marie privilégie le premier. Il n'y a que deux histoires vraiment sanglantes, *Équitan* et *Yonec.* Le pathétique reste contenu, ne s'étale jamais en éclats théâtraux ou grandiloquents. La souffrance physique n'en est point absente, blessure de Guigemar, efforts surhumains du prétendant des *Deux Amants,* plaie sanguinolente de Muldumarec, saut des amants dans l'eau bouillante. Mais à ces effets elle préfère éveiller la compassion pour les êtres aimants et souffrants, pour une enfant refusée par sa mère et exposée au hasard, pour la dame qui recueille le cadavre du rossignol dans un geste d'amère tristesse, pour un soupirant qui a survécu mais qui voit envolé tout espoir, pour le désarroi d'un fidèle chevalier abandonné de tous, pour le bisclavret peut-être condamné à rester une bête, et toujours pour les déchirements dus à la séparation, provisoire, ou définitive par la mort. Ainsi elle transforme et enrichit une matière narrative nourrie d'éléments traditionnels par sa connaissance du cœur humain.

Tous les critiques depuis qu'il en est qui ont écrit sur Marie de France — et ils sont nombreux — ont loué ses qualités de sobriété dans la contexture du récit comme dans l'économie des moyens. De fait, réduit à un épisode unique ou plus riche en péripéties, le récit, toujours alerte, ne traîne jamais. Marie appartient à la même famille de conteurs que Mérimée et Maupassant. Mais dans le déroulement du narré le récit connaît des changements de *tempo* : tout va sans à-coups, sur un rythme égal dans le *Chèvrefeuille* ; dans *Yonec,* des changements de mesure jusqu'à la blessure de l'oiseau sont suivis d'un *agitato* qui s'assagit avec la calme vengeance du fils. Le rythme de *Lanval* est large, aussi bien dans la période de bonheur du héros que dans l'instruction de son procès et dans le dénouement où la narratrice, avec un art très sûr de la mise en scène, retarde l'apparition de la fée rayonnante de beauté. Car Marie sait tenir son lecteur en attente : le loup-garou réussira-t-il malgré ses efforts à se faire reconnaître ? La léthargie aura-t-elle une fin ? Et que dire de la course éperdue de l'héroïne d'*Yonec,* sa traversée des trois chambres, quand elle retrouve enfin son ami agonisant ?

Suivant une droite ligne, dépouillé de toute digression, le récit n'est freiné ni par l'analyse-auscultation, ni par la description qui se complaît à elle-même, deux obstacles à un rapide écoulement des faits.

Marie ne décrit pas pour décrire, elle se contente de brèves esquisses toujours étroitement tissées dans la trame du narré : pour le piège, la façon dont il est construit et mis en place ne laisse aucune chance au malheureux oiseau et rien de plus n'est ajouté ; les deux croquis de la fée, d'abord en savant déshabillé pour accueillir Lanval, puis en grand apparat et dans toute sa lumineuse beauté à son entrée à la cour expliquent la profonde impression qu'elle fait chaque fois, lourde de conséquences ; la richesse de la matière de la nef de Guigemar est celle d'une embarcation magique, nécessaire pour la suite des événements ; et si l'on insiste sur le régime auquel est soumis le cygne, c'est pour faire admettre ce curieux moyen de communication. Tout est donc commandé par l'action, sans aucune excroissance gratuite. Le paysage, presque absent, est traité avec la même parcimonie : une prairie aux bords de la Seine *(Les Deux Amants),* une cité entourée de murailles *(Yonec)*, une lande, une plaine, une falaise *(Guigemar)* : quelques coups de crayon et un dessin au trait suffisent.

Quant aux monologues, ils sont rares, alors que cette technique est familière aux romanciers. L'amie de Guigemar exprime son désespoir (v. 668-673) : Guigemar (v. 399-406) et Équitan (v. 66-88) s'interrogent sur la conduite à tenir ; la mère de Frêne regrette ses propos et prend son abominable décision (v. 73-94) ; la mal mariée du *Rossignol* (v. 126-134) et celle d'*Yonec* (v. 67-104) se livrent à une complainte sur leur sort ; Guilliadon se reproche d'aimer un étranger (v. 387-400) et Éliduc soutient un douloureux débat (v. 585-618), puis se lamente sur le corps de Guildeluec (v. 938-952). Sauf un *(Yonec)*, ces morceaux n'excèdent pas la vingtaine de vers.

Marie nous emmène dans un univers poétique où des éléments merveilleux s'unissent sans discordance au monde courtois et aristocratique, milieu naturel de ses personnages. Le merveilleux est dans les objets, ceinture indénouable, anneau-talisman qui assure l'oubli, oreiller qui maintient en éternelle jeunesse, philtre qui redonne la vigueur, herbe qui ressuscite. Il est dans les êtres, oiseau qui devient chevalier, homme qui se métamorphose en loup, fée aimante, éprise d'un mortel qu'elle attire dans son domaine d'un ailleurs et où elle l'emportera en l'arrachant au monde des vicissitudes, soumis aux lois du temps. Il est dans les événements : un navire se trouve à point nommé pour emporter un blessé jusqu'au lieu de sa guérison, des messagères arrivent venues on ne sait d'où pour consoler un désespéré : autant de motifs folkloriques ou traditionnels.

Toutefois, Marie use avec mesure du merveilleux et nous sommes loin de l'atmosphère de mystère qui caractérise les lais anonymes dont certains traitent des mêmes sujets que Marie. Le merveilleux n'est pas envahissant, comme il arrive dans tant de romans arthuriens ; il s'infiltre dans un monde quotidien, assez pour créer un climat poétique (*Lanval, Yonec,* les deux seuls lais où apparaît l'Autre Monde) ou inquiétant *(Bisclavret)* et pour offrir des commodités à l'action, par des coïncidences sur lesquelles on n'a pas à se poser de questions (par exemple, le navire de *Guigemar,* toujours au service du voyageur).

Le monde réel est bien la toile de fond, bien que le cadre breton, Grande ou Petite Bretagne et une fois la Normandie, n'ancre ces récits que dans une géographie assez vague. Le royaume imaginaire du roi Arthur y a sa place ; quelques noms de villes émergent çà et là, Carduel, Carlion, Exeter, Carewent, Dol, Nantes, le Mont-Saint-Michel, à moitié auréolés de légende, et beaucoup de royaumes, comme leurs rois, restent anonymes, sans identité. Mais les usages et les modes de vie contemporains nous ramènent aux réalités : les intrigues et les jalousies de cour sont évoquées dans *Lanval* et dans *Éliduc* ; les chevaliers s'engagent comme *soudoiers,* c'est-à-dire comme mercenaires à la cour d'un roi ; le procès de Lanval est conduit selon les pratiques du temps, avec une parfaite connaissance de la procédure ; un vassal lié par l'hommage doit tenir, quoi qu'il lui en coûte, ses engagements ; un seigneur est pressé par son entourage de prendre femme pour assurer sa succession ; guerres, sièges et tournois font partie des mœurs du temps. Marie de France nous maintient à égale distance entre l'imaginaire et le réel.

La sobriété enfin se révèle aussi bien dans son style que dans la contexture de ses récits. Elle use d'une langue simple et limpide qui fuit la recherche, très pauvre en images et métaphores et presque sans couleur, qui frise même parfois la sécheresse. Les faits se succèdent dans des phrases courtes où la subordination, réduite surtout à des temporelles, est plutôt rare : d'où cette impression de quelque monotonie à laquelle n'échappe pas le lecteur, renforcée par la fréquence de la parataxe, c'est-à-dire de la juxtaposition de propositions principales à la queue leu leu et qui aboutit parfois à une écriture assez hachée. Ce caractère est commun à beaucoup de conteurs médiévaux, mais il me semble plus accentué dans nos lais : et on sentira à nombre de passages combien ce style sans aspérités manque cependant de *legato* et de chair[1].

Le roman-fleuve a ses adeptes, et ses lettres de noblesse, depuis le *Lancelot* en prose du XIIIe siècle jusqu'*À la recherche du temps perdu,* en passant par l'*Astrée* et *Le Grand Cyrus.* Mais au sortir de ces voyages au long cours, qu'il fait bon de se reposer et de voir couler l'eau claire de ces lais, ruisseau chatoyant, qui bondit allègrement. Marie de France prenait visiblement plaisir à conter ; à la lire elle nous offre un plaisir égal au sien.

Alexandre MICHA.

1. Voir, entre autres exemples, les vers 53-66 d'*Yonec,* les vers 303-319 de *Lanval,* les vers 293-311 du *Bisclavret,* ou encore les vers 1105-1121 d'*Éliduc.*

PRINCIPES D'ÉDITION

Le texte.

Les *Lais* ont été conservés dans cinq manuscrits ; quatre sont incomplets, un seul offre la série intégrale des douze lais, le manuscrit Harley 978, fol. 129-181 de la deuxième moitié du XIIIe siècle, au British Museum. Nous avons revu entièrement ce manuscrit sur les photocopies que l'Institut de Recherche et d'Histoire des Textes a bien voulu mettre à notre disposition. Qu'il en soit vivement remercié.

Nous avons respecté le texte dans toute la mesure du possible, mais il est des passages, en nombre limité, où les leçons sont inacceptables, tant il est vrai qu'un éditeur, même adepte de Joseph Bédier, ne peut éviter peu ou prou un texte composite. Les corrections peuvent se faire sans grands problèmes à l'aide du ms. B.N. fr. 1104 (neuf lais), du ms. B.N. fr. 2168 (fin d'*Yonec, Guigemar, Lanval*) et ms. B.N. fr. 24432 *(Yonec)*. Le manuscrit Harley oublie des lettres ou des mots, ce qui fausse la métrique ; tantôt il maintient, tantôt il supprime le *e* interconsonantique : *avrunt* pour *averunt*, *refras* pour *referas*, et inversement *deliverement* pour *delivrement*, etc. On relève quelques manquements aux genres, *baillez* pour le féminin *baillie*, *queile* pour *queil.* Ce sont taches ou particularités de la langue anglo-normande faciles à effacer.

Pour une meilleure intelligibilité du texte le *ke que* sujet relatif du manuscrit est rétabli en *ki.* Pour la langue, le ms. Harley use de l'article féminin *le,* et non *la.* La conjonction de subordination est souvent *si,* et non *se.* Les participe féminins sont en *ie* en non *iee.* On note la réduction de *ie* à *e* (trait anglo-normand) : *chevaler* et non *chevalier, pité* et non *pitié,* les infinitifs *veer (veeir), aver (aveir, avoir), seer (=seir, seoir),* etc.

Les manquements à la déclinaison sont fréquents en anglo-normand : *chief, neif, chevaler,* cas sujets singuliers. Il est inutile de rectifier quand le sens est clair.

Dans la graphie, l'élision n'est qu'exceptionnellement notée et cette habitude n'aboutit pas à un +1 dans la mesure du vers : *de amer (=d'amer), que ele (=qu'ele), deske al (=desk'al),* et même dans des cas comme *sa aïe (=s'aïe), sa amie (=s'amie).* Nous avons donc maintenu la graphie du manuscrit.

Note sur la traduction.

L'usage de la parataxe, dont nous avons parlé ci-dessus, donne à l'écriture de la poétesse un caractère assez haché, comme si elle voulait éviter quelque essoufflement. Nous avons en général reproduit cette démarche, tout comme nous avons cru ne pas devoir éviter les redoublements de quasi-synonymes, ces accouplements de termes habituels à l'écriture médiévale. À l'élégance nous avons préféré une plus grande fidélité au texte et à son rythme propre.

LAIS

PROLOGUE

[139 a] Ki Deus ad duné escïence
E de parler bon eloquence
Ne s'en deit taisir ne celer,
4 Ainz se deit volunters mustrer.
Quant uns granz biens est mult oïz,
Dunc a primes est il fluriz,
E quant loëz est de plusurs,
8 Dunc ad espandues ses flurs.
Custume fu as ancïens,
Ceo testimoine Precïens,
Es livres ke jadis feseient,
12 Assez oscurement diseient
Pur ceus ki a venir esteient
E ki aprendre les deveient,
K'i peüssent gloser la lettre
16 E de lur sen le surplus mettre.
Li philesophe le saveient,
Par eus meïsmes entendeient,
Cum plus trespassereit li tens,
20 Plus serreient sutil de sens
E plus se savreient guarder
De ceo k'i ert a trespasser.
Ki de vice se vuelt defendre
24 Estudïer deit e entendre
E grevose ovre comencier :

PROLOGUE

Celui à qui Dieu a donné la science et l'art de bien dire ne doit pas se taire ni se dérober, mais se manifester de grand cœur[1]. Quand un bel exploit trouve une large audience, il est dans sa première floraison, et quand il est unanimement loué, alors ses fleurs se sont épanouies. C'était la coutume des anciens, comme en témoigne Priscien[2] de s'exprimer, dans les livres qu'ils écrivaient jadis, avec beaucoup d'obscurité en pensant aux générations à venir et à ceux qui devaient apprendre leurs écrits : ils leur laissaient la faculté de gloser la lettre et d'y apporter le surplus de leur intelligence.

Les philosophes le savaient bien et ils en étaient convaincus au fond d'eux-mêmes : plus passerait le temps, plus on ferait œuvre de subtilité et mieux on saurait se garder de ce dont on doit s'abstenir. Qui veut se garantir contre le vice doit se consacrer à l'étude et entreprendre une œuvre difficile ;

Par ceo s'en puet plus esloignier
E de grant dolur delivrer.
28 Pur ceo començai a penser
D'aukune bone estoire faire
E de latin en romaunz traire ;
Mais ne me fust guaires de pris :
32 Itant s'en sunt altre entremis !
[139 b] Des lais pensai, k'oïz aveie.
Ne dutai pas, bien le saveie,
Ke pur remambrance les firent
36 Des aventures k'il oïrent
Cil ki primes les comencierent
E ki avant les enveierent.
Plusurs en ai oï conter,
40 Nes voil laissier ne oblier.
Rimé en ai e fait ditié,
Soventes fiez en ai veillié.

En l'honur de vus, nobles reis,
44 Ki tant estes pruz e curteis,
A ki tute joie s'encline
E en ki quoer tuz biens racine,
M'entremis des lais assembler,
48 Par rime faire e reconter.
En mun quoer pensoe e diseie,
Sire, kes vos presentereie.
Si vos les plaist a receveir,
52 Mult me ferez grant joie aveir,
A tuz jurz mais en serrai lie.
Ne me tenez a surquidie
Si vos os faire icest present.
56 Ore oëz le comencement !

on peut ainsi se tenir le plus à l'écart du vice et échapper à une grande souffrance.

C'est pourquoi j'ai eu l'idée d'écrire un bon récit en le traduisant du latin en français. Mais je n'en aurai pas gagné une grande estime : tant d'autres l'ont entrepris ! J'ai alors pensé aux lais que j'avais entendu raconter. Je savais parfaitement que ceux qui en furent les premiers auteurs et qui les répandirent ensuite les avaient composés pour rappeler les aventures qu'ils avaient entendues. J'en ai ouï raconter beaucoup, je ne veux pas les laisser dans l'oubli. Je les ai donc mis en rimes et j'en ai fait une œuvre poétique. Combien de veilles y ai-je consacrées !

En votre honneur, noble roi, qui êtes si preux et courtois, vous que salue toute joie, vous dans le cœur de qui tout bien prend racine, j'ai entrepris de rassembler des lais et de les raconter en vers. Je pensais et je me disais en mon cœur, sire, que je vous en ferais présent. S'il vous plaît de les recevoir, vous m'emplirez d'une grande joie et j'en serai heureuse à jamais. Ne me tenez pas pour outrecuidante, si j'ose vous faire ce présent. Écoutez maintenant, le récit commence.

GUIGEMAR

Ki de bone mateire traite,
Mult li peise si bien n'est faite.
Oëz, seignurs, ke dit Marie,
4 Ki en sun tens pas ne s'oblie.
Celui deivent la gent loër
Ki en bien fait de sei parler.
Mais quant il ad en un païs
8 Hummë u femme de grant pris,
[139 c] Cil ki de sun bien unt envie
Sovent en dïent vileinie :
Sun pris li volent abeisser ;
12 Pur ceo comencent le mestier
Del malveis chien coart, felun,
Ki mort la gent par traïsun.
Nel voil mie pur ceo leissier,
16 Se gangleür u losengier
Le me volent a mal turner :
Ceo est lur dreit de mesparler !

Les contes ke jo sai verrais,
20 Dunt li Bretun unt fait les lais,
Vos conterai assez briefment.
El chief de cest comencement,

GUIGEMAR

Qui traite un bon sujet en est fâché, s'il n'est bien réussi. Écoutez, seigneurs, ce que raconte Marie qui ne veut pas se faire oublier de son époque. On doit louer celui qui jouit d'une bonne renommée, mais quand il y a quelque part un homme ou une femme de grand mérite, les envieux tiennent souvent sur eux de vilains propos pour nuire à leur réputation. Aussi se conduisent-ils comme un chien méchant, couard et sournois qui mord les gens traîtreusement. Je n'entends pas pour autant abandonner mon projet, même si des moqueurs ou des mauvaises langues veulent le tourner en dérision. Ils ont le droit de médire !

Je vous conterai très brièvement des histoires que je sais authentiques, dont les Bretons ont composé des lais, et après ce prologue[1]

Sulunc la lettre e l'escriture,
24 Vos mosterai une aventure
Ki en Bretaigne la Menur
Avint al tens ancïenur.

En cel tens tint Hoels la tere,
28 Sovent en peis, sovent en guere.
Li reis aveit un suen barun,
Ki esteit sire de Lïun :
Oridials esteit apelez ;
32 De sun seignur fu mult privez,
Chivaliers ert pruz e vaillanz.
De sa moillier out dous enfanz,
Un fiz e une fille bele.
36 Noguent ot nun la damaisele,
Guigeimar noment le dancel ;
El reaulme nen out plus bel.
[139 d] A merveille l'amot sa mere
40 E mult esteit bien de sun pere.
Quant il le pout partir de sei,
Si l'enveat servir un rei.
Li vadlez fu sages e pruz,
44 Mult se faseit amer de tuz.
Quant fu venu termes e tens
Ke il aveit eage e sens,
Li reis l'adube richement,
48 Armes li dune a sun talent.
Guigemar se part de la curt ;
Mult i dona ainz k'il s'en turt.
En Flaundres vait pur sun pris quere :
52 La out tuz jurz estrif e guerre.
En Lorreine ne en Burguine,
Ne en Angou ne en Gascuine,
A cel tens ne pout hom truver
56 Si bon chevalier ne sun per.

De tant i out mespris Nature
Ke unc de nule amur n'out cure.
Suz ciel n'out dame ne pucele
60 Ki tant par fust noble ne bele,

je vous dirai en suivant l'écrit à la lettre une aventure qui arriva dans la Petite Bretagne[2] au temps jadis.

En ce temps-là le duc Hoël régnait sur une terre tantôt en paix, tantôt en guerre. Le roi avait au nombre de ses barons le seigneur du pays de Léon, appelé Oridial. Il était le familier de son maître, c'était un chevalier preux et vaillant. Sa femme lui avait donné deux enfants, un fils et une fille fort belle. La demoiselle se nommait Noguent et le jeune homme Guigemar. Il n'en était pas de plus beau dans le royaume. Sa mère l'aimait à la folie et son père tout autant. Quand il put se séparer de lui, son père l'envoya servir un roi. Le jeune homme était sage et vaillant, il se faisait aimer de tous. Quand il eut grandi en âge et en raison, le roi lui donna un riche équipement et des armes à son goût. Guigemar quitta la cour et distribua de nombreux cadeaux avant son départ. Il alla en Flandre pour se faire une réputation. Ce n'étaient partout que guerres et conflits incessants. Que ce soit en Lorraine, en Bourgogne, en Anjou, en Gascogne, on ne pouvait à cette époque trouver un aussi bon chevalier ni son égal.

Nature ne commit qu'une faute : il resta toujours indifférent à l'amour. Il n'y avait au monde dame ou jeune fille, si noble ou si belle fût-elle,

Se il dë amer la requeïst,
Ke volentiers nel retenist.
Plusurs le requistrent suvent,
64 Mais il n'aveit de ceo talent.
Nuls ne se pout aparceveir
Ke il volsist amur aveir :
Pur ceo le tienent a peri
68 E li estrange e si ami.

En la flur de sun meillur pris
S'en vait li ber en sun païs
[140 a] Veer sun pere e sun seignur,
72 Sa bone mere e sa sorur,
Ki mult l'aveient desiré.
Ensemble od eus ad sujurné,
Ceo m'est avis, un meis entier.

76 Talent li prist d'aler chacier ;
La nuit somunt ses chevaliers,
Ses veneürs e ses berniers ;
Al matin vait en la forest,
80 Kar cil deduiz forment li plest.
A un grant cerf sunt aruté
E li chien furent descuplé.
Li veneür curent devaunt,
84 Li damaisels se vait targaunt ;
Sun arc li portë uns vallez,
Sun ansac e sun berserez :
Traire voleit, si mes eüst,
88 Ainz ke d'iluec se remeüst.
En l'espeise d'un grant buissun
Vit une bise od un foün ;
Tute fu blaunche cele beste,
92 Perches de cerf out en la teste.
Pur l'abai del brachet sailli :
Il tent sun arc, si trait a li.
En l'esclot la feri devaunt,
96 Ele chaï demeintenaunt ;
La seete resort ariere,

qui ne l'aurait écouté, s'il l'avait priée d'amour. Plusieurs firent le premier pas, mais il restait insensible à leurs avances ; il ne semblait même pas vouloir connaître l'amour. Aussi les étrangers comme ses amis le tenaient-ils perdu pour eux.

À la fleur de sa haute renommée, ce brave revint en son pays pour revoir son père et son seigneur, sa bonne mère et sa sœur, qui l'avaient longtemps désiré. Il demeura avec eux, je crois, un mois entier. L'envie lui prit d'aller chasser ; il convoqua un soir ses chevaliers, ses veneurs et ses rabatteurs. Au matin il alla dans la forêt, tout entier à son plaisir. On se mit à la poursuite d'un grand cerf et les chiens furent lâchés. Les veneurs couraient devant et le damoiseau suivait sans se presser ; un valet lui portait son arc, son couteau et son chien de chasse. Il avait l'intention de tirer une flèche, si l'occasion se présentait, avant de quitter ces lieux. Il vit dans l'épaisseur d'un grand buisson une biche et un faon, une bête toute blanche[3] avec des bois de cerf sur la tête. Aux aboiements du chien elle bondit, Guigemar tendit son arc, tira sur elle et l'atteignit en plein front. Elle s'écroula sur-le-champ, mais la flèche rebondit jusqu'au cheval

Guigemar fiert en tel maniere,
En la quisse desk'al cheval,
100 Ke tost l'estuet descendre aval :
A terre chiet sur l'erbe drue
Delez la bise k'out ferue.
[140 b] La bise, ki nafree esteit,
104 Anguissuse ert, si se plaineit.
Aprés parla en itel guise :
« Oï ! Lase ! Jo sui ocise !
E tu, vassal, ki m'as nafree,
108 Tel seit la tue destinee :
Jamais n'aies tu medecine,
Ne par herbe, ne par racine !
Ne par mire, ne par poisun
112 N'avras tu jamés garisun
De la plaie k'as en la quisse,
De si ke cele te guarisse
Ki suffera pur tue amur
116 Issi grant peine e tel dolur
K'unkes femme taunt ne suffri,
E tu referas taunt pur li ;
Dunt tuit cil s'esmerveillerunt
120 Ki aiment e amé avrunt
U ki pois amerunt aprés.
Va t'en de ci, lais m'aver pés ! »

Guigemar fu forment blesciez ;
124 De ceo k'il ot est esmaiez.
Començat sei a purpenser
En quel tere purrat aler
Pur sa plaie faire guarir,
128 Kar ne se volt laissier murir.
Il set assez e bien le dit
K'unke femme nule ne vit
A ki il aturnast s'amur
132 Ne kil guaresist de dolur.
Sun vallet apelat avaunt :
« Amis, fait il, va tost poignaunt !
[140 c] Fai mes compaignuns returner,
136 Kar jo voldrai od eus parler. »

et frappa Guigemar à la cuisse, de sorte qu'il lui fallut mettre pied à terre ; il tomba sur l'herbe drue, près de la biche qu'il avait atteinte. Blessée, la biche dans sa souffrance poussait des plaintes ; puis elle parla en ces termes : « Ah, malheureuse ! Je suis morte ! Et toi, chevalier qui m'as blessée, que telle soit ta destinée : que jamais tu n'aies un remède. Ni herbe, ni racine, ni médecin, ni breuvage ne guériront jamais la plaie que tu as à la cuisse, jusqu'à ce que te guérisse celle qui, par amour pour toi, endurera plus de peines et de douleurs que jamais femme ne souffrit. Et toi, tu souffriras autant pour elle, ce dont s'émerveilleront tous ceux qui aiment, qui auront aimé et qui aimeront à l'avenir. Va-t'en d'ici, laisse-moi en paix ! »

Guigemar était grièvement blessé, bouleversé par ce langage. Il se mit à réfléchir en quel pays il pourrait aller pour faire guérir sa blessure, car il ne voulait pas se laisser mourir. Il sait et il ne cesse de se répéter qu'il n'a jamais vu une femme qu'il puisse aimer et qui soit capable de le guérir de sa souffrance. Il fit venir son serviteur. « Ami, dit-il, va vite au galop, fais faire demi-tour à mes compagnons, car je voudrais leur parler. »

Cil point avaunt, e il remaint ;
Mult anguissusement se pleint.
De sa chemise estreitement
140 Sa plaie bende fermement,
Puis est muntez, d'iluec s'en part ;
K'esloignez seit mult li est tart :
Ne volt ke nuls des suens i vienge
144 Kil desturbast ne kil retienge.
Le travers del bois est alé
Un vert chemin, ki l'ad mené
Fors a la laundë ; en l'a plaigne
148 Vit la faleise e la muntaigne.
D'une ewe ki desuz cureit
Braz fu de mer, hafne i aveit.
El hafne out une sule nef,
152 Dunt Guigemar choisi le tref.
Mult esteit bien apparillee ;
Defors e dedenz fu peiee,
Nuls hum n'i pout trover jointure.
156 N'i out cheville ne closture
Ki ne fust tute d'ebenus :
Suz ciel n'at or ki vaille plus !
La veille fu tute de seie :
160 Mult est bele ki la depleie.
Li chivaliers fu mult pensis :
En la cuntree n'el paìs
N'out unkes mes oï parler
164 Ke nefs i peüst ariver.
Avaunt alat, si descent jus,
A graunt anguisse munta sus.
[140 d] Dedenz quida hummes truver,
168 Ki la nef deüssent garder :
N'i aveit nul ne nul ne vit.
En mi la nef trovat un lit
Dunt li pecol e li limun
172 Furent a l'ovre Salemun
Taillié a or, tut a triffure,
De ciprés e de blanc ivure.
D'un drap de seie a or teissu
176 Ert la coilte ki desus fu.
Les altres dras ne sai preisier,

Le serviteur piqua des deux et lui attendit, gémissant de douleur. Avec sa chemise il banda solidement sa plaie, en serrant fort, puis il monta à cheval et partit. Il lui tardait d'être au loin, de peur que l'un des siens ne vînt l'importuner et le retenir. Il alla à travers la forêt par un chemin verdoyant qui le mena au-delà de la lande. Dans la plaine il vit la falaise et la montagne ; l'eau qui coulait à leur pied était un bras de mer où se trouvait un port. Au port il n'y avait qu'un seul navire dont Guigemar aperçut la voile : il était tout équipé, calfaté dehors et dedans, sans qu'on puisse voir les joints ; chevilles et crampons étaient tous d'ébène. Rien au monde n'était aussi précieux. La voile toute de soie était magnifiquement déployée. Le chevalier resta pensif : il n'avait jamais entendu dire dans la contrée et le pays qu'un navire pût y aborder.

Il s'avança, descendit de cheval ; perplexe, il monta sur l'embarcation, pensant y trouver des gens chargés de la garder. Il n'y a personne, il ne voit personne et découvre au milieu du navire un lit dont les montants et les longerons étaient d'or gravé selon l'art de Salomon[4] et incrusté de cyprès et d'ivoire blanc. Une étoffe jetée dessus était de soie brochée d'or. Quant aux draps, je ne sais en dire le prix,

Mes tant vos di de l'oreillier :
Ki sus eüst sun chief tenu
180 Jamais le peil n'avreit chanu.
Li coverturs de sabelin
Vols fu de purpre alexandrin.
Deus chandelabres de fin or
184 (Li pire valeit un tresor.)
El chief de la nef furent mis ;
Desus out deus cirges espris :
De ceo s'esteit il merveilliez.
188 Il s'est sur le lit apuiez ;
Repose sei, sa plaie dolt.
Puis est levez, aler s'en volt ;
Il ne pout mie returner :
192 La nef est ja en halte mer !
Od lui s'en vat delivrement,
Bon oret out e suëf vent :
N'i ad nïent de sun repaire !
196 Mult est dolenz, ne seit ke faire.
N'est merveille se il s'esmaie,
Kar grant dolur out en sa plaie.
[141 a] Suffrir li estuet l'aventure ;
200 A Deụ prie k'en prenge cure,
K'a sun poeir l'ameint a port
E sil defende de la mort.
El lit se colche, si s'endort.
204 Hui ad trespassé le plus fort :
Ainz la vesprë ariverat
La ou sa guarisun avrat,
Desuz une antive cité,
208 Ki esteit chief de cel regné.
Li sires ki la mainteneit
Mult fu vielz hum, e femme aveit
Une dame de haut parage,
212 Franche, curteise, bele e sage.
Gelus esteit a desmesure,
Kar ceo purporte la nature
Ke tuit li vieil seient gelus —
216 Mult het chascuns ke il seit cous — :
Tels est d'eage le trespas !

mais pour l'oreiller[5], je puis affirmer que qui aurait posé sur lui sa tête n'aurait jamais de cheveux blancs. La couverture de zibeline était doublée d'un satin d'Alexandrie. Deux candelabres d'or fin (le moins précieux valait un trésor) étaient placés à la proue du navire, portant deux cierges allumés. Béat d'admiration, Guigemar s'appuya sur le lit pour se reposer des souffrances de sa blessure ; puis il se leva, voulant s'en aller.

Ce lui fut interdit ! Déjà le navire était en haute mer. Il l'emporte promptement, le temps est beau, le vent favorable : il n'est plus question de retour ! Guigemar est profondément attristé et ne sait que faire ; son désarroi n'a rien d'étonnant, car sa plaie le fait cruellement souffrir. Il lui faut subir cette aventure. Il prie Dieu de prendre soin de lui, de l'amener par sa puissance à bon port et de le protéger de la mort. Il se couche sur le lit et s'endort. Il a désormais passé le plus dur : avant le soir il va arriver là où il trouvera sa guérison, sous les murs d'une antique cité, la capitale de ce royaume.

Le seigneur qui en était le maître était un vieillard ; il avait pour épouse une femme de haute extraction, noble, courtoise, belle et sage. Le mari était follement jaloux, comme tous les vieillards le sont naturellement, — chacun a horreur d'être cocu ; — l'âge oblige à passer par là.

Il ne la guardat mie a gas :
En un vergier, suz le dongun,
220 La out un clos tut envirun ;
De vert marbre fu li muralz,
Mult par esteit espés e halz.
N'i out fors une sule entree :
224 Cele fu nuit e jur guardee.
De l'altre part fu clos de mer ;
Nuls ne pout eissir ne entrer
Si ceo ne fust od un batel,
228 Se busuin eüst al chastel.
Li sire out fait dedenz le mur,
Pur mettre i sa femme a seür,
[141 b] Chaumbre suz ciel n'aveit plus bele.
232 A l'entree fu la chapele.
La chaumbre ert peinte tut entur ;
Venus, la deuesse d'amur,
Fu tres bien mise en la peinture ;
236 Les traiz mustrout e la nature
Cument hom deit amur tenir
E lealment e bien servir.
Le livre Ovide, ou il enseine
240 Comment chascuns s'amur estreine,
En un fu ardant le gettout,
E tuz iceus escumengout
Ki jamais cel livre lirreient
244 Ne sun enseignement fereient.
La fu la dame enclose e mise.
Une pucele a sun servise
Li aveit sis sires bailliee,
248 Ki mult ert franche e enseigniee,
Sa niece, fille sa sorur.
Entre les deus out grant amur ;
Od li esteit quant il errout.
252 De ci la ke il reparout,
Hume ne femme n'i venist,
Ne fors de cel murail n'issist.
Uns vielz prestres blancs e floriz
256 Guardout la clef de cel postiz ;
Les plus bas membres out perduz,

La surveillance dont la dame était l'objet n'était pas une plaisanterie. Dans un verger, au pied du donjon, était un enclos entouré d'un mur de marbre vert, très épais et très haut. Il n'y avait qu'une seule entrée, gardée nuit et jour. De l'autre côté il était fermé par la mer, on ne pouvait sortir ou entrer qu'en bateau pour les besoins du château. À l'intérieur du mur le seigneur avait fait aménager une chambre, la plus belle du monde, pour y mettre sa femme en sûreté. La chapelle était à l'entrée ; quant à la chambre, elle était tout autour couverte de peintures : Vénus, la déesse de l'amour y était fort bien représentée ; elle montrait les règles et la nature de l'amour, comment l'amant doit se comporter et observer un loyal service. Elle jetait dans un feu ardent le livre où Ovide[6] enseigne à se défier de l'amour et elle excommuniait tous ceux qui liraient ce livre et suivraient son enseignement. C'est là que la dame fut placée et enfermée. Son mari avait mis à son service une jeune fille, sa nièce, la fille de sa sœur, noble et bien éduquée. Une grande affection unissait les deux femmes ; la demoiselle restait avec l'épouse, quand le mari voyageait. Jusqu'à son retour, homme ni femme ne pénétrait à l'intérieur de ce mur ni n'en sortait. Un vieux prêtre chenu, aux cheveux blancs, gardait la clé de la porte ; c'était un eunuque,

Autrement ne fust pas creüz.
Le servise Deu li diseit
260 E a sun mangier la serveit.

Cel jur meïsme, ainz relevee,
Fu la dame el vergier alee ;
Dormi aveit aprés mangier,
264 Si s'ert alee esbanïer,
Ensemble od li sul la meschine.
Gardent aval vers la marine ;
La neif virent al flot muntant,
268 Ki el hafne veneit siglant.
Ne veient rien ki la cunduie.
La dame volt turner en fuie :
Si ele ad poür n'est merveille !
272 Tute en fu sa face vermeille.
Mes la meschine, ki fu sage
E plus hardie de curage,
La recunforte e aseüre.
276 Cele part vunt grant aleüre.
Sun mantel oste la pucele,
Entre en la neif, ki mut fu bele,
Ne trovat nule rien vivant
280 For sul le chevaler dormant.
Arestut sei, si l'esgarda ;
Pale le vit, mort le quida.
Ariere vait la dameisele ;
284 Hastivement la dame apele,
Tute la verité li dit,
Mut pleint le mort que ele vit.
Respunt la dame : « Or i alums !
288 S'il est mort, nus l'enfuïrums ;
Nostre prestre nus aidera.
Si vif le truis, il parlera. »
Ensemble vunt, ne targent mes,
292 La dame avant e cele aprés.
Quant ele est en la neif entree,
Devant le lit est arestee ;
[141 d] Le chevaler ad esgardé,
296 Mut pleint sun cors e sa beuté.

sans quoi on ne lui aurait pas fait confiance. Il assurait l'office divin et servait la dame à table.

Ce jour-là, tôt dans l'après-midi, la dame s'était rendue au verger, elle avait fait la sieste après le repas et était allée se délasser en compagnie de la seule jeune fille. Elles regardaient en bas, vers le rivage de la mer, lorsqu'elles voient à la marée montante le navire qui à pleines voiles aborde au port. Elles ne distinguent aucun pilote. Saisie de frayeur, la dame veut prendre la fuite, le visage rouge de peur ; mais la suivante qui était sage et plus courageuse la réconforte et la rassure. Elles se dirigent en hâte vers le port ; la jeune fille ôte son manteau, entre dans le beau navire, n'y trouve âme qui vive, sauf le chevalier endormi. Elle s'arrête et le regarde ; elle le voit pâle et le croit mort. Elle revient sur ses pas, appelle aussitôt la dame : « S'il est mort, nous l'inhumerons, notre prêtre nous aidera ; si je le touve vivant, il nous dira tout. »

Elles se pressent toutes deux, sans tarder, la dame la première et la demoiselle derrière elle. Quand la dame pénètre dans le navire, elle s'arrête devant le lit, contemple le chevalier. Devant la beauté de son corps,

Pur lui esteit triste e dolente
E dit que mar fu sa juvente.
Desur le piz li met sa main :
300 Chaut le senti e le quor sein,
Ki suz les costez li bateit.
Le chevalers ki se dormeit
S'est esveillez, si l'ad veüe,
304 Mut en fu liez, si la salue ;
Bien seit k'il est venuz a rive.
La dame, pluranz e pensive,
Li respundi mut bonement ;
308 Demande li cumfaitement
Il est venuz e de queil tere
E s'il est eisselez pur guere.
« Dame, fet il, ceo n'i ad mie.
312 Mes si vus plest que jeo vus die
La verité vus cunterai,
Nïent ne vus en celerai.
De Bretaine la Menur fui.
316 En bois alai chacier jehui ;
Une blanche bise feri
E la saete resorti ;
En la quisse m'ad si nafré,
320 Jamés ne quid estre sané.
La bise se pleinst e parlat :
Mut me maudist, e si jurat
Que ja n'eüsse guarisun
324 Si par une meschine nun,
Ne sai u ele seit trovee.
Quant jeo oï la destinee,
[142 a] Hastivement del bois eissi.
328 En un hafne ceste nef vi,
Dedenz entrai, si fis folie !
Od mei s'en est la neif ravie ;
Ne sai u jeo sui arivez,
332 Coment ad nun ceste citez.
Bele dame, pur Deu vus pri,
Cunseillez mei, vostre merci !
Kar jeo ne sai queil part aler,
336 Ne la neif ne puis governer. »

triste et affligée, elle pleure de pitié et déplore sa jeunesse brisée. Elle lui pose la main sur la poitrine, la sent chaude et sent sous les flancs battre le cœur. Le chevalier qui dormait se réveille et la voit ; joyeux, il la salue, sûr d'être parvenu au rivage. En larmes et anxieuse, la dame lui rend gentiment son salut, lui demande comment il est venu, de quel pays il est, s'il est exilé à la suite d'une guerre. « Dame, fait-il, nullement. Mais s'il vous plaît que je vous dise mon aventure, je vous la conterai sans rien vous en cacher. Je suis de Petite Bretagne. Je suis allé chasser en forêt aujourd'hui, j'ai tiré sur une biche blanche, mais la flèche a rebondi, elle m'a si grièvement blessé que je ne pense pas retrouver jamais la santé. La biche a fait entendre une plainte, elle a parlé, elle m'a maudit et m'a souhaité de ne trouver de guérison que grâce à une jeune femme. Mais je ne sais où la trouver. À l'annonce de cette prédiction, je suis sorti en toute hâte de la forêt, j'ai vu dans un port ce navire, j'y suis entré, ce qui était une folie. Le navire a pris le large avec moi : je ne sais où je viens d'aborder, comment s'appelle cette cité. Belle dame, par Dieu, je vous en prie, secourez-moi, par pitié, car je ne sais où aller et je ne suis pas capable de piloter ce navire. »

El li respunt : « Bels sire chiers,
Cunseil vus dirai volenters.
Ceste cité est mun seignur,
340 E la cuntree tut entur ;
Riches hum est, de haut parage,
Mes mut par est de grant eage.
Anguissusement est gelus ;
344 Par cele fei ke jeo dei vus,
Dedenz cest clos m'ad enseree.
N'i ad fors une sule entree.
Uns viels prestre la porte garde :
348 Ceo doinse Deus que mal feu l'arde !
Ici sui nuit e jur enclose ;
Ja nule fiez nen ierc si ose
Que j'en ise s'il nel comande,
352 Si mis sires ne me demande.
Ci ai ma chambre e ma chapele,
Ensemble od mei ceste pucele.
Si vus i plest a demurer
356 Tant que vus mielz pussez errer,
Volentiers vus sujornerum
E de bon queor vus servirum. »
[142 b] Quant il ad la parole oïe,
360 Ducement la dame mercie :
Od li sujurnerat, ceo dit.
En estant c'est dreciez el lit,
Celes li aïent a peine.
364 La dame en sa chambre le meine ;
Desur le lit a la meschine,
Triers un dossal ki pur cortine
Fu en la chambre apareillez,
368 La est li dameisels cuchez.
En bacins d'or ewe aporterent,
Sa plaie e sa quisse laverent ;
A un bel drap de cheisil bjanc
372 Li osterent entur le sanc ;
Puis l'unt estreitement bendé :
Mut le tienent en grant chierté.
Quant lur mangier al vespre vient,
376 La pucele tant en retient

Elle lui répond : « Cher seigneur, je vous secourrai bien volontiers. Cette cité appartient à mon époux, ainsi que la contrée aux environs. C'est un homme puissant, de noble famille, mais il est très âgé et terriblement jaloux. Au nom de la foi que je vous dois, il m'a enfermée dans cet enclos où il n'y a qu'une seule entrée. Un vieux prêtre en garde la porte. Fasse Dieu que le feu de l'enfer le brûle ! Je suis prisonnière ici nuit et jour. Je n'aurai jamais le courage d'en sortir sans la permission du prêtre, si mon époux ne me réclame pas. J'ai ici ma chambre et ma chapelle, et avec moi cette jeune fille. S'il vous plaît d'y séjourner jusqu'à ce que vous soyez en état de voyager de nouveau, nous vous accueillerons volontiers et nous vous servirons de bon cœur. »

À ces mots, Guigemar remercie aimablement la dame : il restera avec elle, dit-il. Il se dresse debout en se levant du lit et elles l'aident à grand-peine. La dame le mène dans sa chambre, le couche sur le lit de la jeune fille, derrière un panneau disposé dans la chambre en guise de courtine. Elles lui apportent de l'eau dans des bassins d'or, lavent la plaie de sa cuisse en essuyant tout autour le sang avec un beau tissu de lin blanc ; puis elles la pansent en serrant fort et entourent le jeune homme de soins attentifs.

Quand, le soir, ce fut l'heure du repas, la jeune fille mit suffisamment de nourriture de côté

Dunt li chevalers out asez :
Bien est peüz e abevrez !

Mes Amur l'ot feru al vif ;
380 Ja ert sis quors en grant estrif,
Kar la dame l'ad si nafré,
Tut ad sun païs ublié.
De sa plaie nul mal ne sent.
384 Mut suspira anguisusement.
La meschine kill deit servir
Prie qu'ele le laist dormir ;
Cele s'en part, si l'ad laissié,
388 Puis k'il li ad duné cungé.
Devant sa dame en est alee,
Ki aukes esteit reschaufee
[142 c] Del feu dunt Guigemar se sent
392 Que sun queor alume e esprent.
Li chevalers fu remés suls.
Pensis esteit e anguissus ;
Ne seit uncore que ceo deit,
396 Mes nepurquant bien s'aparceit,
Si par la dame n'est gariz,
De la mort est seürs e fiz.
« Allas, fet il, quel le ferai ?
400 Irai a li, si li dirai
Quë ele eit merci e pité
De cest cheitif descunseillé ;
S'ele refuse ma priere
404 E tant seit orgoilluse e fiere,
Dunc m'estuet il a doel murir
U de cest mal tuz jurs languir. »
Lors suspirat. En poi de tens
408 Li est venu novel purpens
E dit que suffrir li estoet,
Kar issi fait ki mes ne poet.
Tute la nuit ad si veillé
412 E suspiré e travaillé.
En sun queor alot recordant
Les paroles e le semblant,
Les oilz vairs e la bele buche
416 Dunt la dolçur al quor li tuche.

et le chevalier en eut abondamment : il eut bien à boire et à manger.

Mais Amour l'a frappé au vif. Voici désormais son cœur en grand combat, car la dame l'a si bien blessé qu'il en a complètement oublié son pays. Il ne ressent plus aucun mal de sa plaie, mais il soupire amèrement et prie la jeune fille mise à son service de le laisser dormir. Elle le quitte et le laisse seul, selon son désir, et retourne auprès de sa dame qui brûle du même feu que Guigemar, un feu qui enflamme et embrase son cœur.

Le chevalier demeure seul, plongé dans ses pensées et anxieux. Il se demande ce qui lui arrive, mais il se rend compte que, s'il n'est pas guéri par la dame, il est sûr et certain de mourir. « Hélas, fait-il, que faire ? J'irai la trouver et je lui demanderai d'avoir pitié et compassion pour le pauvre désemparé que je suis. Si elle repousse ma prière et si elle est à ce point orgueilleuse et fière, alors je n'ai plus qu'à mourir de chagrin ou à languir à jamais de ce mal. » Il pousse un soupir ; mais bientôt lui vient une autre pensée ; il se dit qu'il lui faut accepter la souffrance, car il n'a rien d'autre à faire. Toute la nuit il reste éveillé, il souffre, il est au supplice ; en son cœur il se rappelle les paroles de la dame, son air, ses yeux lumineux, sa belle bouche dont la douceur l'atteint au fond du cœur.

Entre ses denz merci li crie,
Pur poi ne l'apelet s'amie !
Si il seüst qu'ele senteit
420 E cum l'amur la destreineit,
Mut en fust liez, mun escïent ;
Un poi de rasuagement
[142 d] Li tolist auques la dolur
424 Dunt il ot pale la colur.

Si il ad mal pur li amer,
El ne s'en peot nïent loër.
Par matinet, einz l'ajurnee,
428 Esteit la dame sus levee.
Veillé aveit, de ceo se pleint ;
Ceo feit Amur, ki la destreint.
La meschine ki od li fu
432 Ad le semblant aparceü
De sa dame que ele amout
Le chevaler ki sojurnout
En la chambre pur guarisun ;
436 Mes el ne seit s'il l'eime u nun.
La dame est entree el muster,
E cele vait al chevaler.
Asise s'est devant le lit,
440 E il l'apele, si li dit :
« Amie, u est ma dame alee ?
Pur quei est el si tost levee ? »
A tant se tut, si suspira.
444 La meschine l'areisuna :
« Sire, fet ele, vus amez !
Gardez que trop ne vus celez !
Amer poëz en iteu guise
448 Que bien ert vostre amur assise.
Ki ma dame vodreit amer
Mut devreit bien de li penser.
Ceste amur sereit covenable,
452 Si vus amdui feussez estable :
Vus estes bels e ele est bele. »
Il respundi a la pucele :
[143 a] « Jeo sui de tel amur espris,

D'une voix faible il implore sa pitié, peu s'en faut qu'il ne l'appelle son amie. S'il avait su ses sentiments, à quel point Amour la tourmentait, il en eût été heureux, je pense ; un peu de réconfort aurait soulagé la douleur qui rendait son visage pâle[7].

Si son amour pour la dame le torture, elle, de son côté, n'était pas en meilleure situation. Au petit matin, avant le point du jour, elle se lève en se plaignant de n'avoir pas trouvé le sommeil : la cause en est Amour qui l'opprime. La jeune fille qui vivait avec elle s'aperçoit bien à l'air de sa dame qu'elle aime le chevalier séjournant dans la chambre pour sa guérison, mais elle ignore s'il l'aime ou non. La dame est entrée dans l'église et la demoiselle rejoint le chevalier, s'assoit devant le lit. Il l'appelle et lui dit : « Amie, où est allée ma dame ? Pourquoi s'est-elle levée si tôt ? » Il se tait alors et soupire. Et la jeune fille, lui adressant la parole, « Seigneur, fait-elle, vous êtes amoureux ! Gardez-vous de trop cacher vos sentiments. Vous pouvez aimer, car votre amour sera bien placé. Qui aurait l'intention d'aimer ma dame devrait la tenir en haute estime. Cet amour serait parfait, si tous deux vous étiez d'un cœur fidèle : vous êtes beau et elle est belle. » Il répond à la jeune fille : « Je suis épris d'un tel amour

456 Bien me purrat venir a pis,
Si jeo n'ai sucurs e aïe.
Cunseillez mei, ma duce amie :
Que ferai jeo de ceste amur ? »
460 La meschine par grant duçur
Le chevaler ad conforté
E de s'aïe aseüré,
De tuz les biens que ele pout fere ;
464 Mut ert curteise e deboneire.

Quant la dame ad la messe oïe,
Ariere vait, pas ne se ublie ;
Saver voleit quei cil feseit,
468 Si il veilleit u il dormeit,
Pur ki amur sis quors ne fine.
Avant l'apelat la meschine,
Al chevalier la feit venir ;
472 Bien li purrat tut a leisir
Mustrer e dire sun curage,
Turt li a pru u a damage.
Il la salue e ele lui ;
476 En grant effrei erent amdui.
Il ne l'osot nïent requere ;
Pur ceo qu'il ert d'estrange tere
Aveit poür, s'il li mustrast,
480 Qu'el l'enhaïst e esloinast.
Mes ki ne mustre s'enferté
A peine en peot aveir santé.
Amur est plaie dedenz cors
484 E si ne piert nïent defors ;
Ceo est un mal ki lunges tient,
Pur ceo que de Nature vient.
[143 b] Plusur le tienent a gabeis,
488 Si cume li vilain curteis
Ki jolivent par tut le mund,
Puis se avantent de ceo que funt.
N'est pas amur, einz est folie,
492 E mauveisté e lecherie !
Ki un en peot leal trover
Mut le deit servir e amer
E estre a sun comandement.

qu'il m'arrivera malheur, si je n'ai aide et secours. Aidez-moi, ma douce amie. Que faire pour mon amour ? » Elle réconforte avec douceur le chevalier et, courtoise et bonne, l'assure de son aide et de tous ses efforts pour le secourir.

Quand la dame eut entendu la messe, elle revint ; toute à ses préoccupations, elle voulait savoir ce que faisait Guigemar, s'il veillait ou s'il dormait, le cœur pénétré de son amour. La jeune fille lui fait signe et l'amène auprès du chevalier : elle pourra tout à loisir lui révéler et lui dévoiler ses sentiments, que l'entrevue tourne bien ou mal pour elle. Il la salue et elle lui rend son salut. Tous les deux sont dans un grand trouble ; il n'ose pas lui adresser sa requête. Étant d'une terre étrangère, il craint, s'il passe aux aveux, d'encourir sa haine et d'être éconduit. Mais qui ne découvre son mal ne peut guère recouvrer la santé. L'amour est une blessure intérieure qui ne laisse rien apparaître au-dehors. C'est un mal tenace que nous inflige Nature. Beaucoup ne le prennent pas au sérieux, comme ces amoureux vulgaires qui font la cour aux femmes de par le monde, puis se vantent de leurs succès. Ce n'est pas là l'amour, mais folie, malhonnêteté et débauche. Quand on peut trouver un homme loyal, on doit le servir, l'aimer et ne pas s'opposer à ses volontés.

496 Guigemar eime durement :
U il avrat hastif sucurs,
U li esteot vivre a reburs.
Amur li dune hardement,
500 Il li descovre sun talent :
« Dame, fet il, jeo meorc pur vus !
Mis quors en est mut anguissus :
Si vus ne me volez guarir,
504 Dunc m'estuet il en fin murir.
Jo vus requeor de druërie :
Bele, ne m'escundites mie ! »
Quant ele l'at bien entendu,
508 Avenaument ad respundu ;
Tut en riant li dit : « Amis,
Cest cunseil sereit trop hastis
De otrïer vus ceste priere :
512 Jeo ne sui mie acustumere.
— Dame, fet il, pur Deu merci !
Ne vus ennoit si jol vus di :
Femme jolive de mestier
516 Se deit lunc tens faire preier
Pur sei cherir, que cil ne quit
Que ele eit usé cel deduit ;
[143 c] Mes la dame de bon purpens,
520 Ki en sei eit valur ne sens,
S'ele treve hume a sa maniere,
Ne se ferat vers lui trop fiere,
Ainz l'amerat, s'en avrat joie.
524 Ainz ke nuls le sachet ne l'oie
Avrunt il mut de lur pru fait.
Bele dame, finum cest plait ! »
La dame entent que veir li dit
528 E li otreie sanz respit
L'amur de li, e il la baise.
Des ore est Guigemar a aise :
Ensemble gisent e parolent
532 E sovent baisent e acolent.
Bien lur covienge del surplus,
De ceo que li autre unt en us !

Guigemar est éperdument amoureux : ou bien il obtiendra un rapide secours, ou bien il lui faudra mener une vie contraire à ses désirs. Amour lui inspire la hardiesse, il découvre enfin ses pensées : « Dame, fait-il, je meurs à cause de vous ! Mon cœur est plein d'angoisse ; si vous refusez de me guérir, il me faudra mourir. Je vous demande votre amour. Belle, ne me repoussez pas. »

Après l'avoir bien écouté, elle lui répond gracieusement et lui dit avec un sourire : « Ami, ce serait prendre une décision trop hâtive que d'exaucer votre prière. Je n'ai pas cette habitude. — Dame, dit-il, par Dieu, pitié ! Ne vous fâchez pas si je vous dis : femme de mœurs légères doit longtemps se faire prier pour se donner du prix et pour que son soupirant ne croie pas qu'elle cède facilement. Mais une dame aux pensées honnêtes, pleine de mérite et de sagesse, qui trouve un homme à son goût, ne sera pas cruelle à son égard, mais elle l'aimera et en aura de la joie. Avant qu'on ne découvre leur liaison ou qu'on en parle, ils en auront pris du bon temps ! Belle dame, mettons fin à cette discussion. »

La dame reconnaît qu'il a raison, lui accorde tout de suite son amour et il lui donne un baiser. Voici à présent Guigemar comblé. Ils s'allongent l'un près de l'autre et ne cessent d'échanger propos, baisers et étreintes. Quant au reste, qu'ils en usent selon les pratiques des autres amants !

Ceo m'est avis, an e demi
536 Fu Guigemar ensemble od li ;
Mut fu delituse la vie.
Mes Fortune, ki ne s'oblie,
Sa roe turne en poi de hure :
540 L'un met desuz, l'autre desure.
Issi est de ceus avenu,
Kar tost furent aparceü.

Al tens d'esté, par un matin,
544 Just la dame lez le meschin.
La buche li baise e le vis,
Puis si li dit : « Beus duz amis,
Mis quors me dit que jeo vus perc :
548 Seü serum e descovert.
Si vus murez, jeo voil murir ;
E si vis en poëz partir,
[143 d] Vus recoverez autre amur
552 E jeo remeindrai en dolur.
— Dame, fet il, nel dites mes !
Ja n'eie jeo joie ne pes,
Quant vers nule autre avrai retur !
556 N'aiez de ceo nule poür !
— Amis, de ceo me asseürez !
Vostre chemise me livrez ;
El pan desuz ferai un plait :
560 Cungé vus doins, u ke ceo seit,
De amer cele kil defferat
E ki despleer le savrat. »
Il li baile, si l'aseüre.
564 Le plet i fet en teu mesure,
Nule femme nel deffereit,
Si force u cutel n'i meteit.
La chemise li dune e rent.
568 Il la receit par tel covent
Que el le face seür de li ;
Par une ceinture autresi,
Dunt a sa char nue la ceint,
572 Par mi le flanc aukes l'estreint :
Ki la bucle purrat ovrir

Guigemar demeura, je crois, un an et demi avec elle ; leur vie était faite de délices. Mais Fortune qui ne s'endort pas, fait bien vite tourner sa roue[8] ; elle met l'un en haut, l'autre en bas. C'est ce qui leur arriva, car ils furent bientôt découverts.

À la belle saison, un matin, la dame était couchée près du jeune homme, elle lui baisait la bouche et le visage, puis lui dit : « Cher doux ami, mon cœur me dit que je vais vous perdre, nous serons surpris et découverts. Si vous mourez, je veux mourir ; et si vous pouvez vous en sortir vivant, vous connaîtrez un autre amour et je resterai avec ma souffrance. — Dame, fait-il, ne parlez pas ainsi ! Que je ne connaisse jamais la joie ni la paix, si je me tourne vers une autre femme ! N'ayez crainte à ce sujet. — Ami, donnez-m'en l'assurance, confiez-moi votre chemise, je ferai un nœud au pan de dessous. Je vous permets, où que ce soit, d'aimer celle qui pourra le défaire et qui saura le dénouer. » Guigemar lui remet la chemise et s'engage par serment. Elle fait le nœud de telle sorte qu'aucune femme ne puisse le défaire sans avoir recours à des ciseaux ou à un couteau. Elle lui rend la chemise et il la reprend à condition qu'elle consente même garantie de sa personne en portant sur sa chair une ceinture qu'il serre fort sur ses flancs ; il l'autorise à aimer celui qui pourra ouvrir la boucle

Sanz depescer e sanz partir,
Il li prie que celui aint.
576 Puis la baisë, a taunt remaint.

Cel jur furent aparceü,
Descovert, trové e veü
D'un chamberlenc mal veisïé
580 Que sis sire i out enveié.
A la dame voleit parler,
Ne pout dedenz la chambre entrer ;
[144 a] Par une fenestre les vit,
584 Veit a sun seignur, si li dit.
Quant li sires l'ad entendu,
Unques mes tant dolent ne fu.
De ses priveiz demanda treis,
588 A la chambre vait demaneis,
Il en ad fet l'us depescer ;
Dedenz trovat le chevaler.
Pur le grant ire que il a,
592 A ocire le cumaunda.
Guigemar est en piez levez ;
Ne s'est de nïent effreez :
Une grosse perche de sap,
596 U suleient pendre li drap,
Prist en ses mains e sis atent.
Il en ferat aukun dolent ;
Ainz ke il d'eus seit aprimiez
600 Les avrat il tuz maïniez.
Le sire l'ad mut esgardé ;
Enquis li ad e demandé
Ki il esteit e dunt fu nez
604 E coment est laeinz entrez.
Cil li cunte cum il i vint
E cum la dame le retint ;
Tute li dist la destinee
608 De la bise ki fu nafree
E de la neif e de sa plaie.
Ore est del tut en sa manaie !
Il li respunt que pas nel creit,
612 E s'issi fust cum il diseit,

sans la couper ni la briser, puis il l'embrasse et on en reste là.

Ce jour-là ils furent aperçus, surpris et découverts par un chambellan soupçonneux que son seigneur avait dépêché. Voulant parler à la dame, il ne put entrer dans la chambre, mais il les vit par une fenêtre ; il retourna alors chez son maître et lui raconta tout. Quand le seigneur l'apprit, sa douleur fut sans bornes. Il fit venir trois de ses familiers et alla de ce pas à la chambre. Il en fait enfoncer la porte et trouve le chevalier à l'intérieur. Sous le coup d'une violente colère, il ordonne de le tuer. Mais Guigemar se dresse sur ses pieds, sans avoir peur de rien. Il saisit de ses mains une grosse perche de sapin où l'on suspendait le linge et il les attend, prêt à en mettre à mal plus d'un. Avant de se laisser approcher il les aura tous mis hors de combat. Le seigneur le regarde avec insistance, l'interroge et lui demande qui il est, d'où il est natif et comment il est entré céans. Guigemar lui raconte comment il est venu et comment la dame l'a gardé auprès d'elle ; il lui parle de la prédiction de la biche blessée, du navire, de sa plaie. Le voici complètement au pouvoir de ce seigneur ! Celui-ci répond qu'il ne le croit pas, que si Guigemar disait la vérité

Si il peüst la neif trover,
Il le metreit giers en la mer :
[144 b] S'il guaresist, ceo li pesast,
616 E bel li fust si il neiast !
Quant il l'ad bien aseüré,
Al hafne sunt ensemble alé.
La barge trovent, enz l'unt mis :
620 Od lui s'en vet en sun païs.

La neif erre, pas ne demure.
Li chevaliers suspire e plure ;
La dame regretout sovent
624 E prie Deu omnipotent
Qu'il li dunast hastive mort
E que jamés ne vienge a port
S'il ne repeot aveir s'amie,
628 K'il desire plus que sa vie.
Tant ad cele dolur tenue
Que la neifs est a port venue,
U ele fu primes trovee ;
632 Asez iert pres de sa cuntree.
Al plus tost k'il pout s'en issi.
Un damisel qu'il ot nurri
Errot aprés un chevaler ;
636 En sa mein menot un destrer.
Il le conut, si l'apelat,
E li vallez se reguardat :
Sun seignur veit, a pié descent,
640 Le cheval li met en present.
Od lui s'en veit ; joius en sunt
Tut si ami, ki trové l'unt.
Mut fu preisez en sun païs,
644 Mes tuz jurs ert maz e pensis.
Femme voleient qu'il preisist,
Mes il del tut les escundist :
[144 c] Ja ne prendra femme a nul jur,
648 Ne pur aveir ne pur amur,
S'ele ne peüst despleer
Sa chemise sanz depescer.
Par Breitaine veit la novele ;

et s'il pouvait trouver le navire, il lui ferait prendre la mer ; il n'aimerait pas le voir guéri, mais serait heureux de le voir noyé. Ces propositions du seigneur une fois faites, ils vont ensemble jusqu'au port, trouvent l'embarcation et y font monter Guigemar. À son bord, il vogue vers son pays.

Le navire fait voile à belle allure. Le chevalier soupire et pleure, ne cessant de regretter la dame et il prie le Dieu tout-puissant de lui accorder une mort rapide, de ne pas le laisser aborder à un port, s'il ne peut revoir son amie qu'il désire plus que sa vie. Il reste plongé dans la douleur jusqu'à ce que le navire arrive au port où il était apparu la première fois, tout près de son pays. Guigemar s'empresse de débarquer.

Un jeune homme qu'il avait élevé cheminait, à la recherche d'un chevalier, menant à la main un destrier. Guigemar le reconnaît, l'appelle ; le jeune garçon regarde, voit son maître, met pied à terre et lui offre son cheval. Guigemar s'en va avec lui. Tous ses amis qui l'ont retrouvé en ont la joie au cœur. Il jouit d'une grande considération en son pays, mais il était jour après jour sombre et soucieux. Ses amis voulaient le marier, mais il les repoussait imperturbablement : ni la richesse ni l'amour ne le décideront à prendre femme, sauf celle qui sera capable de dénouer sa chemise sans la mettre en morceaux. La nouvelle s'en répandit à travers la Bretagne,

652 Il n'i ad dame ne pucele
Ki n'i alast pur asaier :
Unc ne la purent despleier !

De la dame vus voil mustrer
656 Que Guigemar pot tant amer.
Par le cunseil d'un sun barun
Ses sires l'ad mise en prisun
En une tur de marbre bis.
660 Le jur ad mal e la nuit pis ;
Nul humme el mund ne purreit dire
Sa grant peine, ne le martire
Ne l'anguisse ne la dolur
664 Que la dame suffri en la tur.
Deus anz i fu e plus, ceo quit ;
Unc n'i ot joie ne deduit.
Sovent regrate sun ami :
668 « Guigemar, sire, mar vus vi !
Mieuz voil hastivement murir
Que lungement cest mal suffrir.
Amis, si jeo puis eschaper,
672 La u vus fustes mis en mer
Me neierai. » Dunc lieve sus ;
Tute esbaïe vient à l'hus,
Ne treve cleif ne sereüre,
676 Fors s'en eissi ; par aventure
Unques nuls ne la desturba.
Al hafne vint, la neif trova :
[144 d] Atachië fu al rochier
680 U ele se voleit neier.
Quant el la vit, enz est entree.
Mes d'une rien s'est purpensee,
Que ilec fu sis amis neiez ;
684 Dunc ne pout ester sur ses piez ;
Se desqu'al bort peüst venir,
El se laissast defors chaïr.
Asez seofre travail e peine.
688 La neif s'en vet, ki tost l'en meine.
En Bretaine est venue al port
Suz un chastel vaillant e fort.

dames et demoiselles se présentèrent pour essayer, aucune d'elles ne put défaire le nœud.

Je veux maintenant vous parler de la dame que Guigemar aime tant. Sur les conseils d'un de ses barons, le seigneur l'a mise en prison, dans une tour de marbre gris : elle souffre le jour, et plus encore la nuit. Personne au monde ne pourrait dire sa profonde peine, son martyre, l'angoisse qu'elle éprouve dans la tour. Elle y resta, je crois, deux ans et plus, sans avoir joie ni plaisir. Elle ne cessait de déplorer l'absence de son ami : « Seigneur Guigemar, c'est pour mon malheur que je vous ai vu ! Plutôt mourir tout de suite qu'endurer longtemps cette souffrance[9]. Ami, si je puis m'échapper, je me noierai à l'endroit où on vous mit en mer. » Elle se lève alors, abattue, va à la porte, n'y trouve clé ni serrure et sort. Par un heureux hasard elle ne rencontre pas d'obstacle, parvient au port et trouve le navire attaché à un rocher, à l'endroit où elle voulait se noyer. Dès qu'elle le voit, elle y entre et l'idée lui vient à l'esprit que son ami s'était noyé là. Elle ne se tient plus sur ses pieds : si elle avait la force de regagner le bord, elle se laisserait tomber à l'eau, tant elle est en peine et en tourment. Mais le navire part et l'emporte aussitôt ; il aborde en Bretagne, à un port au pied d'un puissant château fort.

Li sire a ki li chastels fu
692 Aveit a nun Merïadu.
Il guerreiot un son veisin ;
Pur ceo fu levé par matin,
Sa gent voleit fors enveer
696 Pur sun enemi damager.
A une fenestre s'estot
E vit la neif ki arivot.
Il descendi par un degré,
700 Sun chamberlein ad apelé ;
Hastivement a la neif vunt,
Par l'eschele muntent amunt,
Dedenz unt la dame trovee,
704 Ki de beuté resemble fee.
Il la saisist par le mantel,
Od lui l'en meine en sun chastel.
Mut fu liez de la troveüre,
708 Kar bele esteit a demesure.
Ki que l'eüst mise en la barge,
Bien seit que estoit de grant parage.
[145 a] A li aturnat tel amur,
712 Unques a femme n'ot greinur.
Il out une serur pucele ;
En sa chambre, ki mut fu bele,
La dame li ad comandee.
716 Bien fu servie e honuree,
Richement la vest e aturne ;
Mes tuz jurs ert pensive e murne.
Il veit sovent a li parler,
720 Kar de bon quor la peot amer ;
Il la requert, el n'en ad cure,
Ainz li mustre de la ceinture :
Jamés humme nen amera
724 Si celui nun ki l'uverra
Sanz depescer. Quant il l'entent,
Si li respunt par maltalent :
« Autresi ad en cest païs
728 Un chevalier de mut grant pris :

Le seigneur de ce château s'appelait Mériadeuc. Il faisait la guerre à l'un de ses voisins, aussi s'était-il levé de bon matin pour envoyer ses gens attaquer son ennemi. Il se tenait à une fenêtre et il vit accoster le navire ; il descendit par un escalier et appela son chambellan. Ils allèrent tout droit au navire, montèrent à bord par l'échelle et trouvèrent à l'intérieur la dame dont la beauté était celle d'une fée. Mériadeuc la saisit par son manteau et l'emmène lui-même dans son château, très heureux de sa découverte, car elle était extrêmement belle. Qui que ce soit qui l'ait déposée dans l'embarcation, il sait qu'elle est de noble lignée. Il se prend pour elle d'un amour tel qu'il n'en eût pas de plus ardent pour une femme. Il avait une sœur, une jeune fille à qui il recommanda de bien servir et de traiter avec honneur la dame dans une chambre qui était magnifique. Elle fut bien servie et honorée, richement vêtue et parée. Mais elle était toujours triste et morne. Souvent Mériadeuc allait s'entretenir avec elle, car il l'aimait de tout son cœur. Il la pria d'amour, mais elle resta indifférente. Elle lui montra la ceinture ; elle n'aimera, dit-elle, que l'homme qui l'ouvrira sans la déchirer.

À ces mots Mériadeuc lui répondit avec colère : « Il y a également en ce pays un chevalier de grand renom qui refuse de prendre femme pour la raison que voici :

De femme prendre en iteu guise
Se defent, par une chemise
Dunt li destre pan est pleiez ;
732 Il ne peot estre despleiez
Ki force u cutel n'i metreit.
Vus feïstes, jeo quit, cel pleit ! »
Quant el l'oï, si suspira,
736 Par un petit ne se pasma.
Il la receit entre ses braz,
De sun bliaut trenche les laz :
La ceinture voleit ovrir,
740 Mes n'en poeit a chief venir.
Puis n'ot el païs chevalier
Que il ne feïst essaier.

[145 b] Issi remest bien lungement,
744 De ci qu'a un turneiement
Que Meriadus afïa
Cuntre celui qu'il guerreia.
Chevaliers manda e retint,
748 Bien sei que Guigemar i vint :
Il li manda par gueredun,
Si cum ami e cumpaniun,
Qu'a cel busuin ne li failist
752 E en s'aïe a lui venist.
Alez i est mut richement,
Chevaliers meine plus de cent.
Meriadus dedenz sa tur
756 Le herbergat a grant honur.
Encuntre lui sa serur mande ;
Par deus chevaliers li commande
Qu'ele s'aturt e vienge avant,
760 La dame meint qu'il eime tant.
Cele ad fet sun commandement.
Vestues furent richement,
Main a main vienent en la sale ;
764 La dame fu pensive e pale.
Ele oï Guigemar nomer,
Ne pout desur ses piez ester ;
Si cele ne l'eüst tenue,
768 Ele fust a tere chaüe.

le pan droit de sa chemise est noué et ne peut être dénoué qu'à l'aide de ciseaux ou d'un couteau. C'est vous, je pense, qui avez fait ce nœud ! » En l'entendant, elle pousse un soupir et manque de s'évanouir. Il la reçoit dans ses bras et tranche les lacets de son bliaut[10] ; il veut ouvrir la ceinture, mais n'en peut venir à bout. Ensuite il invite tous les chevaliers du pays à tenter l'épreuve.

Longtemps les choses en restèrent là, jusqu'à ce que Mériadeuc fît annoncer un tournoi contre son adversaire. Il y convia et hébergea une foule de chevaliers et en premier lieu Guigemar. Il le pria, comme son ami et son compagnon, de ne pas lui faire défaut en ce besoin en raison des services qu'il lui avait rendus. Guigemar s'y rendit en riche équipage, emmenant avec lui plus de cent chevaliers. Mériadeuc le logea dans son donjon avec de grands honneurs, manda sa sœur en sa présence et l'invita par deux chevaliers à se parer, à se présenter et à amener avec elle la dame qu'elle aimait tant. Sa sœur exécuta ses ordres. Somptueusement vêtues, la main dans la main, les deux dames entrèrent dans la salle[11].

La dame était pensive et pâle. En entendant le nom de Guigemar, elle ne put s'assurer sur ses pieds et elle serait tombée, si son amie ne l'avait pas retenue.

Li chevaliers cuntre eus leva,
La dame vit e esgarda
E sun semblant e sa manere ;
772 Un petitet se traist ariere.
« Est ceo, fet il, ma duce amie,
M'esperaunce, mun quor, ma vie,
[145 c] Ma bele dame ki me ama ?
776 Dunt vient ele ? Ki l'amena ?
Ore ai pensé mut grant folie ;
Bien sai que ceo n'est ele mie :
Femmes se resemblent asez,
780 Pur nïent change mis pensez.
Mes pur cele que ele resemble,
Pur ki mi quors suspire e tremble,
A li parlerai volenters. »
784 Dunc vet avant li chevalers.
Il la baisat, lez lui l'asist ;
Unques a l'autre mot ne dist
Fors tant que seer la rovat.
788 Meriadus les esguardat,
Mut li pesat de cel semblant ;
Guigemar apele en riant :
« Sire, fet il, si vus pleseit,
792 Ceste pucele essaiereit
Vostre chemise a despleier,
Së ele post riens espleiter. »
Il li respunt : « E jeo l'otrei ! »
796 Un chamberlenc apele a sei,
Ki la chemise ot a garder :
Il li comande a aporter,
A la pucele fu baillie,
800 Mes ne l'ad mie despleie.
La dame conut bien le pleit ;
Mut est sis quors en grant destreit,
Kar volenters s'il essaiast,
804 S'ele peüst u ele osast.
Bien se aparceit Meriadus :
Dolent en fu, il ne pot plus.
[145 d] « Dame, fait il, kar assaiez
808 Si desfere le purïez ! »

Le chevalier se leva pour aller à leur rencontre, il aperçoit et observe la dame, son air, son maintien et fit quelques pas en arrière : « Est-ce là ma douce amie, fait-il, mon espérance, mon cœur, ma vie, ma belle dame qui m'a aimé ? D'où vient-elle ? Qui l'a amenée ? Mais voici de bien folles pensées ! Je sais bien que ce n'est pas elle ! Les femmes se ressemblent beaucoup, je me fais de vaines idées. Mais elle ressemble tant à celle pour qui mon cœur soupire et palpite ! Je veux lui parler. »

Le chevalier alors s'approche d'elle, lui donne un baiser, la fait asseoir près de lui et se contente de lui demander de s'asseoir. Mériadeuc les regarde, fort mécontent de ce qu'il a sous les yeux. Il s'adresse à Guigemar en souriant : « Seigneur, fait-il, si vous y consentiez, ma jeune sœur pourrait essayer de dénouer votre chemise, pour voir si elle y réussirait. » Il lui répond : « Eh bien, j'y consens. » Il fait venir le chambellan qui gardait la chemise et lui demande de l'apporter. On la remet à la demoiselle, mais elle ne parvient pas à la dénouer. La dame connaît bien le nœud, son cœur est en grande détresse, car elle aimerait essayer si elle le pouvait et l'osait.

Désolé, Mériadeuc s'en rend compte. « Dame, fait-il, essayez donc de le défaire ! »

Quant ele ot le comandement,
Le pan de la chemise prent,
Legierement le despleiat.
812 Li chevalier s'esmerveillat ;
Bien la conut, mes nequedent
Nel poeit creire fermement.
A li parlat en teu mesure :
816 « Amie, duce creature,
Estes vus ceo ? Dites mei veir !
Lessez mei vostre cors veeir,
La ceinture dunt jeo vus ceins. »
820 A ses costez li met ses meins,
Si ad trovee la ceinture.
« Bele, fet il, queil aventure
Que jo vus ai issi trovee !
824 Ki vus ad ici amenee ? »
Ele li cunte la dolur,
Les peines granz e la tristur
De la prisun u ele fu,
828 E coment li est avenu,
Coment ele s'en eschapa.
Neer se volt, la neif trova,
Dedeinz entrat, a cel port vint,
832 E li chevaliers la retint.
Gardee l'ad a grant honur,
Mes tuz jurs la requist de amur.
Ore est sa joie revenue.
836 « Amis, menez en vostre drue ! »
Guigemar s'est en piez levez.
« Seignurs, fet il, ore escutez !
[146 a] Ci ai m'amie cuneüe
840 Que jeo quidoue aver perdue.
Merïaduc requer e pri :
Rende la mei, sue merci !
Ses hum liges en devendrai,
844 Deus anz u treis li servirai
Od cent chevaliers u od plus. »
Dunc respundi Merïadus :

Répondant à cette invitation, elle prend le pan de la chemise et le dénoue sans peine. Stupéfait, le chevalier la reconnaît et n'en croit pas ses yeux. Il lui adresse la parole en ces termes : « Amie, douce créature, est-ce vous ? Dites-moi la vérité, laissez-moi voir si vous portez sur vous la ceinture que je vous ai mise. » Il met la main à sa taille et trouve la ceinture. « Belle, fait-il, quelle chance de vous avoir ainsi retrouvée ! Qui vous a amenée ici ? »

Elle lui raconte la souffrance, les épreuves, la tristesse qu'elle a connues dans sa prison, ce qui est ensuite arrivé et comment elle s'est échappée : elle voulait se noyer, mais elle a trouvé le navire, elle y est montée, elle a abordé à ce port et le présent chevalier l'a retenue. Il l'a gardée chez lui en l'entourant d'honneurs, mais avec insistance il la priait d'amour.

Maintenant sa joie est revenue. « Ami, dit-elle, emmenez votre amie ! » Guigemar se lève : « Seigneur, fait-il, écoutez-moi. Je viens de reconnaître ici mon amie que je croyais avoir perdue. Je supplie Mériadeuc de me la rendre, par pitié. Je serai son vassal, je resterai à son service deux ou trois ans avec cent chevaliers, et même davantage. » Mériadeuc lui répond :

« Guigemar, fet il, beus amis,
848 Jeo ne sui mie si suspris
Ne si destreiz pur nule guere
Que de ceo me deiez requere.
Jeo la trovai, si la tendrai
852 E cuntre vus la defendrai ! »
Quant il l'oï, hastivement
Comanda a munter sa gent.
D'ileoc se part, celui defie,
856 Mut li peise qu'il lait s'amie.
En la vile n'out chevaler
Ki fust alé pur turneier
Ke Guigemar ne meint od sei ;
860 Chescun li afie sa fei :
Od lui irunt, queil part k'il aut.
Mut est huniz ki or li faut !
La nuit sunt al chastel venu
864 Ki guereiot Merïadu.
Li sires les ad herbergez,
Ki mut en fu joius e liez
De Guigemar e de s'aïe :
868 Bien seit que la guere est finie.
El demain par matin leverent,
Par les ostelz se cunreerent,
[146 b] De la vile eissent a grant bruit ;
872 Guigemar primes les cunduit.
Al chastel vienent, si l'asaillent,
Mes fort esteit, al prendre faillent.
Guigemar ad la vile assise,
876 N'en turnerat si serat prise.
Tant li crurent ami e genz
Que tuz les affamat dedenz.
Le chastel ad destruit e pris
880 E le seignur dedenz ocis.
A grant joie s'amie en meine :
Ore ad trespassee sa peine !

De cest cunte ke oï avez
884 Fu *Guigemar* le lai trovez,
Que hum fait en harpe e en rote ;
Bone en est a oïr la note.

« Guigemar, mon ami, je ne suis pas engagé et empêtré dans cette guerre au point d'accepter votre requête. J'ai trouvé la dame, je la garderai et je vous la disputerai les armes à la main. » Quand Guigemar l'entend, il ordonne immédiatement à ses gens de monter à cheval. Il s'en va, et défie le duc, outré de devoir lui laisser son amie. Tous les chevaliers qui étaient venus pour prendre part au tournoi suivent Guigemar. Chacun l'assure de sa fidélité : ils iront avec lui, où qu'il aille. Honte à qui lui fera défaut ! Le soir venu, ils gagnent le château qui était en guerre avec Mériadeuc. Le seigneur les accueille, content et heureux d'avoir l'aide de Guigemar ; il est sûr que la guerre est terminée.

Le lendemain, ils se levèrent de bon matin, s'armèrent dans leurs logis et sortirent de la ville en grand fracas sous la conduite de Guigemar. Arrivés au château de Mériadeuc, ils donnèrent l'assaut, mais il était bien fortifié et ils échouèrent. Guigemar assiégea alors la ville, décidé à ne pas partir avant de l'avoir prise. Grâce au nombre toujours accru de ses amis et de ses hommes, il s'empara du château en le réduisant à la famine, le détruisit et tua le seigneur à l'intérieur. Débordant de joie, il emmena son amie. C'en est désormais fini de ses épreuves.

De ce conte que vous avez entendu fut composé le lai de *Guigemar*, qu'on joue sur la harpe ou sur la vielle. Sa musique est agréable à entendre.

EQUITAN

Mut unt esté noble barun
Cil de Bretaine, li Bretun !
Jadis suleient par pruësce,
4 Par curteisie e par noblesce,
Des aventures qu'il oeient,
Ki a plusur gent aveneient,
Fere les lais pur remembrance,
8 Qu'um nes meïst en ubliance.
Un ent firent, k'oï cunter,
Ki ne fet mie a ublier,
D'Equitan, ki mut fu curteis,
12 Sire des Nauns, jostise e reis.

Equitan fu mut de grant pris
E mut amez en sun païs.
Deduit amout e druërie,
16 Pur ceo maintint chevalerie.
[146 c] Cil metent lur vie en nuncure
Ki d'amur n'unt sen ne mesure ;
Tels est la mesure de amer
20 Que nul n'i deit reisun garder.
Equitan ot un seneschal,
Bon chevalier, pruz e leal ;
Tute sa tere li gardoit
24 E meinteneit e justisoit.

ÉQUITAN

Ils ont été de très nobles barons, ceux de Bretagne, les Bretons. Jadis, inspirés par leur prouesse, leur courtoisie et leur noblesse, ils avaient coutume de composer des lais sur les aventures fréquemment vécues qu'ils entendaient raconter, pour les rappeler et les sauver de l'oubli. Ils en firent un qui est parvenu à mes oreilles et qui mérite de ne pas être oublié sur Équitan, un modèle de courtoisie, seigneur, juge souverain et roi des Nains.

Équitan était un homme de grande réputation, très aimé dans son pays. Il aimait les divertissements et les liaisons amoureuses, aussi vivait-il en vrai chevalier. C'est faire peu de cas de sa vie que de n'observer ni sagesse ni mesure en amour, mais la vraie mesure en amour est de faire fi de la raison. Équitan avait un sénéchal, bon chevalier, preux et loyal, qui lui gardait toute sa terre, la défendait et l'administrait.

Ja, se pur ostïer ne fust,
Pur nul busuin ki li creüst,
Li reis ne laissast sun chacier,
28 Sun deduire, sun riveier.

Femme espuse ot li seneschals
Dunt puis vint el païs grant mal.
La dame ert bele durement
32 E de mut bon affeitement.
Gent cors out e bele faiture,
En li former uvrat Nature ;
Les oilz out veirs e bel le vis,
36 Bele buche, neis ben asis :
El rëaume n'aveit sa per.
Li reis l'oï sovent loër ;
Soventefez la salua,
40 De ses aveirs li enveia,
Sanz veüe la coveita,
E cum ainz pot a li parla.
Priveement esbanïer,
44 En la cuntree ala chacier
La u li seneschal maneit.
El chastel u la dame esteit
Se herberjat li reis la nuit ;
48 Quant repeirout de sun deduit,
[146 d] Asez poeit a li parler,
Sun curage e sun buen mustrer.
Mut la trova curteise e sage,
52 Bele de cors e de visage,
De bel semblant e enveisie.
Amurs l'ad mis en sa maisnie :
Une seete ad vers lui traite,
56 Ki mut grant plaie li ad faite :
El quor li ad lancie e mise !
N'i ad mestier sens ne cointise :
Pur la dame l'ad si suspris,
60 Tut en est murnes e pensis.
Or l'i estut del tut entendre,
Ne se purrat nïent defendre.
La nuit ne dort ne ne respose,
64 Mes sei meïsmes blasme e chose :

Jamais, quelque nécessité qui se présentât, la guerre exceptée, le roi n'aurait renoncé au plaisir de chasser et de tirer le gibier d'eau.

Le sénéchal avait pour épouse une femme qui ensuite fut la cause de grands malheurs dans le pays. La dame était très belle et de parfaite éducation ; elle avait un joli corps, une agréable tournure grâce aux faveurs que lui accorda Nature, les yeux lumineux, un beau visage, une belle bouche, le nez bien planté. Elle n'avait pas son égale dans le royaume. Le roi entendit souvent faire son éloge, souvent il eut l'occasion de la saluer, il lui envoya des cadeaux, la désira avant même de l'avoir vue et lui parla dès qu'il le put[1].

Avec quelques familiers il alla un jour se délasser et chasser dans la contrée où demeurait le sénéchal. Il reçut l'hospitalité dans le château où était la dame. Au retour de sa partie de chasse, il put facilement l'entretenir, lui dévoiler ses sentiments et son désir. Il la trouva fort courtoise et sage, belle de corps et de visage, de belle mine et enjouée. Amour l'a enrôlé dans ses adeptes, lui a décoché une flèche qui a fait une profonde blessure ; il l'a visé et la lui a plantée en plein cœur. Bon sens et expérience ne servent à rien ! Il est si épris de la dame qu'il en devient morne et pensif ; il lui faut désormais s'abandonner entièrement à sa passion, incapable de s'en défendre. La nuit il ne dort plus, il ignore le repos, mais il s'adresse blâmes et reproches :

« Allas ! fet il, queils destinee
M'amenat en ceste cuntree ?
Pur ceste dame que ai veüe
68 M'est une anguisse al quor ferue,
Ki tut le cors me fet trembler :
Jeo quit que mei l'estuet amer.
E si jo l'aim, jeo ferai mal :
72 Ceo est la femme al seneschal ;
Garder li dei amur e fei
Si cum jeo voil k'il face a mei.
Si par nul engin le saveit,
76 Bien sai que mut l'en pesereit.
Mes nepurquant pis iert asez
Que pur li seië afolez.
Si bele dame tant mar fust,
80 S'ele n'amast e dru n'eüst !
[147 a] Que devendreit sa curteisie,
S'ele n'amast de druërie ?
Suz ciel n'ad humme, s'el l'amast,
84 Ki durement n'en amendast.
Li seneschal, si l'ot cunter,
Ne l'en deit mie trop peser :
Sul ne la peot il pas tenir !
88 Certes, jeo voil a li partir ! »
Quant ceo ot dit, si suspira,
Enprés se jut e si pensa.
Aprés parlat e dist : « De quei
92 Sui en estrif e en effrei ?
Uncor ne sai ne n'ai seü
S'ele fereit de mei sun dru ;
Mes jel savrai hastivement.
96 S'ele sentist ceo ke jeo sent,
Jeo perdreie ceste dolur.
E Deus ! Tant ad de ci que al jur !
Jeo ne puis ja repos aveir ;
100 Mut ad ke jeo cuchai eir seir ! »

« Hélas, fait-il, quelle destinée m'a amené en cette contrée ? La vue de cette dame m'a frappé au cœur d'un tourment qui me fait trembler de tout mon corps. Je ne puis pas, je crois, m'empêcher de l'aimer, et si je l'aime, j'agirai mal : c'est la femme de mon sénéchal. Je dois lui garder ma fidélité et mon affection, comme je désire qu'il le fasse à mon égard. Si par quelque trahison il venait à l'apprendre, je sais qu'il en aurait un immense chagrin ; mais ce sera bien pis, si à cause d'elle je perdais la vie ! Quel dommage qu'une si belle dame ne connaisse pas l'amour et n'ait pas un ami ! Que deviendrait sa courtoisie si elle ignorait l'amour ? Il n'est sous le ciel homme qui, si elle l'aimait, n'en devînt bien meilleur. Si le sénéchal l'apprend, il ne doit pas en avoir trop de peine : il ne peut pas la garder pour lui seul, j'en veux aussi ma part ! »

Après ces mots, il soupire, puis il se met au lit et s'abandonne à ses pensées. Ensuite il se dit : « Pourquoi ce trouble et ce désarroi ? Je n'ai pas su, je ne sais pas encore si elle ferait de moi son ami, mais je le saurai bien vite. Si elle ressentait ce que je ressens, ma douleur cesserait vite. Ah Dieu, le jour est si loin encore ! Je ne puis trouver de repos. Il me semble qu'il y a longtemps que je me suis couché ; c'était pourtant hier soir ! »

Li reis veilla tant que jur fu ;
A grant peine l'ad atendu.
Il est levez, si vet chacier,
104 Mes tost se mist el repeirer
E dit que mut est deshaitiez ;
Es chambres vet, si s'est cuchiez.
Dolent en est li senescaus ;
108 Il ne seit pas queils est li maus
De quei li reis sent les friçuns :
Sa femme en est dreite acheisuns.
Pur sei deduire e cunforter
112 La fist venir a lui parler.
[147 b] Sun curage li descovri ;
Saver li fet qu'il meort pur li.
Del tut li peot faire confort
116 E bien li peot doner la mort.
« Sire, la dame li ad dit,
De ceo m'estuet aveir respit ;
A ceste primere feiee
120 N'en sui jeo mie cunseillee.
Vus estes rei de grant noblesce ;
Ne sui mie de teu richesce
Qu'a mei vus deiez arester
124 De druërie ne d'amer.
S'avïez fait vostre talent,
Jeo sai de veir, ne dut nïent,
Tost m'avrïez entrelaissie,
128 J'en sereie mut empeirie.
Se issi fust que vus amasse
E vostre requeste otreiasse,
Ne sereit pas uël partie
132 Entre nus deus la druërie.
Pur ceo que estes rei puissaunz
E mis sire est de vus tenaunz,
Quidereiez a mun espeir
136 Le dangier de l'amur aveir.
Amur n'est pruz se n'est egals.
Mieuz vaut un povre hum leals,
Si en sei ad sen e valur,

Le roi reste éveillé jusqu'au jour qu'il attend avec impatience. Il se lève, part pour la chasse, mais ne tarde pas à revenir, disant qu'il était mal en point. Il regagne ses appartements et se met au lit. Le sénéchal est inquiet et ignore le mal qui fait frissonner le roi : sa femme en est la véritable cause ! Pour retrouver joie et réconfort, Équitan la fait venir pour parler avec elle ; il lui découvre ses sentiments et lui avoue qu'il meurt d'amour pour elle : elle peut lui apporter le bonheur ou lui donner la mort. « Sire, lui dit la dame, j'ai besoin d'un délai. De prime abord je suis incapable d'une décision. Vous êtes un roi de haute noblesse, je ne suis pas d'un rang qui vous permette de me choisir et de m'aimer d'amour. Votre désir une fois satisfait, je suis certaine, et sans le moindre doute, que vous m'aurez vite abandonnée, et j'en serai meurtrie. Si je vous aimais et si j'accédais à votre prière, la partie ne serait pas égale pour nos relations réciproques. Vous êtes un roi puissant et mon époux est votre vassal : vous estimeriez ainsi, je le crois, avoir tous les droits en cet amour. Un amour n'a de valeur qu'entre partenaires de condition égale. Mieux vaut un homme pauvre, mais loyal, qui possède sens et mérite ;

140 E greinur joie est de s'amur
Qu'il n'est de princë u de rei,
Quant il n'ad lëauté en sei.
S'aukuns aime plus hautement
144 Qu'a sa richesce nen apent,
[147 c] Cil se dute de tute rien !
Li riches hum requide bien
Que nuls ne li toille s'amie
148 Qu'il volt amer par seignurie ! »
Equitan li respunt aprés :
« Dame, merci ! Nel dites mes !
Cil ne sunt mie fin curteis,
152 Ainz est bargaine de burgeis,
Ki pur aveir ne pur grant fieu
Mettent lur peine en malveis liu.
Suz ciel n'ad dame s'ele est sage,
156 Curteise e franche de curage,
Pur quei d'amer se tienge chiere,
Qu'el ne seit mie novelere,
S'el n'eüst fors sul sun matel,
160 Que uns riches princes de chastel
Ne se deüst pur li pener
E lealment e bien amer.
Cil ki de amur sunt novelier
164 E ki se aturnent de trichier,
Il sunt gabé e deceü ;
De plusurs l'avum nus veü.
N'est pas merveille se cil pert
168 Ki par s'ovreine le desert.
Ma chiere dame, a vus m'ustrei :
Ne me tenez mie pur rei,
Mes pur vostre hum e vostre ami.
172 Seürement vus jur e di
Que jeo ferai vostre pleisir.
Ne me laissez pur vus murir !
Vus seiez dame e jeo servant,
176 Vus orguilluse e jeo preiant. »
[147 d] Tant ad li reis parlé od li
E tant li ad crié merci
Que de s'amur l'aseüra
180 E el sun cors li otria.

son amour est source d'une plus grande joie que celui d'un prince ou d'un roi sans loyauté. Qui aime en plus haut lieu que ne lui permet son rang a tout à craindre ; et l'homme puissant, assuré qu'on ne lui enlèvera pas son amie, prétend l'aimer en maître absolu. »

Équitan lui répond alors : « Dame, pitié ! Ne parlez pas ainsi ! Ce ne sont pas des modèles de courtoisie, mais des marchandeurs de villageois, ceux qui se targuent de leurs richesses ou d'un important fief, ceux qui sans ménager leur peine placent leur amour en mauvais lieu. Toute dame au monde, sage, courtoise, au cœur fidèle, et sincère en amour, ne posséderait-elle que son manteau, a droit aux soins attentionnés et à l'amour loyal d'un puissant prince ou châtelain. Les versatiles en amour, les tricheurs sont finalement bernés et dupés, nous en avons vu plusieurs exemples. Il est naturel que soit perdant celui qui le mérite par sa conduite. Dame chère, je me donne à vous. Ne me considérez pas comme votre roi, mais comme votre vassal et votre ami. Je vous assure, je vous jure que j'accomplirai vos volontés. Ne me laissez pas mourir d'amour pour vous. Soyez ma maîtresse, je serai votre serviteur, vous une dame altière et moi votre soupirant. » À force de discours et de suppliques, Equitan obtint l'amour de la dame et le don de sa personne.

Par lur anels s'entresaisirent,
Lur fiaunce s'entreplevirent ;
Bien les tiendrent, mut s'entramerent,
184 Puis en mururent e finerent.

Lung tens durat lur druërie
Que ne fu pas de gent oïe.
As termes de lur assembler,
188 Quant ensemble durent parler,
Li reis feseit dire a sa gent
Que seignez iert priveement.
Les us des chambres furent clos ;
192 Ne troveissez humme si os,
Si li rei pur lui n'enveiast,
Ja une feiz dedenz entrast.
Li seneschal la curt teneit,
196 Les plaiz e les clamurs oieit.

Li reis l'ama mut lungement
Que d'autre femme n'ot talent.
Il ne voleit nule espuser ;
200 Ja n'en rovast oïr parler.
La gent le tindrent mut a mal,
Tant que la femme al seneschal
L'oï suvent ; mut li pesa
204 E de lui perdre se duta.
Quant ele pout a lui parler
E el li duit joie mener,
Baisier, estreindre e acoler,
208 E ensemblë od lui juer,
[148 a] Forment plura e grant deol fist.
Li reis demanda e enquist
Que ceo deveit e que ceo fu.
212 La dame li ad respundu :
« Sire, jo plur pur nostre amur,
Ki mei revert a grant dolur.
Femme prendrez, fille a un rei,
216 E si vus partirez de mei ;
Sovent l'oi dire e bien le sai.

Ils échangèrent leurs anneaux et leur foi ; ils y restèrent fidèles et s'aimèrent passionnément. Mais ils en moururent ensuite.

Ils s'aimèrent longtemps sans que personne ne le sache. Lors de leurs rencontres et de leurs entretiens, le roi faisait dire à ses gens qu'il se faisait saigner[2] en privé. On fermait les portes des chambres. Vous n'auriez trouvé personne d'assez hardi pour y pénétrer, à moins d'être convoqué par le roi. Le sénéchal s'occupait de la cour, réglait les procès et les plaintes en justice. Le roi aima longtemps la dame sans désirer une autre femme. Il ne voulait en épouser aucune, interdisant même d'en entendre parler. Les gens le désapprouvèrent, si bien que la femme du sénéchal en eut vent plus d'une fois. Elle en eut de la peine et eut peur de le perdre. Quand elle put lui parler, au lieu de lui montrer sa joie, de le baiser, de l'étreindre, de l'embrasser, de se livrer aux rires et aux jeux, elle se mit à pleurer sans retenue et manifesta un profond chagrin. Le roi l'interrogea et lui demanda ce que signifiait son accueil, quelle en était la raison. La dame lui répondit : « Seigneur, je pleure sur notre amour qui chaque jour se change pour moi en souffrance. Vous allez épouser une femme, la fille d'un roi, et vous me quitterez ; j'ai souvent entendu les bruits qui courent et je n'ignore rien.

E jeo, lasse, que devendrai ?
Pur vus m'estuet aver la mort,
220 Car jeo ne sai autre cunfort. »
Li reis li dit par grant amur :
« Bele amie, n'eiez poür !
Certes, ja femme ne prendrai
224 Ne pur autre ne vus larrai.
Sacez de veir e si creez,
Si vostre sire fust finez,
Reïne e dame vus fereie.
228 Ja pur nul humme nel lerreie. »
La dame l'en ad mercïé
E dit que mut l'en set bon gré ;
E si de ceo l'aseürast
232 Que pur autre ne la lessast,
Hastivement purchacereit
A sun seignur que mort sereit.
Legier sereit a purchacier,
236 Pur ceo k'il li vousist aidier.
Il li respunt que si ferat :
Ja cele rien ne li dirrat
Que il ne face a sun poeir,
240 Turt a folie u a saveir.
[148 b] « Sire, fet ele, si vus plest,
Venez chacer en la forest
En la cuntree u jeo sujur.
244 Dedenz le chastel mun seignur
Sujurnez ; si serez seignez
E al terz jur si vus baignez.
Mis sires od vus se seignera
248 E avoec vus se baignera.
Dites li bien, nel lessez mie,
Que il vus tienge cumpainie !
E jeo ferai les bains temprer
252 E les deus cuves aporter ;
Sun bain ferai chaut e buillant :
Suz ciel nen ad humme vivant
Ne fust escaudez e malmis
256 Einz que dedenz se feust asis.

Et moi, malheureuse, que deviendrai-je ? Vous me condamnez à mourir, autrement, je ne vois rien qui puisse m'être d'un quelconque secours. »

Le roi lui dit avec tendresse : « Belle amie, soyez sans crainte. Certainement je n'épouserai personne et je ne vous abandonnerai pas pour une autre. Sachez-le bien et croyez-moi. Si votre époux vient à mourir, je ferai de vous une reine et ma dame, personne ne saurait m'en empêcher. » La dame le remercia, lui dit sa reconnaissance, ajoutant que s'il lui donnait l'assurance de ne pas l'abandonner pour une autre, elle trouverait vite le moyen de provoquer la mort de son mari : ce serait chose facile, à condition d'avoir son aide. Il lui répondit qu'il l'aiderait, qu'il ferait de son mieux tout ce qu'elle voudrait, que ce soit folie ou sagesse. « Sire, fait-elle, si vous le voulez bien, venez chasser dans la forêt, au pays où je demeure. Faites un séjour au château de mon mari, faites-vous saigner et deux jours après prenez un bain. Mon mari se fera saigner en même temps que vous et prendra un bain avec vous. Dites-lui bien, et n'y manquez pas, de vous tenir compagnie. Je ferai chauffer l'eau des bains et apporter deux cuves. Son bain à lui, je le rendrai bouillant : tout homme au monde serait ébouillanté et gravement atteint avant même de s'y asseoir.

Quant mort serat e escaudez,
Vos hummes e les soens mandez,
Si lur mustrez cumfaitement
260 Est mort al bain sudeinement. »
Li reis li ad tut graanté
Qu'il en ferat sa volenté.

Ne demurat mie treis meis
264 Que el païs vet chacier li reis.
Seiner se fet cuntre sun mal,
Ensemble od lui sun senescal.
Al terz jur dist k'il baignereit,
268 Li senescal mut le voleit.
« Vus baignerez, dist il, od mei. »
Li senescals dit : « Jo l'otrei ! »
La dame fet les bains temprer
272 E les deus cuves aporter.
[148 c] Devant le lit, tut a devise,
Ad chescune des cuves mise ;
L'ewe buillant feit aporter
276 U li senescal dut entrer.
Li produm esteit sus levez,
Pur deduire fu fors alez.
La dame vint parler al rei
280 E il la mist dejuste sei ;
Sur le lit al seignur cucherent
E deduistrent e enveiserent.
Ileoc unt ensemble geü
284 Pur la cuve, ki devant fu.
L'us firent tenir e garder ;
Une meschine i dut ester.
Li senescal hastif revint ;
288 A l'hus buta, cele le tint.
Icil le fiert par tel haïr,
Par force li estut ovrir.
Le rei e sa femme ad trovez
292 U il gisent, entre acolez.

Quand il sera mort ébouillanté, faites venir vos gens et les siens et montrez-leur comment il est mort soudain dans son bain. » Le roi lui promit d'agir en tout selon ses désirs.

À peine trois mois plus tard, le roi alla chasser dans le pays du sénéchal. Il se fait saigner pour se maintenir en bonne santé en même temps que le sénéchal. Il dit vouloir se baigner le surlendemain et le sénéchal l'approuva. « Vous vous baignerez avec moi, dit le roi. — Je suis d'accord », dit le sénéchal. La dame fait chauffer l'eau des bains et apporter les deux cuves ; conformément au plan établi, elle place chacune des cuves devant le lit, fait apporter l'eau bouillante où doit entrer le sénéchal. Le brave sénéchal s'était levé et était sorti pour se délasser. La dame rejoint le roi et il la place à ses côtés ; ils se couchent sur le lit du mari et se livrent à leurs jeux et à leurs ébats, allongés l'un près de l'autre, près de la cuve placée devant eux ; ils font surveiller la porte et monter la garde par une jeune fille qui ne doit pas la quitter.

Le sénéchal revient, frappe à la porte, mais la jeune fille la tient fermée. Il frappe si fort qu'elle est obligée de l'ouvrir. Il trouve le roi et sa femme sur le lit, enlacés.

Li reis garda, sil vit venir ;
Pur sa vileinie covrir
Dedenz la cuve saut joinz pez ;
296 E il fu nuz e despuillez,
Unques garde ne s'en dona :
Ileoc murut e escauda.
Sur lui est le mals reverti
300 E cil en est saufs e gariz.
Le senescal ad bien veü
Coment del rei est avenu.
Sa femme prent demeintenant,
304 El bain la met le chief avant.
[148 d] Issi mururent ambedui,
Li reis avant e ele od lui.

Ki bien vodreit reisun entendre
308 Ici purreit ensample prendre :
Tel purcace le mal d'autrui
Dunt tuz li mals revert sur lui.
Issi avint cum dit vus ai.
312 Li Bretun en firent un lai
D'Equitan cument il fina,
E la dame ki tant l'ama.

Le roi le voit venir ; complètement nu, dans un moment d'affolement, pour cacher sa honte il saute à pieds joints dans la cuve, et meurt sur-le-champ, ébouillanté. Le piège s'est retourné contre lui et le sénéchal s'en tire sain et sauf. Il a bien vu ce qui est arrivé au roi ; il saisit aussitôt sa femme, la plonge dans le bain, la tête la première. C'est ainsi qu'ils moururent tous deux, le roi le premier et elle après lui.

À la réflexion, on pourrait en tirer une leçon : tel recherche le malheur d'autrui qui voit le malheur retomber sur lui.

L'histoire fut telle que je vous l'ai racontée. Les Bretons en composèrent un lai sur la mort d'Équitan et de la dame qui l'aima tant.

FRESNE

Le lai del *Freisne* vus dirai
Sulunc le cunte que jeo sai.

En Bretaine jadis maneient
4 Dui chevalier ; veisin esteient.
Riches hummes furent e manant,
E chevaliers pruz e vaillant.
Prochein furent, de une cuntree.
8 Chescun femme aveit espusee.
L'une des dames enceinta ;
Al terme que ele delivra,
A cele feiz ot deus enfanz.
12 Sis sire en est liez e joianz ;
Pur la joie que il en a,
A sun bon veisin le manda,
Que sa femme ad deus fiz eüz :
16 De tant de force esteit creüz !
L'un li tramettra a lever :
De sun nun le face nomer.
Li riches hum sist al manger.
20 A tant es vus le messager.
Devant le deis s'agenoila,
Tut sun message li cunta.
[149 a] Li sire en ad Deu mercïé ;
24 Un bel cheval li ad doné.

FRÊNE

Je vais vous dire le lai de *Frêne* d'après l'histoire que je connais.

En Bretagne vivaient jadis deux chevaliers, ils étaient voisins. C'étaient des hommes puissants et riches, des chevaliers preux et vaillants. Ils étaient parents, natifs de la même région ; chacun d'eux était marié. Une des dames devint enceinte. Au terme de sa délivrance elle mit au monde deux enfants. Son mari en fut tout heureux. Dans la joie qui était la sienne il fit savoir à son bon voisin que sa femme avait eu deux fils, heureux événement pour sa famille : il lui confiera l'un des deux pour le tenir sur les fonts baptismaux et lui donner son nom.

Le puissant seigneur était assis à table quand arriva le messager. Celui-ci mit genou en terre devant la table et transmit son message. Le seigneur en remercia Dieu et lui fit cadeau d'un beau cheval.

La femme al chevalier s'en rist,
Ki juste lui al mangier sist,
Kar ele ert feinte e orguilluse
28 E mesdisante e envïuse.
Ele parlat mut folement
E dist, oant tute sa gent :
« Si m'eït Deus, jo m'esmerveil
32 U cist produm prist cest conseil,
Que il a mandé a mun seinur
Sa hunte e sa grant deshonur,
Que sa femme ad eü deus fiz,
36 E il e ele en sunt huniz !
Nus savum bien qu'il i afiert :
Unques ne fu ne ja nen iert
Ne n'avendrat cele aventure
40 Que a une sule porteüre
Une femme deus enfanz eit,
Si dui humme ne li unt feit. »
Sis sires l'aveit esgardee,
44 Mut durement l'en ad blamee :
« Dame, fet il, lessez ester !
Ne devez mie issi parler !
Verité est que ceste dame
48 Ad mut esté de bone fame. »
La gent ki en la meisun erent
Cele parole recorderent ;
Asez fu dite e coneüe,
52 Par tute Bretaine seüe.
Mut en fu la dame haïe ;
Pois en dut estre maubailie.
[149 b] Tutes les femmes ki l'oïrent,
56 Povres e riches, l'enhaïrent.

Cil ki le message ot porté
A sun seignur ad tut cunté.
Quant il l'oï dire e retraire,
60 Dolent en fu, ne sot que faire ;
La prodefemmë enhaï
E durement la mescreï,
E mut la teneit en destreit
64 Sanz ceo que ele nel deserveit.

Mais la femme du chevalier, assise à table à ses côtés, n'eut que moquerie. C'était une femme sournoise et orgueilleuse, envieuse et médisante. Elle parla sottement et dit en présence de tous ses gens : « Que Dieu me vienne en aide ! Je suis étonnée : comment, ce bon seigneur a eu l'idée de faire connaître à mon mari sa honte et son déshonneur ? Sa femme a eu deux fils, tous les deux en sont déshonorés. Nous savons bien ce qu'il en est : pareille chose n'est arrivée et n'arrivera jamais à une femme d'avoir deux enfants à la fois, si deux hommes ne les lui ont faits[1]. »

Son mari tourna les yeux vers elle et lui reprocha sévèrement ses propos. « Dame, dit-il, cessez donc ! Vous ne devez pas parler de la sorte. La vérité est que cette dame a toujours été une très honnête femme. » Les gens de la maison rapportèrent ces paroles ; elles furent connues, répétées et divulguées dans toute la Bretagne ; la dame n'en récolta que de la haine et dut plus tard en subir les tristes conséquences. Toutes les femmes qui l'apprirent, pauvres et riches, la détestèrent.

Le porteur du message raconta tout à son maître. En entendant son récit, celui-ci en fut chagriné et ne savait que faire. Il prit en aversion son honnête femme, la soupçonna méchamment et la persécuta, alors qu'elle ne le méritait pas.

La dame ki si mesparla
En l'an meïsmes enceinta :
De deus enfanz est enceintie :
68 Ore est sa veisine vengie !
Desque a sun terme les porta ;
Deus filles ot, mut li pesa !
Mut durement en est dolente,
72 A sei meïsmes se desmente :
« Lasse, fet ele, que ferai ?
Jamés pris ne honur n'avrai !
Hunie sui, c'est veritez !
76 Mis sire e tuz sis parentez
Certes jamés ne me crerrunt,
Des que ceste aventure orrunt ;
Kar jeo meïsmes me jugai,
80 De tutes femmes mesparlai.
Dunc ne dis jeo que unc ne fu
Ne nus ne l'avïum veü
Que femme deus enfanz eüst,
84 Si deus humes ne coneüst ?
Ore en ai deus ! Ceo m'est avis,
Sur mei en est turné le pis !
[149 c] Ki sur autrui mesdit e ment
88 Ne seit mie qu'a l'oil li pent ;
De tel hume peot l'um parler
Ki mieuz de lui fet a loër.
Pur mei defendre de hunir,
92 Un des enfanz m'estuet murdrir ;
Mieuz le voil vers Deu amender
Que mei hunir e vergunder. »

Celes ki en la chambre esteient
96 La cunfortoent e diseient
Que eles nel suffereient pas :
De humme ocire n'est pas gas !
La dame aveit une meschine
100 Ki mut esteit de franche orine ;
Lung tens l'ot gardee e nurie
E mut amee e mut cherie.

La médisante fut cette même année enceinte de deux enfants. Voilà sa voisine bien vengée ! Elle les porta jusqu'à son terme et accoucha de deux filles, à son grand désespoir. Dans sa désolation elle se lamentait : « Hélas, disait-elle, que faire ? Jamais plus je ne connaîtrai estime ni honneur. Mon mari et toute sa parenté n'auront jamais plus confiance en moi, quand ils apprendront ce qui m'est arrivé. Je me suis condamnée moi-même en disant du mal de toutes les femmes. N'ai-je pas dit que jamais on n'avait vu une femme avoir des jumeaux, à moins de connaître deux hommes ? C'est à mon tour d'en avoir deux ! Je le crois, le pire malheur est tombé sur moi. Qui médit d'autrui sans reculer devant le mensonge ne sait pas ce qui lui pend à l'œil. Celui dont vous parlez mal mérite peut-être plus d'éloges que vous. Pour me préserver de la honte il me faut mettre à mort un des deux enfants. J'aime mieux expier ce crime envers Dieu que d'encourir honte et infamie. »

Les femmes qui étaient dans la chambre la réconfortaient et disaient qu'elles s'y opposeraient : ce n'est pas rien que de tuer un être humain ! La dame avait une suivante de très noble origine. Longtemps elle l'avait gardée et élevée, aimée et chérie.

Cele oï sa dame plurer,
104 Durement pleindre e doluser ;
Anguissusement li pesa.
A li vint, si la cunforta :
« Dame, fet ele, ne vaut rien :
108 Lessez cest dol, si ferez bien !
L'un des enfanz me baillez ça :
Jeo vus en deliverai ja,
Si que honie ne serez
112 Ne ke jamés ne la verrez.
A un mustier la geterai,
Tut sein e sauf le porterai ;
Aucuns produm la trovera :
116 Si Deu plest, nurir la fera. »
La dame oï que cele dist ;
Grant joie en out, si li promist,
[149 d] Si cel service li feseit,
120 Bon guerdun de li avereit.
En un chief de mut bon chesil
Envolupent l'enfant gentil,
E desus un paile roé ;
124 Ses sires li ot aporté
De Costentinoble, u il fu :
Unques si bon n'orent veü.
A une piece d'un son laz
128 Un gros anel li lie al braz ;
De fin or i aveit une unce,
El chestun out une jagunce,
La verge entur esteit lettree :
132 La u la meschine ert trovee,
Bien sachent tuit vereiement
Que ele est nee de bone gent.

La dameisele prist l'enfant,
136 De la chambre s'en ist a tant.
La nuit, quant tut fu aseri,
Fors de la vile s'en eissi.
En un grant chemin est entree,
140 Ki en la forest l'ad menee.
Parmi le bois sa veie tint ;
Od tut l'enfant utre s'en vint.

Elle entendit sa maîtresse pleurer, se plaindre et gémir amèrement ; elle en eut une peine profonde. Elle vint à elle et la consola. « Dame, fit-elle, tout cela est inutile, cessez de vous désoler, vous ferez bien. Donnez-moi donc une des enfants, je vous en débarrasserai et vous échapperez au déshonneur. Vous ne la verrez plus jamais, je l'emporterai saine et sauve et je la déposerai à la porte d'un monastère. Quelque brave homme la trouvera et, s'il plaît à Dieu, se chargera de l'élever. »

Grandement soulagée par cette proposition, la dame lui promit que, si elle lui rendait ce service, elle en recevrait une bonne récompense. Dans un morceau de bonne toile de lin elles enveloppèrent la gentille enfant et la couvrirent d'un tissu de soie décoré de rosaces. Le mari de la dame le lui avait rapporté d'un séjour à Constantinople ; on n'en avait jamais vu d'aussi beau. Avec un bout de son lacet elle attacha au bras de l'enfant un gros anneau, d'une once d'or pur, une hyacinthe était sertie dans le chaton ; une inscription était gravée autour de l'anneau : quand on découvrira l'enfant, tout le monde saura qu'elle est née d'une noble famille.

La demoiselle prit l'enfant et sortit aussitôt de la ville. Le soir, quand la nuit fut tombée, elle quitta la ville et s'engagea dans un grand chemin qui la mena à la forêt. Elle avança dans les bois, les traversa avec l'enfant sans s'écarter du grand chemin.

Unques del grant chemin ne eissi.
144 Bien loinz sur destre aveit oï
Chiens abaier e coks chanter :
Iloc purrat vile trover.
Cele part vet a grant espleit,
148 U la noise des chiens oieit.
En une vile riche e bele
Est entree la dameisele.
[150 a] En la vile out une abeïe
152 Durement riche e bien garnie ;
Mun escïent, noneins i ot
E abbeesse kis guardot.
La meschine vit le mustier,
156 Les turs, les murs e le clochier.
Hastivement est la venue,
Devant l'us s'est aresteüe,
L'enfant mist jus que ele porta.
160 Mut humblement se agenuila ;
Ele comence s'oreisun :
« Deus, fait ele, par tun seint nun,
Sire, si te vient a pleisir,
164 Cest enfant garde de perir ! »
Quant la priere aveit finee,
Ariere sei s'est regardee :
Un freisne vit, lé e branchu,
168 E mut espés e bien ramu ;
En quatre furs esteit quarré.
Pur umbre fere i fu planté.
Entre ses braz ad pris l'enfant,
172 De si que al freisne vint corant,
Desuz le mist, puis le lessa,
A Deu le veir le comanda.
La dameisele ariere vait,
176 Sa dame cunte qu'ele ad fait.

En l'abbeïe ot un porter ;
Ovrir suleit l'us del muster
Defors, par unt la gent veneient
180 Ki le servise oïr voleient.

Bien loin, à sa droite, elle entendit des chiens aboyer et des coqs chanter : elle pensa trouver là une ville et marcha dans cette direction d'un bon pas, vers l'endroit où elle entendait le vacarme des chiens.

La demoiselle entre dans une riche et belle ville où se trouvait une riche et opulente abbaye ; là vivaient des nonnes sous la garde d'une abbesse. La jeune fille voit l'église, les tours, les murs et le clocher. Elle s'y dirige en toute hâte, s'arrête devant la porte, dépose à terre l'enfant qu'elle portait. Elle s'agenouille humblement et se met à dire sa prière : « Mon Dieu, fait-elle, par ton saint nom, Seigneur, si telle est ta volonté, préserve cette enfant de la mort. » Ses prières achevées, elle jette un regard derrière elle et voit un frêne, fort et branchu, à l'épais feuillage, aux nombreux rameaux et dont le tronc se ramifie en quatre. On l'avait planté pour avoir de l'ombre.

La demoiselle prend l'enfant dans ses bras, court jusqu'au frêne, la dépose sur l'arbre et la laisse là, en la recommandant au Dieu de vérité ; puis elle s'en retourne et raconte à la dame ce qu'elle avait fait.

Il y avait à l'abbaye un portier, préposé à l'ouverture de la porte de l'église par où entraient les gens qui voulaient assister à l'office divin.

Icele nuit par tens leva,
Chandeilles, lampes aluma,
[150 b] Les seins sona e l'us ovri.
184 Sur le freisne les dras choisi ;
Quidat ke aukuns les eüst pris
En larecin e ileoc mis :
D'autre chose n'ot il regard.
188 Plus tost qu'il pot vint cele part,
Taste, si ad l'enfant trové.
Il en ad Deu mut mercïé,
E puis l'ad pris, si ne l'i lait,
192 A sun ostel ariere vait.
Une fille ot, ki vedve esteit ;
Sis sire ert morz, enfant aveit,
Petit, en berz e aleitant.
196 Li produm l'apelat avant :
« Fille, fet il, levez, levez !
Fu e chaundele m'alumez !
Un enfaunt ai ci aporté,
200 La fors el freisne l'ai trové.
De vostre leit le m'alaitez !
Eschaufez le e sil baignez ! »
Cele ad fet sun comandement :
204 Le feu alume, l'enfant prent,
Eschaufé l'ad e bien baigné,
Puis l'ad de sun leit aleité.
Entur sun braz treve l'anel,
208 Le palie virent riche e bel :
Bien surent cil a escïent
Que ele est nee de haute gent.
El demain aprés le servise,
212 Quant l'abbeesse eist de l'eglise,
Li portiers vet a li parler ;
L'aventure li veut cunter
[150 c] De l'enfant cum il le trovat.
216 L'abbeesse li comaundat
Que devaunt li seit aporté
Tut issi cum il fu trové.

Cette nuit-là il se leva tôt, alluma les chandelles et les lampes, sonna les cloches et ouvrit la porte. Sur le frêne il aperçut les étoffes et pensa que quelqu'un les avait dérobées et cachées là. Abandonnant toute autre besogne, il se hâta au plus vite vers l'endroit, tâta et découvrit l'enfant, en remerciant Dieu. Puis il la prit pour ne pas la laisser sur place et s'en revint à son logis. Il avait une fille qui était veuve, elle avait perdu son mari ; elle avait un petit enfant encore au berceau et à la mamelle. Le brave homme l'appela : « Ma fille, dit-il, levez-vous ! Levez-vous ! Allumez-moi le feu et la chandelle : je vous ai apporté un enfant que j'ai trouvé là-dehors sur le frêne. Donnez-lui de votre lait, réchauffez-le et soignez-le. »

Elle obéit, alluma le feu, prit l'enfant, la réchauffa et la baigna, puis elle lui donna de son lait. À son bras elle trouva l'anneau et à la vue du riche et beau tissu de soie ils découvrent que sans nul doute elle est issue d'une noble famille. Le lendemain, après l'office, quand l'abbesse sort de l'église, le portier va lui parler pour lui raconter l'aventure de l'enfant et comment il l'a trouvée. L'abbesse lui ordonne de l'apporter devant elle, dans l'état où il a été découvert.

A sa meisun vet li portiers,
220 L'enfant aporte volenters,
Si l'ad a la dame mustré.
Cele l'ad forment esgardé
E dit que nurir le fera
224 E pur sa niece la tendra.
Al porter ad bien defendu
Que il ne die cument il fu.
Ele meïsmes l'ad levee ;
228 Pur ceo que al freisne fu trovee,
Le Freisne li mistrent a nun
E le Freisne l'apelet hum.

La dame la tint pur sa niece ;
232 Issi fu celee grant piece.
Dedenz le clos de l'abbeïe
Fu la dameisele nurie.
Quant ele vint en tel eé
236 Que Nature furme beuté,
En Bretaine ne fu si bele
Ne tant curteise dameisele ;
Franche esteit e de bone escole,
240 E en semblant e en parole.
Nul ne la vit que ne l'amast
E merveille ne la preisast.
A Dol aveit un bon seignur :
244 Unc puis ne einz n'i ot meillur.
Ici vus numerai sun num :
El païs l'apelent Gurun.
[150 d] De la pucele oï parler,
248 Si la cumença a amer.
A un turneiement ala,
Par l'abbeïe returna.
La dameisele ad demandee ;
252 L'abeesse li ad mustree.
Mut la vit bele e enseignee,
Sage, curteise e afeitee.
Si il nen ad l'amur de li,
256 Mut se tendrat a maubailli.

Le portier revient chez lui, apporte aussitôt l'enfant et la montre à la dame. Celle-ci la contemple avec attention et dit qu'elle se chargera de l'élever et la fera passer pour sa nièce. Elle interdit formellement au portier de dévoiler ce secret. Elle la tient elle-même sur les fonts baptismaux et parce qu'on l'a trouvée sur le frêne, ils lui donnent le nom de Frêne, on l'appelle Frêne.

La dame la traita comme sa nièce et pendant longtemps la chose resta secrète. La demoiselle fut élevée dans l'enceinte de l'abbaye. Quand elle fut à l'âge où Nature forme la beauté, il n'y avait en Bretagne si belle ni si courtoise demoiselle, noble et de bonne éducation tant de manières que de langage. Personne ne la voyait sans l'aimer et sans la couvrir d'éloges. Il y avait à Dol un bon seigneur ; on n'en eut de meilleur ni avant ni après lui. Je vous dirai son nom ; on l'appelait au pays Goron. Il entendit parler de la jeune fille et se prit d'amour pour elle. Il alla un jour à un tournoi et au retour il passa par l'abbaye. Il demanda à voir la demoiselle, l'abbesse y consentit. Il la vit belle et bien élevée, sage, courtoise et distinguée : s'il n'obtient pas son amour, il se jugera bien malheureux.

Esguarez est, ne seit coment,
Kar si il repeirout sovent,
L'abeesse s'aparcevreit ;
260 Jamés des oilz ne la vereit.
De une chose se purpensa :
L'abeïe crestre vodra ;
De sa tere tant i dura
264 Dunt a tuz jurs l'amendera,
Kar il i voelt aveir retur
E le repaire e le sejur.
Pur aver lur fraternité,
268 La ad grantment del soen doné,
Mes il i ad autre acheisun
Que de receivre le pardun !
Soventefeiz i repeira ;
272 A la dameisele parla :
Tant li pria, tant li premist,
Que ele otria ceo ke il quist.
Quant a seür fu de s'amur,
276 Si la mist a reisun un jur :
« Bele, fet il, ore est issi
Ke de mei avez fet ami.
[151 a] Venez vus ent del tut od mei !
280 Saver poëz, jol quit e crei,
Si vostre aunte s'aparceveit,
Mut durement li pesereit.
S'entur li feussez enceintiee,
284 Durement sereit curuciee.
Si mun cunseil crere volez,
Ensemble od mei vus en vendrez.
Certes jamés ne vus faudrai,
288 Richement vus cunseillerai. »
Cele ki durement l'amot
Bien otriat ceo que li plot.
Ensemble od lui en est alee ;
292 A sun chastel l'en ad menee.
Son palie emporte e sun anel :
De ceo li poet estre mut bel.
L'abeesse li ot rendu
296 E dit coment ert avenu
Quant primes li fu enveiee.

Éperdu, il ne savait comment faire, car s'il multipliait ses visites, l'abbesse en aurait des doutes et plus jamais il ne verrait la jeune fille de ses yeux.

Il lui vint une idée : il enrichira l'abbaye, lui cédera tant de terres qu'il la mettra en meilleure situation, car il désirait avoir la possibilité d'y revenir et d'y séjourner. Pour faire partie de leur communauté, il se montra généreux, en prenant sur ses biens, mais avec un tout autre motif que celui de recevoir l'absolution ! À plusieurs reprises il y revint, s'entretint avec la demoiselle, la pressa par tant de prières, tant de promesses qu'elle accueillit favorablement sa requête. Quand il fut sûr de son amour, il lui dit un jour : « Belle, voici que maintenant vous avez fait de moi votre ami. Venez habiter avec moi. Vous pouvez vous douter, et j'en suis certain, que si votre tante s'apercevait de nos relations, elle en serait fort mécontente. Si vous deveniez enceinte chez elle, sa colère serait terrible. Si vous m'en croyez, vous viendrez chez moi. Jamais je ne vous ferai défaut, vous serez pourvue de tout. »

La demoiselle qui l'aimait profondément consentit à son désir, elle partit avec lui et il l'emmena dans son château. Elle emporta son étoffe de soie et son anneau : ils lui seront peut-être utiles un jour. L'abbesse les lui avait remis et lui avait raconté les circonstances dans lesquelles on la lui avait amenée jadis :

Desus le freisne fu cuchee ;
Le palie e l'anel li bailla
300 Cil ki primes li enveia ;
Plus de aveir ne receut od li ;
Come sa niece la nuri.
La meschine ben les gardat,
304 En un cofre les anfermat ;
Le cofre fist od sei porter :
Nel volt lesser ne ublier.
Li chevalier ki l'anmena
308 Mut la cheri e mut l'ama,
E tut si humme e si servant ;
N'i out un sul, petit ne grant,
Pur sa franchise ne l'amast
312 E ne cherist e honurast.

Lungement ot od li esté,
[151 b] Tant que li chevalier fiufé
A mut grant mal li aturnerent.
316 Soventefeiz a lui parlerent
Que une gentil femme espusast
E de cele se delivrast ;
Lié sereient s'il eüst heir
320 Ki aprés lui peüst aveir
Sa terë e sun heritage.
Trop i avreient grant damage,
Si il laissast pur sa suinant
324 Que de espuse n'eüst enfant.
Jamés pur seinur nel tendrunt
Ne volentiers nel servirunt,
Si il ne fait lur volenté.
328 Le chevalier ad graanté
Que en lur cunseil femme prendra :
Ore esgardent u ceo sera !
« Sire, funt il, ci pres de nus
332 Ad un produme per a vus ;
Une fille ad, ki est sun heir :
Mut poëz tere od li aveir !
La Codre ad nun la damesele ;
336 En cest païs nen ad si bele.

elle était couchée sur le frêne ; le portier qui la lui avait confiée lui avait remis en tout et pour tout le tissu de soie et l'anneau et elle avait élevé l'enfant comme sa nièce. La jeune fille garda ces objets dans un coffre, elle fit emporter le coffre avec elle, ne voulant rien laisser ni oublier. Le chevalier qui l'emmena l'aima et la chérit tendrement, ainsi que ses hommes et ses serviteurs. Il n'y en avait pas un seul qui ne l'aimât, l'estimât et l'honorât pour la noblesse de son caractère.

Goron vécut longtemps avec elle, si bien que ses chevaliers vassaux le lui reprochèrent vivement. Plus d'une fois ils le poussèrent à épouser une femme noble et à se débarrasser de cette fille-là : ils seraient heureux s'il avait un héritier qui pût après lui avoir sa terre et son bel héritage ; ce serait grand dommage pour eux si pour une concubine il renonçait à avoir un enfant d'une épouse légitime ; désormais ils ne le considéreraient plus comme leur seigneur et ne le serviraient qu'à contrecœur, s'il ne tenait pas compte de leur volonté.

Le chevalier leur promit de prendre femme : il s'en remettra à eux pour la choisir ; qu'ils songent seulement à faire le bon choix ! « Seigneur, font-ils, il y a ici, près de chez nous un homme de bien qui est votre pair, il a une fille pour héritière. Avec lui vous pouvez accroître considérablement vos possessions. La demoiselle se nomme Coudrier, il n'en est pas d'aussi belle dans le pays.

Pur le freisne que vus larrez
En eschange le codre avrez ;
En la codre ad noiz e deduiz,
340 Li freisne ne porte unke fruiz !
La pucele purchacerums ;
Si Deu plest, si la vus durums. »
Cel maïage unt purchacié
344 E de tutes parz otrié.
Allas ! Cum est mesavenu
Ke li prudume n'unt seü
L'aventure des dameiseles
348 Ki esteient serurs gemeles !
[151 c] Le Freisnes, cele fu celee ;
Sis amis ad l'autre espusee.
Quant ele sot ke il la prist,
352 Unques peiur semblant ne fist ;
Sun seignur sert mut bonement
E honure tute sa gent.
Li chevalier de la meisun
356 E li vadlet e li garçun
Merveillus dol pur li feseient
De ceo ke perdre la deveient.

Al jur des noces qu'il unt pris,
360 Sis sires i maunde ses amis ;
E l'ercevekes i esteit,
Cil de Dol, que de lui teneit.
S'espuse li unt amenee.
364 Sa mere i est od li alee ;
De la meschine aveit poür,
Vers ki sis sire ot tel amur,
Que a sa fille mal tenist
368 Vers sun seignur, s'ele poïst.
De sa meisun la getera ;
A sun gendre cunseilera
Que a un produme la marit :
372 Si s'en deliverat, ceo dit.
Les noces tindrent richement,
Mut i out esbanïement.
La dameisele es chambres fu ;

En échange du frêne que vous abandonnerez vous aurez le coudrier. Le coudrier fournit de délicieuses noisettes, tandis que le frêne ne porte pas de fruits. Nous irons demander la main de cette demoiselle et, s'il plaît à Dieu, nous vous la donnerons pour femme. »

Ils ménagèrent ce mariage qui fut approuvé de tout le monde. Hélas ! Quel malheur que les deux bons seigneurs aient ignoré l'aventure des deux jeunes filles qui étaient sœurs jumelles[2] ! On avait caché Frêne à sa naissance et son ami avait épousé l'autre sœur. Quand Frêne apprit ce mariage, elle n'en laissa rien paraître, mais elle servit son maître avec dévouement et se montra respectueuse avec ses gens. Les chevaliers de la maison de Goron, y compris les serviteurs et les domestiques, éprouvèrent un grand chagrin à l'idée de la perdre.

Au jour fixé pour les noces Goron invita ses amis. L'archevêque de Dol, son vassal, était présent. On amena à Goron son épouse ; la mère de la mariée accompagnait sa fille ; elle craignait que la jeune Frêne, aimée de Goron, ne s'employât à faire du tort à sa fille auprès de son futur mari : elle la jettera, se disait-elle, hors de la maison ; elle conseillera donc à son gendre de la marier à un brave chevalier pour en être ainsi débarrassée.

Les noces furent somptueuses, parmi toutes sortes de réjouissances. Frêne resta dans les appartements ;

376 Unques de quanke ele ad veü
Ne fist semblant que li pesast
Ne tant que ele se curuçast.
Entur la dame bonement
380 Serveit mut afeitieement.
A grant merveile le teneient
Cil e celes ki la veeient.
Sa mere l'ad mut esgardee,
[151 d] En sun qor preisie e amee ;
385 Pensat e dist, s'ele seüst
La maniere ke ele fust,
Ja pur sa fille ne perdist
388 Ne sun seignur ne li tolist.

La noit, al lit apareiller
U l'espuse deveit cucher,
La dameisele i est alee ;
392 De sun mauntel est desfublee.
Les chamberleins i apela ;
La maniere lur enseigna
Cument sis sires le voleit,
396 Kar meintefeiz veü l'aveit.
Quant le lit orent apresté,
Un covertur unt sus jeté ;
Li dras esteit d'un viel bofu.
400 La dameisele l'ad veü :
N'ert mie bons, ceo li sembla ;
En sun curage li pesa.
Un cofre ovri, sun palie prist,
404 Sur le lit sun seignur le mist.
Pur lui honurer le feseit,
Kar l'erceveké i esteit
Pur eus beneïstre e seiner,
408 Kar ç'afereit a sun mestier.
Quant la chambre fu delivree,
La dame ad sa fille amenee.
Ele la volt fere cuchier,
412 Si la cumande a despoilier.

elle ne manifestait jamais ni peine ni la moindre colère pour ce qu'elle avait sous les yeux. Auprès de la nouvelle dame elle remplissait son office avec délicatesse et attention. Ceux et celles qui la voyaient n'en étaient pas peu étonnés[3]. Sa mère ne cessait de l'observer, pleine d'estime et d'affection pour elle ; elle pensait et se disait que si elle avait su quelle femme était Frêne, celle-ci n'aurait pas perdu son cher seigneur et qu'elle-même, sa mère, ne le lui aurait pas enlevé pour le donner à son autre fille.

La nuit venue, quand on dut préparer le lit réservé à l'épousée, la demoiselle y alla ; elle avait quitté son manteau. Elle appela les chambellans et leur montra comment faire le lit selon les goûts de son seigneur, elle l'avait vu faire souvent. Le lit fait, on jeta par-dessus une couverture, une étoffe de vieille soie, tissée d'or. En la voyant, la demoiselle ne la jugea pas bonne et n'en fut pas satisfaite. Elle ouvrit donc son coffre, prit un satin d'Orient et le posa sur le lit de son seigneur pour lui faire honneur, car l'archevêque était présent pour bénir les époux et faire le signe de la croix sur eux selon les devoirs de son ministère.

Quand les serviteurs eurent vidé la chambre, la dame amena sa fille pour la mettre au lit et lui demanda de se déshabiller.

La palie esgarde sur le lit,
Que unke mes si bon ne vit
Fors sul celui que ele dona
416 Od sa fille ke ele cela.
Idunc li remembra de li :
Tut li curages li fremi.
[152 a] Le chamberlenc apele a sei :
420 « Di mei, fait ele, par ta fei,
U fu cist bon palie trovez ?
— Dame, fait il, vus le savrez :
La dameisele l'aporta,
424 Sur le covertur le geta,
Kar ne li sembla mie boens.
Jeo qui que li palies est soens. »
La dame l'aveit apelee
428 E ele est devant li alee.
De sun mauntel se desfubla,
E la mere l'areisuna :
« Bele amie, nel me celez,
432 U fu cist bons palies trovez ?
Dunt vus vient il ? Kil vus dona ?
Kar me dites kil vus bailla ! »
La meschine li respundi :
436 « Dame, m'aunte ki me nuri,
L'abeesse kil me bailla,
A garder le me comanda.
Cest e un anel me baillerent
440 Cil ki a nurir me enveierent.
— Bele, pois jeo veer l'anel ?
— Oïl, dame, ceo m'est mut bel ! »
L'anel li ad dunc aporté
444 E ele l'ad mut esgardé.
Ele l'ad bien reconeü,
E le palie ke ele ad veü.
Ne dute mes, bien seit e creit,
448 Que el meïsmes sa fille esteit.
Oiant tuz dist, nel ceile mie :
« Tu es ma fille, bele amie ! »
De la pité ke ele en a
452 Ariere cheit, si se pauma.

Elle remarqua sur le lit le satin, elle n'en vit jamais d'aussi beau, sinon celui dont elle avait enveloppé sa fille qu'elle avait cachée à sa naissance. À ce souvenir elle frémit d'émotion et appelle le chambellan : « Dis-moi sur ta parole, fait-elle, où on a trouvé ce beau satin. — Dame, dit-il, vous allez le savoir : c'est la demoiselle qui l'a apporté et qui l'a jeté sur la couverture qui ne lui semblait pas de bonne qualité. Je crois qu'il lui appartient. » La dame la fait venir et la jeune fille se présente devant elle en enlevant son manteau. Sa mère l'interroge : « Amie chère, ne me la cachez pas, où a-t-on trouvé ce beau satin ? D'où vient-il ? Qui vous l'a donné ? Dites-moi donc qui vous en a fait cadeau. » La jeune fille lui répond : « Dame, c'est ma tante qui m'a élevée, c'est l'abbesse qui me l'a remis en me recommandant de le garder. Ceux qui m'ont envoyée à elle pour qu'elle m'élève m'ont donné cette étoffe et cet anneau. — Belle, puis-je voir l'anneau ? — Oui, dame, avec plaisir. »

Elle lui apporte l'anneau et la mère l'examine avec attention, elle le reconnaît parfaitement, tout comme le satin qu'elle avait remarqué. Elle n'a plus de doute, elle sait, elle est sûre que la demoiselle est sa fille. Devant tout le monde elle déclare sans détours : « Amie chère, tu es ma fille ! » Et sous le coup de l'émotion elle tombe sans connaissance.

E quant de paumeisun leva,
[152 b] Pur sun seignur tost enveia,
E il i vient tuz effreez.
456 Quant il est en la chambre entrez,
La dame li cheï as piez,
Estreitement li ad baisiez,
Pardun li quert de sun mesfait.
460 Il ne saveit nïent del plait.
« Dame, fet il, que dites vus ?
Il n'ad si bien nun entre nus !
Quanke vus plest seit pardunè !
464 Dites mei vostre volunté !
— Sire, quant pardunè l'avez,
Jel vus dirai, si m'escutez !
Jadis, par ma grant vileinie,
468 De ma veisine dis folie :
De ses deus enfanz mesparlai.
Vers mei meïsmes meserrai !
Verité est que j'enceintai.
472 Deus filles oi, l'une celai ;
A un muster la fis geter
E nostre palie od li porter
E l'anel que vus me donastes
476 Quant vus primes od mei parlastes.
Ne vus peot mie estre celé :
Le drap e l'anel ai trové.
Nostre fille ai ci coneüe,
480 Que par ma folie oi perdue ;
E ja est ceo la dameisele
Ki tant est pruz e sage e bele,
Ke li chevalier ad amee
484 Ki sa serur ad espusee. »
Li sires dit : « De ceo sui liez !
Unques mes ne fu si haitiez,
Quant nostre fille avum trovee !
488 Grant joie nus ad Deu donee,
[152 c] Ainz que li pechez fust dublez.
Fille, fet il, avant venez ! »
La meschine mut s'esjoï
492 De l'aventure ke ele oï.

Quand elle revient à elle, elle envoie vite chercher son mari qui accourt en grand émoi. Quand il est entré dans la chambre, elle tombe à ses pieds qu'elle couvre de baisers et implore son pardon pour le méfait qu'elle a commis. Il ignorait tout de cette affaire : « Dame, fait-il, que dites-vous ! Notre entente est parfaite ! Je vous pardonne tout ce que vous voulez. Dites-moi votre désir. — Seigneur, puisque j'ai votre pardon, je vais tout vous dire, écoutez-moi. Jadis dans ma très grande méchanceté, j'ai follement parlé de ma voisine, j'ai été médisante à propos de ses deux enfants, mais c'est de moi que j'ai dit du mal ! Enceinte, j'ai mis au monde deux filles et j'en ai caché une : je l'ai fait déposer dans un couvent avec notre étoffe de satin et l'anneau que vous m'aviez donné lors de notre première rencontre. Il est inutile de vous le cacher davantage, je viens de retrouver l'étoffe et l'anneau. Je viens de reconnaître ici notre fille que j'avais perdue par ma folie : c'est la demoiselle si probe, si sage, si belle, aimée du chevalier qui a épousé sa sœur ! »

Son mari répond : « Je n'ai jamais connu si grand bonheur, puisque nous avons retrouvé notre fille. Dieu nous a accordé une insigne joie, avant que notre faute ne soit redoublée. Ma fille, fait-il, approchez-vous. » La demoiselle est au comble de la joie, en apprenant pareille aventure.

Sis pere ne volt plus atendre :
Il meïsmes vet pur sun gendre,
E l'erceveke i amena ;
496 Cele aventure li cunta.
Li chevalier, quant il le sot,
Unques si grant joie nen ot !
L'erceveke ad cunseilié
500 Que issi seit la noit laissié ;
El demain les departira,
Lui e celë espusera.
Issi l'unt fet e graanté.
504 El demain furent desevré.
Aprés ad s'amie espusee ;
E li peres li ad donee,
Ki mut ot vers li bon curage :
508 Par mi li part sun heritage.
Il e la mere as noces furent
Od lur fille, si cum il durent.
Quant en lur païs s'en alerent,
512 La Coudre, lur fille, enmenerent.
Mut richement en lur cuntree
Fu puis la meschine donee.

Quant l'aventure fu seüe,
516 Coment ele esteit avenue,
Le lai del *Freisne* en unt trové :
Pur la dame l'unt si numé.

Sans plus attendre, son père va lui-même trouver son gendre et amène l'archevêque à qui il raconte toute l'affaire. Mis au courant, le chevalier Goron ne ressent pas de plus grand bonheur. L'archevêque décide que pour cette nuit on s'en tiendra là : le lendemain il annulera le mariage et unira Frêne et Goron. On donne son accord. Le lendemain le mariage est déclaré nul et Goron épouse son amie dont le père lui accorde sa main et, plein d'amour pour elle, lui laisse la moitié de son héritage. Les deux parents assistent aux noces de leur fille, comme il convenait. Quand ils rentrent dans leur pays, ils emmènent Coudrier, leur autre fille. Elle fit ensuite un riche mariage.

Quand on connut l'aventure telle qu'elle s'était déroulée, on composa le lai du *Frêne* qui reçut son titre du nom de la dame.

BISCLAVRET

Quant des lais faire m'entremet,
Ne voil ublier *Bisclavret ;*
Bisclavret ad nun en bretan,
4 *Garwaf* l'apelent li Norman.

Jadis le poeit hum oïr
[152 d] E sovent suleit avenir,
Humes plusurs garval devindrent
8 E es boscages meisun tindrent.
Garvalf, ceo est beste salvage ;
Tant cum il est en cele rage,
Hummes devure, grant mal fait,
12 Es granz forest converse e vait.
Cest afere les ore ester :
Del Bisclavret vus voil cunter.

En Bretaine maneit un ber ;
16 Merveille l'ai oï loër :
Beaus chevaliers e bons esteit
E noblement se cunteneit.
De sun seinur esteit privez
20 E de tuz ses veisins amez.
Femme ot espuse mut vailant
E ki mut feseit beu semblant.
Il amot li e ele lui,
24 Mes d'une chose ert grant ennui,

BISCLAVRET

Puisque j'entreprends d'écrire des lais, je ne veux pas oublier *Bisclavret*. Bisclavret est le nom breton, les Normands l'appellent *Garou.*

On pouvait jadis entendre dire, et il arrivait souvent, que des hommes devenaient loups-garous et gîtaient dans les bois. Le loup-garou est une bête sauvage ; tant qu'il est possédé de cette rage, il dévore les gens, leur cause grand mal. Il habite et parcourt les immenses forêts. Je ne veux pas m'étendre sur ce sujet, mais vous raconter l'histoire du Bisclavret.

En Bretagne demeurait un seigneur ; j'ai entendu dire sur lui des éloges inouïs. C'était un beau et brave chevalier qui se conduisait noblement. Il était le familier de son suzerain et aimé de tous ses voisins. Il avait pour épouse une femme de grand mérite et fort séduisante. Il l'aimait et elle l'aimait. Mais une chose inquiétait beaucoup la dame :

Que en la semeine le perdeit
Treis jurs entiers, que el ne saveit
U deveneit ne u alout,
28 Ne nul des soens nïent n'en sout.
Une feiz esteit repeirez
A sa meisun, joius e liez ;
Demandé li ad e enquis :
32 « Sire, fait el, beau duz amis,
Une chose vus demandasse
Mut volentiers, si jeo osasse,
Mes jeo creim tant vostre curut
36 Que nule rien tant ne redut. »
Quant il l'oï, si l'acola,
Vers lui la traist, si la beisa.
« Dame, fait il, car demandez !
40 Ja cele chose ne querrez,
[153 a] Si jo la sai, ne la vus die.
— Par fei, fet ele, or sui garie !
Sire, jeo sui en tel esfrei
44 Les jurs quant vus partez de mei,
El cuer en ai mut grant dolur
E de vus perdre tel poür,
Si jeo n'en ai hastif cunfort,
48 Bien tost en puis aver la mort.
Kar me dites u vus alez,
U vus estes, u conversez !
Mun escïent que vus amez,
52 E si si est, vus meserrez.
— Dame, fet il, pur Deu merci !
Mal m'en vendra si jol vus di,
Kar de m'amur vus partirai
56 E mei meïsmes en perdrai. »
Quant la dame l'ad entendu,
Ne l'ad neent en gab tenu :
Suventefeiz li demanda,
60 Tant le blandi e losenga,
Que s'aventure li cunta ;
Nule chose ne li cela.
« Dame, jeo devienc bisclavret.

elle perdait son mari trois jours par semaine sans savoir ce qu'il devenait ni où il allait et aucun de ses parents n'en savait rien non plus.

Il rentra une fois chez lui, joyeux et de bonne humeur. Sa femme l'interrogea et lui demanda : « Seigneur, cher doux ami, j'aimerais vous poser une question, si j'osais ; mais je crains par-dessus tout votre colère. » À ces mots, il lui jeta ses bras au cou, l'attira vers lui et lui donna un baiser. « Dame, fit-il, posez donc votre question. Tout ce que vous demanderez, si je le sais, je vous le dirai. — Ma foi, fit-elle, je suis soulagée. Seigneur, je suis si troublée, les jours où vous me quittez, que j'en souffre grandement au fond de mon cœur et j'ai si peur de vous perdre que si vous ne me rassurez pas, je risque bientôt d'en mourir. Dites-moi donc où vous allez, où vous êtes, où vous demeurez. À ce que je pense, vous aimez une autre femme et s'il en est ainsi, vous commettez une faute. — Dame, dit-il, par Dieu, pitié ! Il m'en arrivera malheur, si je vous le dis, car ce sera ma perte et c'en sera fait de votre amour pour moi. »

La dame prit au sérieux ces paroles ; elle lui posa plusieurs fois la question, elle le câlina, elle le circonvint tant qu'il lui raconta son aventure sans rien lui cacher. « Dame, je deviens loup-garou[1],

64 En cele grant forest me met,
Al plus espés de la gaudine,
S'i vif de preie e de ravine. »
Quant il li aveit tut cunté,
68 Enquis li ad e demaundé
S'il se despuille u vet vestu.
« Dame, fet il, jeo vois tut nu.
— Di mei, pur Deu, u sunt voz dras ?
72 — Dame, ceo ne dirai jeo pas,
Kar si jes eüsse perduz
E de ceo feusse aparceüz,
Bisclavret sereie a tuz jurs.
[153 b] Ja nen avreie mes sucurs
77 De si k'il me fussent rendu.
Pur ceo ne voil k'il seit seü.
— Sire, la dame li respunt,
80 Jeo vus eim plus que tut le mund !
Nel me devez nïent celer,
Ne mei de nule rien duter :
Ne semblereit pas amisté.
84 Qu'ai jeo forfait ? Pur queil peché
Me dutez vus de nule rien ?
Dites le mei, si ferez bien ! »
Tant l'anguissa, tant le suzprist,
88 Ne pout el faire, si li dist.
« Dame, fet il, delez cel bois,
Lez le chemin par unt jeo vois,
Une vielz chapele i esteit,
92 Ki meintefeiz grant bien me feit :
La est la piere cruose e lee,
Suz un bussun, dedenz cavee ;
Mes dras i met, suz le buissun,
96 Tant que jeo revienc a meisun. »
La dame oï cele merveille,
De poür fu tute vermeille.
De l'aventure se esfrea.
100 En maint endreit se purpensa
Cum ele s'en puïst partir :
Ne voleit mes lez lui gisir.

je me tapis dans cette grande forêt, au plus profond des bois et je vis de proies et de rapines. » Quand il lui eut tout raconté, elle lui demanda s'il se dépouillait ou s'il gardait ses vêtements. « Dame, dit-il, j'y vais tout nu. — Dites-moi, par Dieu, où sont vos vêtements ? — Dame, cela, je ne vous le dirai pas, car si je les perdais et si on venait à le savoir, je serais loup-garou pour toujours. Je n'aurais aucun recours, tant qu'ils ne me seraient pas rendus. C'est pourquoi je ne veux pas qu'on le sache. — Seigneur, lui répondit la dame, je vous aime plus que tout au monde : vous ne devez rien me cacher ni avoir rien à craindre de moi, ce ne serait pas marque d'affection ! Qu'ai-je fait de mal ? Pour quelle faute de ma part êtes-vous méfiant à mon égard ? Dites-le-moi, vous ferez bien ! »

Elle le pressa tant, l'entreprit tant qu'il ne put se dérober et il lui avoua tout. « Dame, fit-il, près de ce bois et près du chemin que j'emprunte il y a une vieille chapelle qui me rend plus d'une fois un grand service : il y a là sous un buisson une large pierre creuse, excavée à l'intérieur. J'y dépose mes vêtements, sous le buisson, jusqu'à mon retour à la maison. » La dame entend cette chose inouïe, elle en devient toute rouge de peur, épouvantée par cette histoire. Elle réfléchit longuement au moyen de se séparer de son mari, elle ne veut plus coucher à ses côtés.

Un chevalier de la cuntree,
104 Ki lungement l'aveit amee
E mut preie e mut requise
E mut duré en sun servise,
Ele ne l'aveit unc amé
108 Ne de s'amur aseüré.
Celui manda par sun message,
Si li descovri sun curage :
[153 c] « Amis, fet ele, seez liez !
112 Ceo dunt vus estes travaillez
Vus otri jeo sanz nul respit ;
Ja n'i avrez nul cuntredit.
M'amur e mun cors vus otrei :
116 Vostre drue fetes de mei ! »
Cil l'en mercie bonement
E la fiance de li prent,
E el le met par serement.
120 Puis li cunta cumfaitement
Ses sires ala e k'il devint.
Tute la veie ke il tint
Vers la forest li enseigna ;
124 Pur sa despuille l'enveia.
Issi fu Bisclavret trahiz
E par sa femme maubailiz.
Pur ceo que hum le perdeit sovent,
128 Quidouent tuz communalment
Que dunc s'en fust del tut alez.
Asez fu quis e demandez,
Mes n'en porent mie trover ;
132 Si lur estuit lesser ester.
La dame ad cil dunc espusee
Que lungement aveit amee.

Issi remest un an entier,
136 Tant que li reis ala chacier.
A la forest ala tut dreit,
La u li bisclavret esteit.
Quant li chiens furent descuplé,
140 Le bisclavret unt encuntré ;

Il était un chevalier de la contrée qui depuis longtemps aimait la dame, l'assaillait de prières, de suppliques et d'offres de service. Elle ne l'avait jamais aimé ni assuré de son amour. Elle le manda par un messager et lui ouvrit son cœur. « Ami, fit-elle, soyez content ! Ce qui a été l'objet de vos désirs, je vous l'accorde sans délai, vous ne rencontrerez plus d'obstacle. Je vous donne mon amour et ma personne. Faites de moi votre amie. »

Il l'en remercie gracieusement, reçoit d'elle sa parole et elle aussi s'engage par serment ; puis elle lui raconte comment son mari s'en va et ce qu'il devient. Elle lui indique le chemin qu'il emprunte pour aller dans la forêt et l'envoie chercher ses vêtements. Ainsi Bisclavret est trahi et condamné à sa perte par sa femme. Comme on le voyait souvent disparaître, tout le monde s'accordait à croire qu'il avait définitivement quitté le pays. On se mit à sa recherche, on s'informa longtemps à son sujet, mais on ne put rien trouver et on dut tout abandonner. L'homme épousa la dame qu'il avait depuis longtemps aimée.

Les choses en restèrent là une année entière, jusqu'au jour où le roi alla chasser. Il alla droit à la forêt où était le loup-garou. Quand les chiens furent lâchés, ils rencontrèrent la bête ;

A lui cururent tute jur
E li chien e li veneür,
Tant que pur poi ne l'eurent pris
144 E tut deciré e maumis.
Des quë il ad le rei choisi,
[153 d] Vers lui curut quere merci.
Il l'aveit pris par sun estrié,
148 La jambe li baise e le pié.
Li reis le vit, grant poür ad ;
Ses cumpainuns tuz apelad :
« Seignurs, fet il, avant venez !
152 Ceste merveillë esgardez,
Cum ceste beste s'humilie !
Ele ad sen de hume, merci crie.
Chaciez mei tuz ces chiens ariere,
156 Si gardez que hum ne la fiere !
Ceste beste ad entente e sen.
Espleitez vus ! Alum nus en !
A la beste durrai ma pes,
160 Kar jeo ne chacerai hui mes. »

Li reis s'en est turné a tant.
Le bisclavret le vet siwant :
Mut se tint pres, n'en vout partir,
164 Il n'ad cure de lui guerpir.
Li reis l'enmeine en sun chastel.
Mut en fu liez, mut li est bel,
Kar unke mes tel n'ot veü.
168 A grant merveille l'ot tenu
E mut le tient a grant chierté.
A tuz les suens ad comaundé
Que sur s'amur le gardent bien
172 E ne li mesfacent de rien,
Ne par nul de eus ne seit feruz ;
Bien seit abevreiz e peüz.
Cil le garderent volenters.
176 Tuz jurs entre les chevalers
E pres del rei se alout cuchier.
N'i ad celui ki ne l'ad chier,
Tant esteit franc e deboneire ;
180 Unques ne volt a rien mesfeire.

chiens et veneurs la poursuivirent toute la journée et faillirent la prendre, la blesser et la mettre à mal. Dès que le loup-garou aperçut le roi, il courut vers lui pour implorer sa pitié. Il le prit par l'étrier, lui baisa la jambe et le pied. À sa vue, le roi eut une grande peur, il appela ses compagnons. « Seigneurs, dit-il, approchez ! Regardez cette merveille, comme cette bête se prosterne ! Elle a intelligence humaine, elle demande grâce. Chassez-moi tous ces chiens et gardez-vous de la frapper. Cette bête est douée d'intelligence et de jugement. Dépêchez-vous, allons-nous-en ! Je la protégerai et je ne chasserai plus aujourd'hui. »

Le roi s'en est alors retourné, le loup-garou le suit, il se tient tout près de lui, il ne veut pas s'éloigner et n'entend pas le quitter. Ravi et enchanté, le roi l'emmène dans son château, car il n'a jamais rien vu de pareil. C'est à ses yeux un fait extraordinaire ; il entoure la bête de ses soins, ordonne à tous ses gens de bien veiller sur elle pour l'amour de lui, de ne lui faire aucun mal, de ne pas la frapper, de bien lui donner à boire et à manger. Ils lui prodiguent leur soins. Elle va toujours se coucher parmi les chevaliers et près du roi. Tous l'apprécient pour sa loyauté et sa gentillesse. Jamais elle ne songe à mal.

[154 a] U ke li reis deüst errer,
Il n'out cure de desevrer ;
Ensemble od lui tuz jurs alout :
184 Bien s'aparceit que il l'amout.

Oëz aprés cument avint !
A une curt ke li rei tint
Tuz les baruns aveit mandez,
188 Ceus ki furent de lui chasez,
Pur aider sa feste a tenir
E lui plus beal faire servir.
Li chevalers i est alez
192 Richement e bien aturnez,
Ki la femme Bisclavret ot.
Il ne saveit ne ne quidot
Que il le deüst trover si pres !
196 Si tost cum il vint al paleis
E le bisclavret le aparceut,
De plain esleis vers lui curut :
As denz le prist, vers lui le trait.
200 Ja li eüst mut grant leid fait,
Ne fust li reis ki l'apela,
De une verge le manaça.
Deus feiz le vout mordre le jur.
204 Mut s'esmerveillent li plusur,
Kar unkes tel semblant ne fist
Vers nul hume kë il veïst.
Ceo dient tut par la meisun
208 Ke il nel fet mie sanz reisun :
Mesfait li ad, coment que seit,
Kar volentiers se vengereit.
A cele feiz remest issi,
212 Tant ke la feste departi
E li barun unt pris cungé ;
A lur meisun sunt repeiré.
Alez s'en est li chevaliers
[154 b] Mien escïent tut as premers,
217 Que le bisclavret asailli.
N'est merveille s'il le haï !

Partout où il se rend, elle refuse de se séparer de lui, toujours elle reste en sa compagnie avec le sentiment que le roi a de l'affection pour elle.

Écoutez ce qui arriva ensuite ! À une cour qu'il tint, le roi convoqua tous les barons qui avaient reçu de lui un fief, pour rehausser la fête et s'assurer un plus beau service. Le chevalier qui avait épousé la femme du Bisclavret s'y rendit en riche équipage. Il était loin de penser et de savoir qu'il trouverait le loup-garou si près de lui ! Dès qu'il entra au palais et que le loup-garou l'aperçut, d'un seul bond il se lança sur lui, le saisit de ses crocs, le tira à lui. Il lui aurait fait beaucoup plus de mal, n'eût été le roi qui l'appela et le menaça d'un coup de bâton. À deux reprises dans la journée la bête tâcha de mordre le chevalier. Beaucoup en furent stupéfaits, car jamais elle n'avait montré pareil comportement envers personne. Tous dirent dans le palais que ce n'était pas sans raison : le chevalier lui avait sans doute fait du tort, d'une manière ou d'une autre, puisqu'elle avait envie de se venger.

Tout en resta là pour cette fois. La fête s'acheva, les barons prirent congé et rentrèrent chez eux. Le chevalier que le loup-garou avait attaqué s'en alla, je suppose, dans les tout premiers. Ne nous étonnons pas si le loup le hait.

Ne fu puis gueres lungement,
220 Ceo m'est avis, si cum j'entent,
Que a la forest ala li reis,
Ki tant fu sages e curteis,
U li bisclavret fu trovez ;
224 E il i est od lui alez.
La nuit, quant il s'en repeira,
En la cuntree herberga.
La femme Bisclavret le sot.
228 Avenantment se appareilot ;
El demain vait al rei parler,
Riche present li fait porter.
Quant Bisclavret la veit venir,
232 Nul hum nel poeit retenir :
Vers li curut cum enragiez.
Oiez cum il est bien vengiez :
Le neis li esracha del vis.
236 Que li peüst il faire pis ?
De tutes parz l'unt manacié ;
Ja l'eüssent tut depescié,
Quant un sages hum dist al rei :
240 « Sire, fet il, entent a mei !
Ceste beste ad esté od vus ;
N'i ad ore celui de nus
Ki ne l'eit veü lungement
244 E pres de lui alé sovent :
Unke mes humme ne tucha
Ne felunie ne mustra,
Fors a la dame que ici vei.
248 Par cele fei ke jeo vus dei,
Aukun curuz ad il vers li,
E vers sun seignur autresi.
[154 c] Ceo est la femme al chevaler
252 Que taunt sulïez aveir chier,
Ki lung tens ad esté perduz,
Ne seümes qu'est devenuz.
Kar metez la dame en destreit,
256 S'aucune chose vus direit
Pur quei ceste beste la heit.
Fetes li dire s'el le seit !

Peu de temps après, à ce que je sais, le roi, ce souverain si sage et si courtois, alla, accompagné du loup-garou, à la forêt où il l'avait trouvé. Le soir, au retour, le roi prit logis dans la contrée. La femme du Bisclavret l'apprit, se mit en frais de toilettes, se rendit le lendemain chez le roi et lui fit porter un magnifique cadeau. Quand le Bisclavret la vit venir, on ne put le retenir, il fonça sur elle, plein de rage. Écoutez comme il s'est bien vengé : il lui arracha le nez du visage ; qu'aurait-il pu faire de pis ? On le menaça de tous côtés, on l'aurait mis en pièces, quand un homme sage dit au roi : « Sire, écoutez-moi ! Cette bête a vécu près de vous, chacun de nous l'a longtemps vue, l'a souvent côtoyée. Jamais elle n'a touché personne ni fait preuve de méchanceté, sauf à l'égard de la dame que je vois ici. Au nom de la fidélité que je vous dois, elle a quelque raison d'être en colère contre elle et aussi envers son époux. C'est la femme du chevalier pour qui vous aviez tant d'affection, dont on avait depuis longtemps perdu la trace et dont nous ne savions ce qu'il était devenu. Mettez donc la dame à la question pour voir si elle vous fera quelque révélation et si elle vous dira pourquoi la bête la hait tellement. Faites-le-lui avouer, si elle le sait !

Meinte merveille avum veüe,
260 Ki en Bretaigne est avenue. »
Li reis ad sun cunseil creü :
Le chevaler ad retenu,
De l'autre part la dame ad prise
264 E en mut grant destresce mise.
Tant par destresce e par poür
Tut li cunta de sun seignur :
Coment ele l'aveit trahi
268 E sa despoille li toli,
L'aventure qu'il li cunta,
E que devint e u ala ;
Puis que ses dras li ot toluz,
272 Ne fud en sun païs veüz.
Tres bien quidot e bien creeit
Que la beste Bisclavret seit.
Le reis demande la despoille ;
276 U bel li seit u pas nel voille,
Ariere la fet aporter,
Al bisclavret la fist doner.
Quant il l'urent devant lui mise,
280 Ne s'en prist garde en nule guise.
Li produm le rei apela,
Cil ki primes le cunseilla :
« Sire, ne fetes mie bien !
284 Cist nel fereit pur nule rien,
Que devant vus ses dras reveste
[154 d] Ne mut la semblance de beste.
Ne savez mie que ceo munte :
288 Mut durement en ad grant hunte !
En tes chambres le fai mener
E la despoille od lui porter ;
Une grant piece l'i laissums.
292 S'il devient hum, bien le verums. »
Li reis meïsmes le mena
E tuz les hus sur lui ferma.
Al chief de piece i est alez,
296 Deus baruns ad od lui menez.

Ce n'est pas la première merveille que nous ayons vue et qui se soit produite en Bretagne. »

Le roi se range à son avis, il retient le chevalier, il saisit d'autre part la dame et la soumet à la torture. Sous l'effet de la souffrance et de la peur, elle lui avoue tout sur son ancien mari, comment elle l'a trahi et lui a dérobé ses vêtements, comment il lui avait révélé son aventure, ce qu'il devenait, où il allait ; le jour où elle lui avait dérobé ses habits, il disparut de son pays ; elle croit, elle est persuadée que cette bête est son loup-garou.

Le roi demanda la dépouille et obligea la dame à l'apporter et la fit remettre au loup-garou. Quand on l'eut placée devant lui, il s'en désintéressa. Le vieux sage qui avait donné le conseil appela le roi. « Sire, vous n'agissez pas bien ! Il n'accepterait pour rien au monde de se revêtir devant vous et de changer son aspect de bête. Vous n'en savez pas la raison ? C'est qu'il en éprouverait une grande gêne. Faites-le conduire dans vos appartements et faites-lui porter ses vêtements ; laissons-le là un grand moment, nous verrons bien s'il redevient un homme. »

Le roi le mène en personne et ferme sur lui toutes les portes. Au bout d'un moment il y retourne, accompagné de deux barons.

En la chambrë entrent tut trei ;
Sur le demeine lit al rei
Truevent dormant le chevalier.
300 Li reis le curut enbracier ;
Plus de cent feiz l'acole e baise.
Si tost cum il pot aver aise,
Tute sa tere li rendi ;
304 Plus li duna ke jeo ne di.
La femme ad del païs ostee
E chacie hors de la cuntree.
Cil s'en alat ensemble od li
308 Pur ki sun seignur ot trahi.
Enfanz en ad asez eü ;
Puis unt esté bien cuneü
E del semblant e del visage :
312 Plusurs des femmes del lignage,
C'est veritez, senz nes sunt neies
E sovent ierent esnasees.

L'aventure ke avez oïe
316 Veraie fu, n'en dutez mie.
De Bisclavret fu fet li lais
Pur remembrance a tut dis mais.

Tous trois entrent dans la chambre et trouvent le chevalier sur le lit personnel du roi. Celui-ci court l'embrasser plus de cent fois, lui met les bras autour du cou et le couvre de baisers. Dès que cela lui est possible, il lui rend toute sa terre et lui donne plus encore que je ne dis.

Il exila la femme et la chassa du pays. Elle partit avec l'homme qui avait trahi son mari. Ils eurent beaucoup d'enfants ; on les reconnaissait facilement à leur air et à leur visage : plusieurs femmes de ce lignage, c'est la pure vérité, naquirent et vécurent sans nez.

L'aventure que vous avez entendue est vraie, n'en doutez pas. Le lai du *Bisclavret* fut composé pour en perpétuer à jamais le souvenir.

LANVAL

L'aventure d'un autre lai,
Cum ele avint, vus cunterai.
[155 a] Fait fu d'un mut gentil vassal :
4 En bretans l'apelent *Lanval.*

A Kardoel surjurnot li reis
Artur, li pruz e li curteis,
Pur les Escoz e pur les Pis,
8 Ki destrueient le païs ;
En la tere de Logre entroent
E mut suvent la damagoent.
A la Pentecuste en esté
12 I aveit li reis sujurné ;
Asez i duna riches duns
E as cuntes e as baruns.
A ceus de la Table Roünde —
16 N'ot tant de teus en tut le munde —
Femmes e teres departi,
Fors a un sul ki l'ot servi :
Ceo fu Lanval ; ne l'en sovint
20 Ne nuls des soens bien ne li tint.
Pur sa valur, pur sa largesce,
Pur sa beauté, pur sa pruësce,
L'envïoent tut li plusur ;
24 Tel li mustra semblant d'amur,
S'al chevalier mesavenist,
Ja une feiz ne l'en pleinsist !

LANVAL

Je vais vous raconter l'aventure qui est le sujet d'un autre lai, telle qu'elle arriva. Le héros en fut un noble guerrier ; en breton on l'appelle Lanval.

À Carduel[1] séjournait le roi Arthur, le preux et le courtois, pour combattre les Écossais et les Pictes qui dévastaient le pays. Ils entraient dans le royaume de Logres[2] et ne cessaient de lui causer des dommages. Le roi séjournait là à la Pentecôte, à la belle saison. Il distribua de riches cadeaux aux comtes et aux barons. À ceux de la Table Ronde — ils n'avaient pas leurs pareils dans le monde entier — il donna femmes et domaines, sauf à l'un d'eux qui avait été à son service : c'était Lanval. Il l'oublia et aucun de ses gens ne lui vint en aide. Pour sa valeur, ses largesses, sa beauté et sa prouesse beaucoup l'enviaient. Tel faisait mine de l'aimer qui, en cas de malheur du chevalier, n'aurait pas manifesté le moindre regret.

Fiz a rei fu, de haut parage,
28 Mes luin ert de sun heritage !
De la meisnie le rei fu.
Tut sun aveir ad despendu,
Kar li reis rien ne li dona
32 Ne Lanval rien ne demanda.
Ore est Lanval mut entrepris,
Mut est dolent, mut est pensis !
Seignurs, ne vus esmerveillez :
36 Hum estrange descunseillez,
Mut est dolenz en autre tere,
[155 b] Quant il ne seit u sucurs quere !

Le chevalier dunt jeo vus di,
40 Ki tant aveit le rei servi,
Un jur munta sur sun destrer,
Si s'est alez esbaneer.
Fors de la vilë est eissuz,
44 Tut sul est en un pré venuz ;
Sur une ewe curaunt descent,
Mes sis cheval tremble forment ;
Il le descengle, si s'en vait,
48 En mi le pré vuiltrer le lait.
Le pan de sun mantel plia
Desuz sun chief, puis se cucha.
Mut est pensis pur sa mesaise,
52 Il ne veit chose ki li plaise.
La u il gist en teu maniere,
Garda aval lez la riviere,
Si vit venir deus dameiseles :
56 Unkes n'en ot veü plus beles !
Vestues furent richement,
Laciees mut estreitement
En deus bliauz de purpre bis ;
60 Mut par aveient bel le vis !
L'eisnee portout uns bacins
D'or esmeré, bien faiz e fins ;
Le veir vus en dirai sanz faile :
64 L'autre portout une tüaile.

Il était fils de roi, de haute lignée, mais il était loin de son domaine héréditaire. Il appartenait à la maison du roi ; il avait dépensé tout son bien, car le roi ne lui donnait rien et Lanval ne lui demandait rien. Voilà Lanval bien malheureux, bien embarrassé et très anxieux. Seigneurs, n'en soyez pas étonnés : un étranger sans appui est dans la détresse en une autre terre que la sienne, quand il ne sait où chercher du secours.

Le chevalier dont je vous parle, qui avait si longtemps servi le roi, monta un jour sur son destrier et alla se promener. Il sortit de la ville, seul, et arriva dans un pré. Il mit pied à terre au bord d'une rivière, mais comme son cheval tremblait violemment, il lui enleva la bride, s'éloigna et le laissa s'ébattre au milieu du pré. Il plia le pan de son manteau sous sa tête et s'étendit. En souci à cause de sa pauvreté, il ne trouvait autour de lui aucun réconfort. Ainsi allongé, il regarda vers le bas, du côté de la rivière et vit venir deux demoiselles, les plus belles qu'il ait jamais vues. Elles étaient richement vêtues, étroitement lacées[3] dans leur bliaut de pourpre sombre ; leur visage était d'une grande beauté. L'aînée portait des bassins d'or pur, d'une fine et merveilleuse facture. Quant à l'autre, je ne vous dis que la vérité, elle portait une serviette.

Eles s'en sunt alees dreit
La u li chevalier giseit.
Lanval, ki mut fu enseigniez,
68 Cuntre eles s'en levad en piez.
Celes l'unt primes salué,
Lur message li unt cunté :
« Sire Lanval, ma dameisele,
72 Ki tant est pruz e sage e bele,
[155 c] Ele nus enveie pur vus ;
Kar i venez ensemble od nus !
Sauvement vus i cundurums :
76 Veez, pres est li paveilluns. »
Li chevalers od eles vait,
De sun cheval ne tient nul plait,
Ki devant lui pesseit el pré.

80 Treskë al tref l'unt amené,
Ki mut fu beaus e bien asis ;
La reïne Semiramis,
Quant ele ot unkes plus aveir
84 E plus pussaunce e plus saveir,
Ne l'emperere Octovïan,
N'esligasent le destre pan.
Un aigle d'or ot desus mis ;
88 De cel ne sai dire le pris,
Ne des cordes ne des peissuns
Ki del tref tienent les giruns :
Suz ciel n'ad rei kis esligast
92 Pur nul aver k'il i donast !
Dedenz cel tref fu la pucele ;
Flur de lis e rose nuvele,
Quant ele pert al tens d'esté,
96 Trespassot ele de beauté.
Ele jut sur un lit mut bel —
Li drap valeient un chastel —
En sa chemise senglement.
100 Mut ot le cors bien fait e gent !
Un cher mantel de blanc hermine,
Covert de purpre alexandrine,
Ot pur le chaut sur li geté ;

Elles allaient tout droit vers l'endroit où le chevalier était couché. En homme bien élevé, Lanval se leva pour leur faire accueil. Elles le saluèrent d'abord, puis s'acquittèrent de leur message. « Seigneur Lanval, notre maîtresse qui est un modèle de générosité, de sagesse et de beauté nous envoie à vous. Venez donc avec nous, nous vous conduirons jusqu'à elle en toute sécurité. Voyez, sa tente est proche. »

Le chevalier les suit, sans s'occuper de son cheval qui devant lui paissait dans le pré. Elles l'amènent à la tente, qui était fort belle et bien dressée. La reine Sémiramis, à l'apogée de sa richesse, de sa puissance et de sa sagesse, pas plus que l'empereur Octave[4], n'auraient pu s'en offrir même le pan droit. Un aigle d'or était placé au sommet, je ne sais vous en dire le prix, ni celui des cordes et des piquets qui maintenaient les pans de la tente. Il n'est roi au monde qui aurait pu les acheter, quelque somme qu'il y mît. La jeune fille était à l'intérieur de cette tente, elle surpassait en beauté la fleur de lis et la rose nouvelle épanouie au printemps. Elle était couchée sur un lit magnifique — les draps valaient un château —, en simple chemise, bien faite et séduisante de corps, elle avait jeté sur elle, pour avoir chaud, un précieux manteau de blanche hermine doublé d'une soie d'Alexandrie.

104 Tut ot descovert le costé,
Le vis, le col e la peitrine :
Plus ert blanche que flur d'espine !

Le chevaler avant ala,
[155 d] E la pucele l'apela ;
109 Il s'est devant le lit asis.
« Lanval, fet ele, beus amis,
Pur vus vinc jeo fors de ma tere :
112 De luinz vus sui venue quere !
Se vus estes pruz e curteis,
Emperere ne quens ne reis
N'ot unkes tant joie ne bien,
116 Kar jo vus aim sur tute rien. »
Il l'esgarda, si la vit bele.
Amurs le puint de l'estencele
Ki sun quor alume e esprent.
120 Il li respunt avenantment :
« Bele, fet il, si vus pleiseit
E cele joie me aveneit
Que vus me vousissez amer,
124 Ja n'osiriez comander
Que jeo ne face a mun poeir,
Turt a folie u a saveir.
Jeo ferai voz comandemenz ;
128 Pur vus guerpirai tutes genz.
Jamés ne quier de vus partir,
Ceo est la rien que plus desir ! »
Quant la meschine oï parler
132 Celui ki tant la peot amer,
S'amur e sun cors li otreie.
Ore est Lanval en dreite veie !
Un dun li ad duné aprés :
136 Ja cele rien ne vudra mes
Que il nen ait a sun talent ;
Doinst e despende largement,
Ele li troverat asez.
140 Mut est Lanval bien assenez :
Cum plus despendra richement,
E plus avra or e argent !

Elle avait tout le flanc découvert, ainsi que le visage, le cou et la poitrine, plus blanche que la fleur de l'aubépine.

Le chevalier s'avança et la jeune fille l'appela ; il s'assit devant le lit. « Lanval, fit-elle, ami cher, c'est pour vous que je suis venue de mon pays ; de loin je suis venue vous chercher. Si vous êtes preux et courtois, jamais empereur, comte ni roi n'auront autant de bonheur et de richesse que vous, car je vous aime plus que tout au monde. » Il la contempla et la vit dans toute sa beauté. Amour le pique de son étincelle qui enflamme et embrase son cœur. Il lui répond avec douceur : « Belle, s'il vous plaisait de m'aimer et si ce bonheur m'arrivait, je ferais tout ce que je pourrais pour satisfaire vos désirs, que ce fût folie ou sagesse. J'obéirai à tous vos ordres, je renoncerai au monde pour vous. Je ne veux jamais être séparé de vous, c'est mon plus cher désir. »

Quand la jeune fille entend les paroles de celui qui l'aime tant, elle lui accorde son amour et se donne à lui. Voilà maintenant Lanval sur le chemin du bonheur ! Elle lui fait ensuite un don : il obtiendra tout ce qu'il voudra selon ses vœux ; qu'il donne et dépense largement, elle le fournira de tout sans compter. Lanval est bien pourvu, plus il se montrera généreux, plus il aura d'or et d'argent.

[156 a] « Ami, fet ele, or vus chasti,
144 Si vus comant e si vus pri :
Ne vus descovrez a nul humme.
De ceo vus dirai ja la summe :
A tuz jurs m'avrïez perdue,
148 Si ceste amur esteit seüe ;
Jamés nem purrïez veeir
Ne de mun cors seisine aveir. »
Il li respunt que bien tendra
152 Ceo que ele li comaundera.
Delez li s'est el lit cuchiez.
Ore est Lanval bien herbergez !
Ensemble od li la relevee
156 Demurat tresque a la vespree,
E plus i fust, se il poïst
E s'amie li cunsentist.
« Amis, fet ele, levez sus !
160 Vus n'i poëz demurer plus :
Alez vus en ! Jeo remeindrai.
Mes une chose vus dirai :
Quant vus vodrez od mei parler,
164 Ja ne savrez cel liu penser
U nuls puïst aver s'amie
Sanz repreoce e sanz vileinie,
Que jeo ne vus seie en present
168 A fere tut vostre talent ;
Nul hum fors vus ne me verra
Ne ma parole nen orra. »
Quant il l'oï, mut en fu liez ;
172 Il la baisa, puis s'est dresciez.
Celes ki al tref l'amenerent
De riches dras le cunreerent ;
Quant il fu vestu de nuvel,
176 Suz ciel nen ot plus bel dancel.
N'esteit mie fous ne vileins !
[156 b] L'ewe li donent a ses meins
E la tüaille a essuier ;
180 Puis li aportent à mangier.
Od s'amie prist le super :
Ne feseit mie a refuser !

« Ami, fait-elle, maintenant je vous avertis, c'est une prière et un ordre que je vous adresse : ne confiez votre secret à personne. Je vais vous en dire les conséquences : vous me perdriez pour toujours, si notre amour était connu ; vous ne me verriez plus jamais et ne me posséderiez plus comme un amant. » Il lui répond qu'il observera à la lettre son commandement ; puis il s'étend à ses côtés sur le lit. Lanval est à présent bien logé !

Il resta avec elle l'après-midi, jusqu'au soir, et il serait resté davantage, s'il avait pu et si son amie le lui avait consenti. « Ami, fait-elle, levez-vous ! Vous ne pouvez demeurer ici plus longtemps. Partez. Moi, je resterai, mais je vais vous dire une chose : quand vous voudrez me parler, je serai présente, prête à faire votre volonté en n'importe quel lieu, quel que soit votre choix, où il soit possible de rencontrer son ami sans blâme et sans scandale. Personne, hormis vous, ne me verra et n'entendra mes paroles. »

Ces mots le remplirent de joie. Il l'embrassa, puis se leva. Celles qui l'avaient amené à la tente l'habillèrent de riches étoffes. Quand il fut vêtu de neuf, il n'y avait pas sur terre plus beau jeune homme ; il n'avait pas l'air d'un sot ni d'un rustre. Elles lui présentèrent l'eau pour se laver les mains, la serviette pour s'essuyer, puis elles lui apportèrent à manger. Il soupa avec son amie et le repas n'était pas à dédaigner !

Mut fu servi curteisement
184 E il a grant joie le prent.
Un entremés i ot plener,
Ki mut pleiseit al chevalier,
Kar s'amie baisout sovent
188 E acolot estreitement !
Quant del mangier furent levé,
Sun cheval li unt amené ;
Bien li eurent la sele mise.
192 Mut ad trové riche servise !
Il prent cungé, si est muntez,
Vers la cité s'en est alez.
Suvent esgarde ariere sei.
196 Mut est Lanval en grant esfrei.
De s'aventure vait pensaunt
E en sun curage dotaunt ;
Esbaïz est, ne seit que creire,
200 Il ne la quide mie a veire.

Il est a sun ostel venuz,
Ses humme treve bien vestuz.
Icele nuit bon ostel tint,
204 Mes nul ne sot dunt ceo li vint.
N'ot en la vile chevalier
Ki de surjur ait grant mestier
Que il ne face a lui venir
208 E richement e bien servir.
Lanval donout les riches duns,
Lanval aquitout les prisuns,
Lanval vesteit les jugleürs,
212 Lanval feseit les granz honurs.
[156 c] N'i ot estrange ne privé
A ki Lanval n'eüst doné.
Mut ot Lanval joie e deduit :
216 U seit par jur u seit par nuit,
S'amie peot veer sovent,
Tut est a sun comandement.

Il fut servi courtoisement et il y prit grand plaisir. Il y eut un entremets délicieux qui plut beaucoup au chevalier : une longue suite de baisers où il serrait bien fort son amie. Quand ils se furent levés de table, on lui amena son cheval, la selle était bien mise, le service ne laissait rien à désirer. Il prit congé, monta à cheval, prit le chemin de la cité. Souvent il regardait derrière lui. Lanval est en grand émoi ; il songe à son aventure ; plein de doute, ébahi, il n'en croit pas ses yeux et pense que tout cela n'est pas vrai.

Arrivé à son logis, il trouve ses gens richement vêtus. Il tient, ce soir-là, bonne table, mais personne ne sait d'où lui vient cette richesse. Tout chevalier qui dans la ville est dans le dénuement est accueilli chez lui où il est bien et richement servi. Lanval distribue de précieux cadeaux, Lanval paie la rançon des prisonniers, Lanval donne des vêtements aux jongleurs, Lanval prodigue les honneurs. Il n'est étranger ou familier qui ne reçoive de lui un présent. Lanval mène une vie heureuse et agréable, il peut voir son amie souvent, qui répond à son appel.

Ceo m'est avis, meïsmes l'an,
220 Aprés la feste seint Johan,
De si qu'a trente chevalier
S'ierent alé esbanïer
En un vergier, desuz la tur
224 U la reïne ert a surjur.
Ensemble od eus esteit Walwains
E sis cusins, li beaus Ywains.
Ceo dist Walwains, li francs, li pruz,
228 Ki tant se fist amer de tuz :
« Par Deu, seignurs, nus feimes mal
De nostre cumpainun Lanval,
Ki tant est larges e curteis
232 E sis peres est riches reis,
Qu'od nus ne l'avum amené. »
A tant sunt ariere turné ;
A sun ostel revunt ariere,
236 Lanval ameinent par preere.
A une fenestre entaillie
S'esteit la reïne apuie ;
Treis dames ot ensemble od li.
240 La maisniee le rei choisi,
Lanval conut e esgarda.
Une des dames apela ;
Par li manda ses dameiseles,
244 Les plus quointes e les plus beles :
Od li s'irrunt esbanïer
La u cil erent el vergier.
Trente en menat od li e plus ;
248 Par les degrez descendent jus.
[156 d] Les chevalers encuntre vunt,
Ki pur eles grant joie funt.
Il les unt prises par les mains ;
252 Cil parlemenz n'iert pas vilains !
Lanval s'en mit a une part
Luin des autres ; ceo li est tart
Que s'amie puisse tenir,
256 Baiser, acoler e sentir ;
L'autrui joie prise petit,
Si il nen ad le suen delit.

Cette même année, je crois, après la fête de la Saint-Jean, une trentaine de chevaliers étaient allés se détendre dans un verger, au pied du donjon où habitait la reine. Il y avait parmi eux Gauvain et son cousin, le bel Yvain. Gauvain, le noble, le preux, qui se faisait aimer de tous, dit alors : « Par Dieu, seigneurs, nous avons mal agi à l'égard de notre compagnon Lanval, qui est si généreux et si courtois et dont le père est un puissant roi, en ne l'amenant pas avec nous. » Ils s'en retournèrent alors, allèrent à son logis et le ramenèrent à force de prières.

La reine était dans l'embrasure d'une fenêtre, entourée de trois dames. Elle aperçut les chevaliers de la maison du roi, les observa bien et reconnut Lanval. Elle appela une des dames et l'envoya chercher ses suivantes, les plus aimables et les plus belles : avec elle elles iront se divertir avec les chevaliers qui sont dans le verger. La dame en amène plus de trente avec elle et elles descendent par l'escalier. Les chevaliers vont à leur rencontre, tout heureux de leur présence. Ils les prennent par la main ; ce n'est pas une assemblée de rustres !

Lanval s'en va de son côté, loin des autres ; il lui tarde de pouvoir tenir son amie dans ses bras, de lui donner des baisers, de l'étreindre, de la sentir contre lui. La liesse des autres le laisse indifférent, s'il n'a pas son plaisir à lui.

Quant la reïne sul le veit,
260 Al chevaler en va tut dreit ;
Lunc lui s'asist, si l'apela,
Tut sun curage li mustra :
« Lanval, mut vus ai honuré
264 E mut cheri e mut amé ;
Tute m'amur poëz aveir.
Kar me dites vostre voleir !
Ma druërie vus otrei :
268 Mut devez estre lié de mei.
— Dame, fet il, lessez m'ester !
Jeo n'ai cure de vus amer.
Lungement ai servi le rei ;
272 Ne li voil pas mentir ma fei.
Ja pur vus ne pur vostre amur
Ne mesferai a mun seignur. »
La reïne s'en curuça ;
276 Iriee fu, si mesparla :
« Lanval, fet ele, bien le quit,
Vus n'amez gueres cel deduit.
Asez le m'ad hum dit sovent
280 Que des femmes n'avez talent !
Vallez avez bien afeitiez,
Ensemble od eus vus deduiez.
[157 a] Vileins cüarz, mauveis failliz,
284 Mut est mi sires maubailliz,
Ki pres de lui vus ad suffert,
Mun escïent que Deu en pert. »
Quant il l'oï, mut fu dolent ;
288 Del respundre ne fu pas lent.
Teu chose dist par maltalent
Dunt il se repenti sovent.
« Dame, dist il, de cel mestier
292 Ne me sai jeo nïent aidier.
Mes jo aim e si sui amis
Cele ki deit aver le pris
Sur tutes celes que jeo sai.
296 E une chose vus dirai,
Bien le sachez a descovert :

Quand la reine le voit seul, elle va tout droit vers lui, s'assoit près de lui, lui adresse la parole et lui dévoile ses sentiments. « Lanval, je vous ai comblé d'honneurs, je vous ai chéri et passionnément aimé, vous pouvez avoir mon amour. Dites-moi donc vos intentions. Je vous donne mon cœur, vous devez être content de moi. — Dame, fait-il, ne poursuivez pas ! Je n'ai pas envie de vous aimer. J'ai longtemps servi le roi, je ne veux pas lui manquer de fidélité ; ni pour vous ni pour votre amour je ne ferai de tort à mon seigneur. »

Furieuse, dans un mouvement de colère, la reine passa à l'insulte : « Lanval, dit-elle, je crois bien que vous n'aimez guère ce genre de plaisir. On m'a souvent répété que vous n'aviez pas de goût pour les femmes. Vous, vous préférez les garçons élégants, c'est avec eux que vous prenez votre plaisir. Sale lâche, infâme vaurien, mon époux est mal récompensé de vous avoir supporté près de lui : à mon avis, il en a perdu son salut. » Blessé par ces injures, Lanval ne fut pas long à répondre. La colère lui inspira des paroles qu'il devait plus d'une fois regretter. « Dame, dit-il, je n'entends rien à ces pratiques, mais j'aime et je suis l'ami de celle qui doit avoir le prix sur toutes celles que je connais ; et je vais vous le dire sans détours :

Une de celes ki la sert,
Tute la plus povre meschine,
300 Vaut mieuz de vus, dame reïne,
De cors, de vis e de beauté,
D'enseignement e de bunté ! »

La reïne s'en part a tant,
304 En sa chambre s'en vait plurant ;
Mut fu dolente e curuciee
De ceo k'il l'out si avilliee.
En sun lit malade cucha ;
308 Jamés, ceo dit, ne levera,
Si li reis ne l'en feseit dreit
De ceo dunt ele se pleindreit.
Li reis fu del bois repeiriez ;
312 Mut out le jur esté haitiez.
Es chambres la reïne entra.
Quant el le vit, si se clamma ;
As piez li chiet, merci li crie,
316 E dit que Lanval l'ad hunie :
De druërie la requist ;
[157 b] Pur ceo que ele l'en escundist,
Mut la laidi e avila ;
320 De tel amie se vanta
Ki tant iert cuinte e noble e fiere
Que mieuz valeit sa chamberiere,
La plus povre ki la serveit,
324 Que la reïne ne feseit.
Li reis s'en curuçat forment ;
Juré en ad sun serement,
S'il ne s'en peot en curt defendre,
328 Il le ferat arder u pendre.

Fors de la chambre eissi li reis ;
De ses baruns apelat treis.
Il les enveie pur Lanval,
332 Ki asez ad dolur e mal.
A sun ostel fu revenuz ;
Il s'esteit bien aparceüz
Qu'il aveit perdue s'amie :
336 Descovert ot la druërie !

de celles qui sont à son service la plus humble l'emporte sur vous, reine, ma dame, pour la beauté du corps et du visage, pour l'éducation et la bonté. »

La reine se retira alors et regagna en pleurs sa chambre, désolée et courroucée d'être outragée de la sorte. Malade, elle se mit au lit : jamais, se dit-elle, elle ne se lèvera avant que le roi n'ait fait justice à l'objet de sa plainte. Le roi était revenu de la forêt, satisfait de sa journée. Il entra dans les appartements de la reine. Dès qu'elle le vit, elle formula sa plainte ; tombant à ses pieds, elle implora sa pitié et lui dit que Lanval l'avait déshonorée en la priant d'amour, et parce qu'elle l'avait éconduit, il l'avait injuriée et outragée[5] ; il s'était vanté d'avoir une amie si aimable, si noble, si fière que même la plus humble des chambrières à son service valait mieux qu'elle, la reine ! Le roi en fut violemment irrité ; il jura en prêtant serment que si Lanval ne pouvait pas se justifier en présence de la cour, il le ferait brûler ou pendre.

Le roi sortit de la chambre et appela trois de ses barons, il les envoya auprès de Lanval qui était accablé de chagrin et de détresse. De retour à son logis, il avait déjà le sentiment d'avoir perdu son amie pour avoir dévoilé sa liaison.

En une chambre fu tut suls ;
Pensis esteit e anguissus.
S'amie apele mut sovent,
340 Mes ceo ne li valut neent.
Il se pleigneit e suspirot,
D'ures en autres se pasmot ;
Puis li crie cent feiz merci,
344 Que ele parolt a sun ami.
Sun quor e sa buche maudit ;
C'est merveille k'il ne s'ocit !
Il ne seit tant crier ne braire
348 Ne debatre ne sei detraire
Que ele en veulle merci aveir,
Sul tant que la puisse veeir.
Oi las, cument se cuntendra ?
352 Cil ke li reis i enveia,
[157 c] Il sunt venu, si li unt dit
Que a la curt voise sanz respit :
Li reis l'aveit par eus mandé ;
356 La reïne l'out encusé.
Lanval i vet od sun grant doel ;
Il l'eüssent ocis sun veoil !

Il est devant le rei venu ;
360 Mut fu pensis, taisanz e mu,
De grant dolur mustre semblant.
Li reis li dit par maltalant :
« Vassal, vus me avez mut mesfait ;
364 Trop començastes vilein plait
De mei hunir e aviller
E la reïne ledengier !
Vanté vus estes de folie :
368 Trop par est noble vostre amie,
Quant plus est bele sa meschine
E plus vaillanz que la reïne ! »
Lanval defent la deshonur
372 E la hunte de sun seignur
De mot en mot si cum il dist,
Que la reïne ne requist.

Seul dans une chambre, pensif et anxieux, il appela à plusieurs reprises son amie, mais ce fut en vain. Il se lamentait et soupirait, plus d'une fois il perdit connaissance ; il implorait cent fois son pardon, la suppliait de venir parler à son ami, maudissant son cœur et sa bouche. C'est merveille qu'il ne se donne pas la mort ! Il a beau crier, lancer des appels, se débattre et se torturer, elle lui refuse sa pitié et même sa présence. Hélas, quelle conduite tenir ? Les messagers du roi viennent chez Lanval pour l'inviter à aller à la cour sans délai : c'est un ordre du roi qu'ils lui apportent et la reine l'a accusé. Lanval s'y présente, la mort dans l'âme : il aurait préféré être tué par eux.

Il arrive devant le roi, triste, silencieux et muet, incapable de cacher sa profonde douleur. Le roi lui dit avec colère : « Vassal[6], vous m'avez fait grand tort ! Vous vous êtes engagé dans une vilaine affaire en me déshonorant, en m'outrageant et en insultant la reine. Vous vous êtes follement vanté : il faut que votre amie soit bien noble pour que sa servante soit plus belle et plus estimable que la reine. » Lanval conteste avoir déshonoré et honni son seigneur, en reprenant mot pour mot les termes de l'accusation, car il n'a pas sollicité l'amour de la reine.

Mes de ceo dunt il ot parlé
376 Reconut il la verité,
De l'amur dunt il se vanta ;
Dolent en est, perdue l'a.
De ceo lur dit qu'il en ferat
380 Quanque la curt esgarderat.

Li reis fu mut vers lui irez :
Tuz ses hummes ad enveiez
Pur dire dreit que il en deit faire,
384 C'um ne li puisse a mal retraire.
Cil unt sun commandement fait :
U eus seit bel u eus seit lait,
Comunement i sunt alé ;
[157 d] Si unt jugé e esgardé
389 Que Lanval deit aveir un jur,
Mes plegges truisse a sun seignur
Qu'il atendra sun jugement
392 E revendra en sun present ;
Si serat la cur esforcie,
Kar n'i ot dunc fors la maisniee.
Al rei revienent li barun,
396 Si li mustrerent la reisun.
Li reis ad plegges demandé ;
Lanval fu sul e esgaré,
N'i aveit parent ne ami.
400 Walwain i vait, ki l'a plevi,
E tuit si cumpainun aprés.
Li reis lur dit : « E jol vus les
Sur quanke vus tenez de mei,
404 Teres e fieus, chescun par sei. »
Quant plevi fu, dunc n'i ot el :
Alez s'en est a sun ostel.
Li chevaler l'unt conveé ;
408 Mut l'unt blasmé e chastïé
Qu'il ne face si grant dolur,
E maudient si fole amur.
Chescun jur l'aloent veer,
412 Pur ceo k'il voleient saveir
U il beüst u il mangast :
Mut dotouent k'il s'afolast !

Mais il reconnaît avoir effectivement tenu les propos sur l'amour dont il s'est vanté. Il le regrette, car il a perdu son amie. Et il leur déclare qu'il se soumettra au jugement de la cour.

Le roi était plein de colère contre lui. Il convoque tous ses hommes pour délibérer sur la conduite à tenir, afin d'éviter d'éventuels reproches. Obéissant à son invitation, ils se rendent, bon gré mal gré, chez le roi. Ils jugent et décident que Lanval doit être assigné à comparaître, à fournir des garants à son seigneur attestant qu'il attendra son jugement et qu'il reviendra se présenter. La cour sera alors renforcée, car il n'y a présentement que la maison du roi. Les barons reviennent trouver le roi et l'informent de la procédure ; de son côté le roi demande des garants. Lanval est seul, éperdu, sans parents ni amis. Gauvain s'avance alors et lui sert de caution, ainsi que tous ses compagnons. « J'accepte, dit le roi, que vous vous engagiez, chacun en votre nom, sur les terres et les fiefs que vous tenez de moi. » Quand il a ses cautions, Lanval n'a plus qu'à rentrer chez lui. Les chevaliers l'accompagnent et ne cessent de lui faire la leçon, de le blâmer de se laisser aller à une pareille douleur et maudissent son amour insensé. Ils vont lui faire visite chaque jour pour voir s'il boit et mange ; ils redoutent de le voir tomber malade.

Al jur que cil orent numé
416 Li barun furent asemblé.
Li reis e la reïne i fu,
E li plegge unt Lanval rendu.
Mut furent tuz pur lui dolent ;
420 Jeo quid k'il en i ot teus cent
Ki feïssent tut lur poeir
Pur lui sanz pleit delivre aveir :
[158 a] Il iert retté a mut grant tort.
424 Li reis demande le recort
Sulunc le cleim e les respuns ;
Ore est trestut sur les baruns.
Il sunt al jugement alé.
428 Mut sunt pensifz e esgaré
Del franc humme d'autre païs
Ki entre eus ert si entrepris.
Encumbrer le veulent plusur
432 Pur la volenté lur seignur.
Ceo dist li quoens de Cornwaille :
« Ja endreit nuls n'i avra faille,
Kar ki qu'en plurt ne ki qu'en chant,
436 Le dreit estuet aler avant.
Li reis parla vers sun vassal
Que jeo vus oi numer Lanval ;
De felunie le retta
440 E d'un mesfait l'acheisuna,
D'une amur dunt il se vanta,
E ma dame s'en curuça.
Nuls ne l'apele fors le rei.
444 Par cele fei ke jeo vus dei,
Ki bien en veut dire le veir,
Ja n'i deüst respuns aveir
Si pur ceo nun que a sun seignur
448 Deit hum partut fairë honur.
Un serement l'en gagera
E li reis le nus pardura.
E s'il peot aver sun guarant
452 E s'amie venist avant,
E ceo fust veir k'il en deïst,
Dunt la reïne se marist,

Au jour fixé par eux[7], les barons s'assemblèrent. Le roi et la reine étaient présents et les garants remirent Lanval à ses juges. Tout le monde était en peine pour lui. Il y en avait cent, je pense, qui auraient tout mis en œuvre pour le libérer sans procès, car il était accusé à tort. Le roi demanda le rappel de l'affaire avec reprise des termes de la plainte et de la défense : tout maintenant était entre les mains des barons qui s'étaient réunis pour le jugement. Ils étaient perplexes et soucieux pour ce noble étranger en situation si périlleuse. Plus d'un avait l'intention de le charger, pour plaire à leur seigneur, mais le comte de Cornouailles prit la parole : « Nul d'entre nous ne doit commettre de faute ; qu'on pleure ou qu'on chante, le droit doit passer avant tout. Le roi a porté plainte contre son vassal que je vous ai entendu nommer Lanval : il l'a accusé de félonie et il l'a inculpé d'un méfait à propos de l'amour dont ce chevalier s'est vanté, ce qui lui a valu la colère de la reine. Le roi seul le met en accusation. Au nom de la fidélité que je vous dois, à dire vrai, il n'aurait eu le droit de porter plainte en justice que si un vassal avait manqué à son devoir en mettant en cause l'honneur du roi. Sur ce point Lanval prêtera serment, et ce sera un gage suffisant, et le roi s'en remettra à notre jugement. Ensuite si Lanval peut produire un garant, si son amie se présente devant la cour et si est prouvée la vérité des paroles dont la reine a pris ombrage,

De ceo avra il bien merci,
456 Quant pur vilté nel dist de li.
E s'il ne peot garant aveir,
[158 b] Ceo li devum faire saveir :
Tut sun servise pert del rei
460 E sil deit cungeer de sei. »

Al chevaler unt enveé
E si li unt dit e nuntié
Que s'amie face venir
464 Pur lui tencer e garentir.
Il lur dit que il ne poeit :
Ja par li sucurs nen avreit.

Cil s'en revunt as jugeürs
468 Ki n'i atendent nul sucurs.
Li reis les hastot durement
Pur la reïne, kis atent.
Quant il deveient departir,
472 Deus puceles virent venir
Sur deus beaus palefreiz amblanz ;
Mut par esteient avenanz.
De cendal purpre sunt vestues
476 Tu senglement a lur char nues.
Cil les esgardent volenters.
Walwain, od lui treis chevalers,
Vait a Lanval, si li cunta,
480 Les deus puceles li mustra ;
Mut fu haitié, forment li prie
Qu'il li deïst si c'ert s'amie.
Il lur ad dit ne seit ki sunt
484 Ne dunt vienent ne eles vunt.
Celes sunt alees avant
Tut a cheval ; par tel semblant
Descendirent devant le deis
488 La u seeit Artur li reis.
Eles furent de grant beuté,
Si unt curteisement parlé :

il obtiendra bientôt son pardon, puisqu'il ne les a pas prononcées dans l'intention de l'humilier. Mais s'il est dans l'impossibilité de produire son garant, nous devons lui faire savoir qu'il ne peut plus être au service du roi et que le roi doit le bannir de sa présence. »

On envoie chercher le chevalier pour lui demander de faire venir son amie, afin qu'elle le protège et lui serve de garant. Il leur répond que ce n'est pas possible, qu'elle ne viendra pas à son secours. Les messagers reviennent chez les juges qui ne gardent aucun espoir. Le roi les presse avec insistance à cause de la reine qui attend leur verdict.

À l'instant où ils devaient trancher la cause, ils virent venir deux jeunes filles sur deux beaux palefrois trottant l'amble. Elles étaient très séduisantes, vêtues simplement d'un taffetas pourpre sur leur peau nue. On les regarda avec intérêt. Avec trois chevaliers Gauvain alla le raconter à Lanval et lui montra les deux jeunes filles. Tout joyeux, Lanval le supplia de lui dire si c'était son amie : il ne sait, répond Gauvain, qui elles sont, d'où elles viennent, où elles vont.

Les jeunes filles avancent à cheval, dans cet équipage, elles mettent pied à terre devant la table où était assis le roi Arthur. Elles étaient d'une grande beauté et elles s'adressèrent à lui avec courtoisie :

« Reis, fai tes chambres delivrer
492 E de palies encurtiner
[158 c] U ma dame puisse descendre :
Ensemble od vus veut ostel prendre. »
Il lur otreie volenters ;
496 Si appela deus chevalers,
As chambres les menerent sus.
A cele feiz ne distrent plus.

Li reis demande a ses baruns
500 Le jugement e les respuns,
E dit que mut l'unt curucié
De ceo que tant l'unt delaié.
« Sire, funt il, nus departimes
504 Pur les dames que nus veïmes ;
Nus n'i avum nul esgart fait.
Or recumencerum le plait. »
Dunc assemblerent tut pensif ;
508 Asez i ot noise e estrif.
Quant il ierent en cel esfrei,
Deus puceles de gent cunrei,
Vestues de deus palies freis —
512 Chevauchent deus muls espanneis —
Virent venir la rue aval.
Grant joie en eurent li vassal !
Entre eus dient que ore est gariz
516 Lanval, li pruz e li hardiz.
Yweins en est a lui alez,
Ses cumpainuns i ad menez.
« Sire, fet il, rehaitiez vus !
520 Pur amur Deu, parlez od nus !
Ici vienent deus dameiseles,
Mut acemees e mut beles :
C'est vostre amie veirement ! »
524 Lanval respunt hastivement
E dit qu'il pas nes avuot
Ne il nes cunut ne nes amot.
A tant furent celes venues,
[158 d] Devant le rei sunt descendues.
529 Mut les loërent li plusur
De cors, de vis e de colur :

« Roi, dirent-elles, fais préparer et tendre de soie tes chambres où ma dame puisse descendre ; elle désire avoir ton hospitalité. » Il accepte volontiers et appelle deux chevaliers qui les mènent aux chambres ; pour l'instant elles n'en disent pas davantage.

Le roi demande à ses barons leur réponse et leur jugement et se dit mécontent de leur interminable retard. « Sire, nous nous sommes séparés à cause des dames que nous venons de voir et nous n'avons encore pris aucune décision. Nous allons maintenant reprendre le procès. » Ils s'assemblent, tous indécis, dans un brouhaha de discussions. Au milieu de cette agitation, ils voient venir dans la rue, en bas, deux jeunes filles en charmant équipage, vêtues de soies toutes neuves, sur deux mules d'Espagne. Les barons en ont la joie au cœur, ils se disent qu'à présent Lanval est sauvé, le preux, le hardi. Yvain va vers lui en entraînant ses compagnons, « Seigneur, fait-il, reprenez courage ! Pour l'amour de Dieu, dites quelque chose ! Voici venir deux demoiselles, très belles et magnifiquement parées : c'est votre amie à coup sûr ! » Lanval répond aussitôt qu'elles lui sont étrangères, qu'il ne les connaît pas et qu'elles le laissent indifférent.

Elles sont maintenant arrivées et mettent pied à terre devant le roi ; tous louent la beauté de leur corps, de leur visage et de leur teint,

N'i ad cele mieuz ne vausist
532 Que unkes la reïne ne fist.
L'aisnee fu curteise e sage,
Avenantment dist sun message :
« Reis, kar nus fai chambres baillier
536 A oés ma dame herbergier :
Ele vient ci a tei parler. »
Il les cumandë a mener
Od les autres ki ainceis vindrent.
540 Unkes des muls nul plait ne tindrent.

Quant il fu d'eles delivrez,
Puis ad tuz ses baruns mandez,
Que le jugement seit renduz :
544 Trop ad le jur esté tenuz ;
La reïne s'en curuceit
Que si lunges les atendeit.
Ja departissent a itant,
548 Quant par la vile vint errant
Tut a cheval une pucele.
En tut le secle n'ot plus bele !
Un blanc palefrei chevauchot,
552 Ki bel e suëf la portot ;
Mut ot bien fet e col e teste,
Suz ciel nen ot plus bele beste.
Riche atur ot el palefrei :
556 Suz ciel nen ad quens ne rei
Ki tut le peüst eslegier
Sanz tere vendre u engagier.
Ele iert vestue en itel guise
560 De chainse blanc e de chemise
Que tuz les costez li pareient,
Ki de deus parz laciéz esteient.
[159 a] Le cors ot gent, basse la hanche,
564 Le col plus blanc que neif sur branche ;
Les oilz ot vairs e blanc le vis,
Bele buche, neis bien asis,
Les surcilz bruns e bel le frunt,
568 E le chef cresp e aukes blunt :

l'une et l'autre surpassent la reine en beauté. L'aînée, courtoise et sage, s'acquitte gracieusement de son message : « Roi, fais-nous donner des chambres pour loger ma dame, elle vient ici te parler. » Il ordonne de les conduire auprès des autres, précédemment arrivées. Quant aux mules, elles n'ont pas à s'en soucier. Quand il a fini de s'occuper d'elles, il ordonne à tous ses barons de rendre leur jugement, trop retardé tout le long de la journée. La reine en est outrée, impatiente du résultat. Ils allaient prononcer la sentence, lorsque dans la ville parut à cheval, à vive allure, une jeune fille, la plus belle du monde. Elle montait un blanc palefroi qui la portait avec douceur ; son encolure et sa tête étaient de forme parfaite, c'était la bête la plus magnifique qui fût. Le palefroi était richement harnaché ; ni roi ni comte sur terre n'aurait pu se l'offrir sans vendre ou engager sa terre. La demoiselle portait une chemise et un vêtement de lin, lacés de deux côtés de façon à découvrir ses flancs. Son corps était plein de grâce : elle avait les hanches basses, un cou plus blanc que neige sur la branche, les yeux lumineux, le visage clair, une belle bouche, un nez bien planté, les sourcils bruns et un beau front, les cheveux bouclés et très blonds.

Fil d'or ne gette tel luur
Cum si chevel cuntre le jur.
Sis manteus fu de purpre bis ;
572 Les pans en ot entur li mis.
Un espervier sur sun poin tint
E un leverer aprés li vint.
Il n'ot el burc petit ne grant,
576 Ne li veillard ne li enfant,
Ki ne l'alassent esgarder,
Si cum il la veent errer.
De sa beauté n'iert mie gas !
580 Ele veneit plus que le pas.
Li jugeür ki la veeient
A grant merveille le teneient :
Il n'ot un sul ki l'esgardast
584 De dreite joie n'eschaufast.
Cil ki le chevaler amoent
A lui vienent, si li cuntouent
De la pucele ki veneit,
588 Si Deu plest, kil delivereit.
« Sire cumpain, ci en vient une,
Mes el n'est pas fauve ne brune :
Ceo est la plus bele del mund,
592 De tutes celes ki i sunt ! »
Lanval l'oï, sun chief dresça,
Bien la cunut, si suspira ;
Li sanc li est munté al vis.
596 De parler fu aukes hastifs :
« Par fei, fet il, ceo est m'amie !
[159 b] Or ne m'est gueres ki m'ocie,
Si ele n'ad merci de mei,
600 Kar gariz sui quant jeo la vei ! »

La pucele entra el palais :
Unkes si bele n'i vint mais !
Devant le rei est descendue,
604 Si que de tuz iert bien veüe.
Sun mantel ad laissié cheir,
Que mieuz la peüssent veer.
Li reis, ki mut fu enseigniez,
608 Il s'est encuntre li dresciez,

Un fil d'or en plein jour ne jette pas un éclat aussi vif que sa chevelure. Son manteau était de pourpre sombre, elle en avait relevé les pans jusqu'à sa taille ; elle tenait sur son poing un épervier et un lévrier la suivait. Tous les gens de la ville, petits et grands, vieillards et enfants, accouraient pour la voir au fur et à mesure qu'elle avançait. Sa beauté, ce n'était pas pour rire ! Elle allait d'un bon pas et les juges, en la voyant, n'en croyaient pas leurs yeux ; chacun, à sa vue, se sentait réchauffé d'une vraie joie.

Les amis du chevalier vont le trouver et lui parlent de la jeune fille qui arrive ; si Dieu le veut, elle le fera délivrer. « Seigneur compagnon, il vient ici une femme qui n'est ni rousse[8] ni brune, c'est la plus belle du monde, la plus belle de toutes celles qui existent. » À ces mots, Lanval dresse la tête, la reconnaît, pousse un soupir. Le sang lui monte au visage et il se presse de parler : « Ma foi, dit-il, c'est mon amie ! Peu importe qu'on me mette à mort, si elle n'a pas pitié de moi, car je suis sauvé rien qu'à la voir. »

La jeune fille entre au palais, jamais si belle n'y vint, elle descend de cheval devant le roi, de façon à être bien vue de tous. Elle laisse tomber son manteau pour être mieux vue encore. Le roi, qui connaît les usages, se lève pour aller à sa rencontre

E tuit li autre l'enurerent ;
De li servir se presenterent.
Quant il l'orent bien esgardee
612 E sa beauté forment loëe,
Ele parla en teu mesure,
Kar de demurer nen ot cure :
« Reis, j'ai amé un tuen vassal ;
616 Veez le ci : ceo est Lanval !
Acheisuné fu en ta curt.
Ne vuil mie que a mal li turt
De ceo qu'il dist, ceo saches tu,
620 Que la reïne ad tort eü :
Unkes nul jur ne la requist.
De la vantance ke il fist,
Si par mei peot estre aquitez,
624 Par voz baruns seit delivrez ! »
Ceo qu'il en jugerunt par dreit
Li reis otrie ke issi seit.
N'i ad un sul ki n'ait jugié
628 Que Lanval ad tut desrainié :
Delivrez est par lur esgart.
E la pucele s'en depart,
Ne la peot li reis retenir ;
632 Asez gent ot a li servir.

[159 c] Fors de la sale aveient mis
Un grant perrun de marbre bis,
U li pesant humme muntoent,
636 Ki de la curt le rei aloent.
Lanval esteit munté desus.
Quant la pucele ist fors a l'us,
Sur le palefrei, detriers li,
640 De plain eslais Lanval sailli !
Od li s'en vait en Avalun,
Ceo nus recuntent li Bretun,
En un isle ki mut est beaus.
644 La fu ravi li dameiseaus !
Nul hum n'en oï plus parler
Ne jeo n'en sai avant cunter.

et tous les autres l'accueillent avec des marques d'honneur et s'empressent de la servir. Quand ils l'ont bien contemplée et qu'ils ont fait l'éloge de sa beauté, n'ayant pas envie de s'attarder, elle parle en ces termes : « Roi, j'ai aimé un de tes vassaux. Le voici, c'est Lanval ! On l'a accusé devant ta cour ; je ne veux pas qu'il soit inquiété pour ce qu'il a dit, car, sache-le, c'est la reine qui lui a fait tort ; à aucun moment il ne l'a priée d'amour. Quant à sa vantardise, s'il peut grâce à moi être acquitté, que tes barons le libèrent ! »

Le roi déclare accepter la sentence qu'ils rendront dans les règles. Ils sont unanimes à reconnaître que Lanval s'est justifié et décident de le délivrer. La demoiselle se retire, le roi ne peut la retenir et il ne manque pas de gens pour la servir. Hors de la ville on avait placé un grand montoir de marbre bis par où se mettaient en selle les hommes appesantis par leurs armures qui quittaient la cour du roi. Lanval y monte dessus et quand la jeune fille franchit la porte, d'un seul bond il saute sur le palefroi derrière elle et s'en va avec elle en Avalon[9], une île magnifique d'après ce que content les Bretons. C'est là qu'est emporté le jeune seigneur. Personne n'a plus entendu parler de lui et je ne puis continuer mon récit.

DEUS AMANZ

Jadis avint en Normendie
Une aventure mut oïe
De deus enfanz ki s'entreamerent ;
4 Par amur ambedeus finerent.
Un lai en firent li Bretun :
De *Deus Amanz* reçuit le nun.

Verité est ke en Neustrie,
8 Que nus apelum Normendie,
Ad un haut munt merveilles grant :
Lasus gisent li dui enfant.
Pres de cel munt a une part,
12 Par grant cunseil e par esgart,
Une cité fist faire uns reis,
Ki esteit sire des Pistreis ;
Des Pistreis la fist il numer
16 E Pistre la fist apeler.
Tuz jurs ad puis duré li nuns ;
Uncore i ad vile e maisuns.
Nus savum bien de la contree
20 Que li Vals de Pistre est nomee.
Li reis ot une fille bele
[159 d] E mut curteise dameisele.
Fiz ne fille fors li n'aveit ;
24 Forment l'amot e chierisseit.
De riches hommes fu requise,

LES DEUX AMANTS

Jadis il arriva en Normandie une aventure, souvent rapportée, de deux enfants qui s'aimèrent et moururent tous deux de cet amour. Les Bretons en firent un lai, on l'appela *Les Deux Amants*.

Il est bien connu qu'en Neustrie, que nous appelons à présent Normandie, est une haute montagne extraordinairement élevée. C'est là-haut que reposent les deux enfants. Près de cette montagne, à l'écart, en y mettant tous ses soins et toute son application, un roi qui était seigneur des Pitrois fit bâtir une cité et lui donna le nom de Pitres[1] : ce nom lui est resté depuis, la ville et les maisons existent encore aujourd'hui et la contrée, on le sait, est appelée Val de Pitres.

Le roi avait une fille, une belle et fort courtoise demoiselle, son unique enfant ; il l'aimait et la chérissait passionnément[2]. Elle fut demandée en mariage par de puissants seigneurs

Ki volenters l'eüssent prise ;
Mes li reis ne la volt doner,
28 Kar ne s'en poeit consirrer.
Li reis n'aveit autre retur,
Pres de li esteit nuit e jur.
Cunfortez fu par la meschine,
32 Puis que perdue ot la reïne.
Plusur a mal li aturnerent,
Li suen meïsme le blamerent.
Quant il oï que hum en parla,
36 Mut fu dolenz, mut li pesa.
Cumença sei a purpenser
Cument s'en purrat delivrer,
Que nuls sa fille ne quesist.
40 E luinz e pres manda e dist,
Ki sa fille vodreit aveir
Une chose seüst de veir :
Sortit esteit e destiné,
44 Desur le munt fors la cité
Entre ses braz la portereit
Si que ne se resposereit.
Quant la nuvelë est seüe
48 E par la cuntree espandue,
Asez plusur s'i asaierent
Que nule rien n'i espleitierent.
Teus i ot ki tant s'esforçouent
52 Que en mi le munt la portoent ;
Ne poeient avant aler :
Iloec l'esteut laissier ester !
Lung tens remest cele a doner
56 Que nuls ne la volt demander.

El païs ot un damisel,
Fiz a un cunte, gent e bel.
De bien faire pur aveir pris
60 Sur tuz autres s'est entremis.
En la curt le rei conversot,
Asez sovent i surjurnot.
La fillë al rei aama,
64 E meintefeiz l'areisuna

qui l'auraient volontiers épousée, mais le roi ne voulait la donner à personne, ne pouvant se passer d'elle. Elle était son seul réconfort, il ne la quittait ni nuit ni jour. La jeune fille était sa consolation depuis qu'il avait perdu la reine. Beaucoup le critiquèrent à ce sujet, ses proches même le blâmèrent.

Quand il eut connaissance de ces rumeurs, il en fut grandement peiné et affligé ; il se mit à chercher le moyen d'échapper à ces reproches et de mettre fin aux demandes en mariage. Il fit savoir au près et au loin que qui voudrait avoir sa fille devait bien savoir une chose : le sort et le destin exigeaient qu'il la portât dans ses bras, sans se reposer, jusqu'au sommet de la montagne, hors de la cité. Quand la nouvelle fut connue et divulguée dans le pays, beaucoup tentèrent l'épreuve, sans y réussir. Il s'en trouva qui, à force d'efforts, portaient la jeune fille à mi-hauteur de la montagne sans pouvoir aller plus loin, contraints d'abandonner à cet endroit. Elle resta longtemps sans prétendant, personne ne voulait demander sa main.

Il y avait au pays un jeune homme, fils d'un comte, aimable et beau. Il s'efforçait de façon exemplaire à l'emporter sur tous en réputation. Il vivait à la cour du roi et y séjournait très souvent. Il s'éprit de la fille du roi, la pria maintes fois

[160 a] Qu'ele s'amur li otriast
E par druërie l'amast.
Pur ceo ke pruz fu e curteis
68 E que mut le preisot li reis
Li otria sa druërie,
E cil humblement l'en mercie.
Ensemble parlerent sovent
72 E s'entreamerent lëaument
E celerent a lur poeir,
Que hum nes puïst aperceveir.
La suffrance mut lur greva,
76 Mes li vallez se purpensa
Que mieuz en voelt les maus suffrir
Que trop haster e dunc faillir.
Mut fu pur li amer destreiz.
80 Puis avint si qu'a une feiz
Qu'a s'amie vint li danzeus,
Ki tant est sages, pruz e beus,
Sa pleinte li mustrat e dist ;
84 Anguissusement li requist
Que s'en alast ensemble od lui :
Ne poeit mes suffrir l'enui.
S'a sun pere la demandot,
88 Il saveit bien que tant l'amot
Que pas ne li vodreit doner,
Si il ne la puïst porter
Entre ses braz en sum le munt.
92 La damisele li respunt :
« Amis, fait ele, jeo sai bien,
Ne m'i porterïez pur rien :
N'estes mie si vertuus.
96 Si jo m'en vois ensemble od vus,
Mis peres avreit e doel e ire,
Ne vivreit mie sanz martire.
Certes tant l'eim e si l'ai chier,
100 Jeo nel vodreie curucier.
Autre cunseil vus estuet prendre,
[160 b] Kar cest ne voil jeo pas entendre.
En Salerne ai une parente,
104 Riche femme, mut ad grant rente.

de lui accorder son amour et de devenir son amie. Comme il était preux et courtois et qu'il jouissait de l'estime du roi, elle lui accorda sa tendre amitié et il l'en remercia humblement. Ils se parlaient souvent, s'aimaient en toute loyauté et se cachaient de leur mieux, afin qu'on ne pût les surprendre. Cette contrainte leur pesait beaucoup, mais le jeune homme pensait qu'il préférait souffrir ces inconvénients, plutôt que de trop se hâter et d'échouer. Son amour pour la jeune fille lui était source de tourments.

Il arriva qu'un jour ce jeune homme, si sage, si valeureux, si beau, vint trouver son amie et ne lui cacha pas sa détresse. Il la supplia instamment de partir avec lui, car il ne pouvait plus tolérer cette souffrance ; s'il la demandait à son père, il savait bien que celui-ci aimait tant sa fille qu'il refuserait de lui donner sa main, s'il ne réussissait pas à la porter dans ses bras jusqu'au sommet de la montagne.

La demoiselle lui répondit : « Ami, dit-elle, je le sais, vous ne réussiriez pas à me porter, vous n'êtes pas assez fort ; mais si je partais avec vous, mon père en éprouverait chagrin et colère, sa vie ne serait que tourment. Oui, je l'aime et le chéris tellement que je ne voudrais pas le courroucer. Il vous faut prendre une autre décision, car je ne veux pas entendre parler de celle-là. J'ai une parente à Salerne[3], une femme, riche, pourvue de grosses rentes ;

Plus de trente anz i ad esté ;
L'art de phisike ad tant usé
Que mut est saives de mescines.
108 Tant cunust herbes e racines,
Si vus a li volez aler
E mes lettres od vus porter
E mustrer li vostre aventure,
112 Ele en prendra cunseil e cure :
Teus leituaires vus durat
E teus beivres vus baillerat
Que tut vus recunforterunt
116 E bone vertu vus durrunt.
Quant en cest païs revendrez,
A mun pere me requerrez.
Il vus en tendrat pur enfant,
120 Si vus dirat le cuvenant
Que a nul humme ne me durrat,
Ja cele peine n'i mettrat,
S'al munt ne me peüst porter
124 Entre ses braz sanz resposer ;
Si li otriez bonement,
Que il ne puet estre autrement. »
Li vallez oï la novele
128 E le cunseil a la pucele ;
Mut en fu liez, si l'en mercie,
Cungé demandë a s'amie.
En sa cuntree en est alez.
132 Hastivement s'est aturnez
De riche dras e de diners,
De palefreiz e de sumers ;
De ses hummes les plus privez
136 Ad li danzeus od sei menez.
A Salerne vait surjurner,
A l'aunte s'amie parler.
[160 c] De sa part li dunat un brief ;
140 Quant el l'ot lit de chief en chief,
Ensemble od li l'a retenu
Tant que tut sun estre ad seü.

elle y réside depuis plus de trente ans ; elle a si longtemps pratiqué l'art de la médecine qu'elle est très experte en remèdes. Elle connaît si bien herbes et racines que si vous voulez aller là-bas porter ma lettre, lui exposer notre situation, elle prendra tous les moyens et les mesures nécessaires ; elle vous donnera des électuaires[4] et vous préparera des breuvages qui vous rendront vigoureux et vous assureront de bonnes forces. À votre retour en notre pays, vous demanderez ma main à mon père, il vous taxera d'enfantillage, vous rappellera les conditions, à savoir qu'il ne me donnera à aucun homme, quelle que soit son insistance, s'il ne peut me porter dans ses bras, sans se reposer, jusqu'au sommet de la montagne. Acceptez ces conditions de bonne grâce, car il ne peut en être autrement. »

Le jeune homme, heureux d'entendre cette nouvelle et le conseil de la demoiselle, la remercie, lui demande congé et regagne son pays. Bien vite, il prépare riches étoffes, deniers, palefrois, bêtes de somme et il emmène avec lui ses amis les plus intimes. Il va faire un séjour à Salerne pour rencontrer la tante de son amie ; elle lui avait donné une lettre de sa part. Quand la dame l'a lue d'un bout à l'autre, elle retient chez elle le jeune homme jusqu'à ce qu'elle soit parfaitement au courant de sa situation.

Par mescines l'ad esforcié.
144 Un tel beivre li ad chargié,
Ja ne serat tant travaillez
Ne si ateint ne si chargiez,
Ne li resfreschist tut le cors,
148 Neïs les vaines ne les os,
E qu'il n'en ait tute vertu
Si tost cum il l'avra beü.
Le beivre ad en un vessel mis,
152 Puis le remeine en sun païs.

Li damiseus, joius e liez,
Quant ariere fu repeiriez,
Ne surjurnat pas en sa tere ;
156 Al rei alat sa fille quere
Qu'il li donast : il la prendreit,
En sum le munt la portereit.
Li reis ne l'en escundist mie,
160 Mes mut le tint a grant folie,
Pur ceo qu'il iert de jeofne eage :
Tant produme vaillant e sage
Unt asaié icel afaire
164 Ki n'en purent a nul chef traire !
Terme li ad numé e mis.
Ses humme mande e ses amis
E tuz ceus k'il poeit aveir,
168 N'en i laissa nul remaneir.
Pur sa fille, pur le vallet
Ki en aventure se met
De li porter en sum le munt,
172 De tutes parz venuz i sunt.
La dameisele s'aturna ;
[160 d] Mut se destreinst e mut juna
E amaigri pur alegier,
176 Que a sun ami voleit aidier.
Al jur, quant tuz furent venu,
Li damisels primers i fu ;
Sun beivre n'i ublia mie.
180 Devers Seigne, en la praërie,
En la grant gent tute asemblee,

Grâce à ses remèdes elle lui donne des forces et lui remet un breuvage qui, si fatigué, si exténué, si épuisé qu'il soit, revigorera tout son corps, y compris les veines et les os, et le remplira d'énergie, dès qu'il l'aura bu. Il met le breuvage dans une fiole, puis le rapporte dans son pays.

De retour, joyeux et radieux, il ne s'attarde pas dans sa terre et va demander au roi la main de sa fille, prêt à la prendre dans ses bras et à la porter jusqu'au sommet de la montagne. Le roi ne l'en dissuade pas, mais juge que c'est une pure folie, parce qu'il est trop jeune : tant de seigneurs vaillants et sages ont déjà tenté l'épreuve sans pouvoir en venir à bout ! Il lui fixe un jour, il convoque ses hommes et ses amis et tous ceux qu'il peut toucher, sans en oublier un seul. Pour voir la jeune fille et le jeune homme qui prend le risque de la porter jusque là-haut, ils viennent de toutes parts.

La demoiselle se prépare, elle se prive de nourriture, elle jeûne pour être plus légère et aider son ami. Le jour venu, quand tout le monde est arrivé, le jeune homme est là le premier et n'oublie pas son breuvage. Au bord de la Seine, sur la prairie, parmi la grande foule qui s'y est réunie

Li reis ad sa fille menee.
N'ot drap vestu fors la chemise.
184 Entre ses braz l'aveit cil prise.
La fiolete od tut sun beivre —
Bien seit que el nel vout pas deceivre —
En sa mein a porter li baille ;
188 Mes jo creim que poi ne li vaille,
Kar n'ot en lui point de mesure.
Od li s'en veit grant aleüre :
Le munt munta de si qu'en mi.
192 Pur la joie qu'il ot de li,
De sun beivre ne li membra.
Ele senti qu'il alassa.
« Amis, fet ele, kar bevez !
196 Jeo sai bien que vus alassez.
Si recuvrez vostre vertu ! »
Li damisel ad respundu :
« Bele, jo sent tut fort mun quer,
200 Ne m'arestereie a nul fuer
Si lungement que jeo beüsse,
Pur quei treis pas aler peüsse.
Ceste gent nus escrïëreient,
204 De lur noise m'esturdireient ;
Tost me purreient desturber.
Jo ne voil pas ci arester. »
Quant les deus parz fu munté sus,
208 Pur un petit qu'il ne chiet jus.
[161 a] Sovent li prie la meschine :
« Ami, bevez vostre mescine ! »
Ja ne la volt oïr ne creire ;
212 A grant anguisse od tut li eire.
Sur le munt vint ; tant se greva,
Ileoc cheï, puis ne leva :
Li quors del ventre s'en parti.
216 La pucele vit sun ami,
Cuida k'il fust en paumeisuns.
Lez lui se met en genuilluns ;
Sun beivre li voleit doner,
220 Mes il ne pout od li parler.
Issi murut cum jeo vus di.

le roi amène sa fille, vêtue seulement de sa chemise. Le jeune homme la prend dans ses bras et lui met dans la main la petite fiole qui contient le breuvage, plein de confiance en son amie. Mais je crains que cela ne lui serve guère, car il ignore la mesure. Il part avec elle d'un bon pas, gravit la montagne jusqu'à mi-hauteur. La joie qu'il a de la porter lui fait oublier son breuvage. Elle sent qu'il faiblit. « Ami, fait-elle, buvez donc ! Je vois bien que vous êtes fatigué. Reprenez des forces ! » Le jeune homme lui répond : « Belle, je sens mon cœur si fort qu'à aucun prix je ne m'arrêterai, pas même le temps de boire, tant que je pourrai faire trois pas. Ces gens pousseraient des cris, ils m'étourdiraient de leur vacarme et pourraient vite me troubler. Je ne veux pas m'arrêter ici. »

Parvenu aux deux tiers du trajet, il a failli s'affaisser. À plusieurs reprises la jeune fille le supplie : « Ami, buvez votre remède ! » Il ne veut pas l'écouter ni la croire. À grand ahan il avance avec elle, il parvient au sommet, mais il a tant peiné qu'il tombe sans pouvoir se relever, son cœur se brise dans sa poitrine. Le voyant, la jeune fille croit que son ami a perdu connaissance, elle se met à genoux près de lui et veut lui donner son breuvage, mais il ne peut lui adresser un seul mot et il meurt, comme je vous l'ai dit.

Ele le pleint a mut haut cri,
Puis ad geté e espaundu
224 Li veissel u le beivre fu.
Li muns en fu bien arusez ;
Mut en ad esté amendez
Tut le païs e la cuntree :
228 Meinte bone herbe i unt trovee
Ki del beivrë orent racine.

Or vus dirai de la meschine.
Puis que sun ami ot perdu,
232 Unkes si dolente ne fu.
Lez lui se cuchë e estent,
Entre ses braz l'estreint e prent ;
Suvent li baisë oilz e buche.
236 Li dols de lui al quor la tuche :
Ilec murut la dameisele,
Ki tant ert pruz e sage e bele.
Li reis e cil kis atendeient,
240 Quant unt veü qu'il ne veneient,
Vunt aprés eus, sis unt trovez.
Li reis chiet a tere paumez.
Quant pot parler, grant dol demeine,
[161 b] E si firent la gent foreine.
245 Treis jurs les unt tenu sur tere.
Sarcu de marbre firent quere,
Les deus enfanz unt mis dedenz ;
248 Par le cunseil de celes genz
Desur le munt les enfuïrent,
E puis a tant se departirent.

Pur l'aventure des enfaunz
252 Ad nun li munz « des Deus Amanz ».
Issi avint cum dit vus ai ;
Li Bretun en firent un lai.

Elle se lamente sur lui en poussant de hauts cris, puis elle jette et répand le contenu de la fiole où était le breuvage. La montagne en est tout arrosée : le pays et la contrée tout entière en ont recueilli les bienfaits, on y trouve beaucoup d'herbes bienfaisantes à qui le breuvage a donné racine.

Je vous parlerai maintenant de la jeune fille. La perte de son ami lui cause la plus profonde douleur. Elle se couche et s'étend près de lui, le prend et l'étreint dans ses bras, lui baisant sans cesse les yeux et la bouche. Le deuil l'atteint au fond du cœur. Ainsi meurt la demoiselle, si bonne, si sage, si belle[5]. Le roi et ceux qui les attendaient, ne les voyant pas venir, se mettent à leur recherche et finissent par les trouver. Le roi tombe à terre sans connaissance et quand il retrouve l'usage de la parole, il donne libre cours à son désespoir, ainsi que les étrangers. Ils gardèrent trois jours les corps sans les inhumer, firent faire un tombeau de marbre et y déposèrent les deux enfants. Sur les conseils des gens présents ils les enterrèrent sur la montagne avant de se séparer.

L'aventure des deux enfants donna à la montagne le nom de Montagne des deux amants. Tout se passa comme je vous l'ai dit. Les Bretons en firent un lai.

YONEC

Puis que des lais ai comencié,
Ja n'iert pur mun travail laissié ;
Les aventures que j'en sai,
4 Tut par rime les cunterai.
En pensé ai e en talent
Que d'Iwenec vus die avant
Dunt il fu nez, e de sun pere
8 Cum il vint primes a sa mere.
Cil ki engendra Ywenec
Aveit a nun Muldumarec.

En Bretaingne maneit jadis
12 Un riches hum, viel e antis ;
De Caruënt fu avouez
E del païs sire clamez.
La cité siet sur Duëlas ;
16 Jadis i ot de nes trespas.
Mut fu trespassez en eage.
Pur ceo k'il ot bon heritage,
Femme prist pur enfanz aveir,
20 Ki aprés lui fuissent si heir.
De haute gent fu la pucele,
Sage, curteise e forment bele,
Ki al riche hume fu donee ;
24 Pur sa beauté l'ad mut amee.
[161 c] De ceo ke ele iert bele e gente,

YONEC

Puisque j'ai commencé à écrire des lais, je continuerai mon ouvrage. Je vais raconter en vers les aventures dont j'ai eu connaissance. J'ai l'intention de vous parler d'abord d'Yonec, de son pays d'origine, de la première rencontre de son père avec sa mère. Celui qui engendra Yonec s'appelait Muldumarec.

En Bretagne demeurait jadis un homme puissant, d'âge respectable. Il était le seigneur de Caerwent[1] et reconnu pour le maître du pays. La cité était sur la rivière Daoulas qui jadis comportait de bons gués. Très avancé en âge, ce seigneur avait un important héritage à léguer ; il prit donc femme pour avoir des enfants qui après lui seraient ses héritiers. La jeune fille qu'on lui donna pour épouse était de noble lignage, sage, courtoise et d'une grande beauté. Pour sa beauté il l'aima passionnément et en raison de cette beauté et de son charme,

En li garder mist mut s'entente ;
Dedenz sa tur l'ad enserree
28 En une grant chambre pavee.
Il ot une sue serur,
Veille ert e vedve, sanz seignur ;
Ensemble od la dame l'ad mise
32 Pur li tenir mieuz en justise.
Autres femmes i ot, ceo crei,
En une autre chambre par sei,
Mes ja la dame n'i parlast,
36 Si la vielle nel comandast.
Issi la tint plus de set anz.
Unques entre eus n'eurent enfanz
Ne fors de cele tur ne eissi,
40 Ne pur parent ne pur ami.
Quant li sires se alot cuchier,
N'i ot chamberlenc ne huisser
Ki en la chambre osast entrer
44 Ne devant lui cirge alumer.
Mut ert la dame en grant tristur,
Od lermes, od suspir e plur ;
Sa beuté pert en teu mesure
48 Cume cele ki n'en ad cure.
De sei meïsme mieuz vousist
Que mort hastive la preisist.

Ceo fu el meis de avril entrant,
52 Quant cil oisel meinent lur chant.
Li sires fu matin levez ;
D'aler en bois s'est aturnez.
La vielle ad fete lever sus
56 E aprés lui fermer les hus.
Cele ad fet sun comandement.
Li sires s'en vet od sa gent.
La vielle portot sun psauter,
[161 d] U ele voleit verseiller.
61 La dame, em plur e en esveil,
Choisi la clarté del soleil.
De la vielle est aparceüe
64 Que de la chambre esteit eissue.

il eut bien soin de la mettre sous surveillance, il l'enferma dans son donjon, dans une grande chambre dallée. Il avait une sœur âgée et veuve ; il la plaça auprès de la dame pour la garder de près. Il y avait d'autres femmes, je crois, dans une autre chambre à part, mais la dame ne leur aurait pas adressé la parole sans la permission de la vieille.

Il la tint ainsi plus de sept ans (ils n'eurent pas d'enfants) et elle ne sortait jamais de ce donjon pour aller voir des parents ou des amis. Quand le mari allait se coucher, ni chambellan ni portier n'auraient osé entrer dans la chambre ou allumer une chandelle devant lui. La dame vivait dans une profonde tristesse, dans les larmes et les soupirs. Elle perdit de la sorte sa beauté, dont elle ne se souciait plus ; elle n'avait qu'un désir : être enlevée par une mort rapide.

C'était au début du mois d'avril, quand les oiseaux font entendre leurs chants. Le mari se leva de bonne heure et s'apprêta à aller chasser en forêt. Il fit lever la vieille et fermer les portes derrière lui ; elle obéit à ses ordres. Le seigneur partit avec ses gens. La vieille emporta son psautier pour y lire et chanter ses psaumes. En larmes à son réveil, la dame vit la clarté du soleil et s'aperçut que la vieille avait quitté la chambre ;

Mut se pleineit e suspirot
E en plurant se dementot :
« Lasse, fait ele, mar fui nee !
68 Mut est dure ma destinee !
En ceste tur sui en prisun,
Ja n'en istrai si par mort nun.
Cist viel gelus, de quei se crient,
72 Que en si grant prisun me tient ?
Mut par est fous e esbaïz.
Il crient tuz jurs estre trahiz !
Jeo ne puis al mustier venir
76 Ne le servise Deu oïr.
Si jo puïsse od gent parler
E en deduit od lui aler,
Jo li mustrasse beu semblant,
80 Tut n'en eüsse jeo talant.
Maleeit seient mi parent
E li autre communalment
Ki a cest gelus me donerent
84 E de sun cors me marïerent !
A forte corde trai e tir,
Il ne purrat jamés murir !
Quant il dut estre baptiziez,
88 Si fu el flum d'enfern plungiez :
Dur sunt li nerf, dures les veines,
Ki de vif sanc sunt tutes pleines !
Mut ai sovent oï cunter
92 Que l'em suleit jadis trover
Aventures en cest païs
Ki rehaitouent les pensis.
[162 a] Chevalier trovoent puceles
96 A lur talent, gentes e beles,
E dames truvoent amanz
Beaus e curteis, pruz e vaillanz,
Si que blasmees n'en esteient
100 Ne nul fors eles nes veeient.
Si ceo peot estrë e ceo fu,
Si unc a nul est avenu,
Deu, ki de tut ad poësté,
104 Il en face ma volenté ! »

elle ne cessait de pousser plaintes et soupirs et, en pleurs, elle se désespérait. « Hélas, disait-elle, c'est pour mon malheur que je suis née ! Mon sort est bien cruel ! Je suis en prison dans ce donjon, je n'en sortirai que morte. De quoi a peur ce vieux jaloux qui me tient durement enfermée ? Il est complètement stupide et fou : il craint toujours d'être trompé. Il m'est interdit d'aller à l'église et d'entendre l'office divin. Si je pouvais parler aux gens et aller me distraire avec lui, je lui ferais bonne figure, même si je n'en avais pas envie. Maudits soient mes parents et tous ceux qui m'ont donnée à ce jaloux et qui me l'ont fait épouser. Quelle solide corde j'ai à tirer[2] ! Ne mourra-t-il donc jamais ? À son baptême on a dû le plonger dans le fleuve d'enfer ! Il a les nerfs solides et solides les veines, pleines d'un sang vigoureux. J'ai souvent entendu raconter que jadis on rencontrait fréquemment en ce pays des aventures qui redonnaient courage aux malheureux ; les chevaliers trouvaient des jeunes filles à leur goût, aimables et belles, et les dames des amants beaux et courtois, preux et vaillants, sans en être blâmées, car elles étaient les seules à les voir. Si ce fut possible, si ce l'est encore et si quelqu'un a eu cette chance, que le Dieu tout-puissant exauce mes désirs ! »

Quant ele ot fait sa pleinte issi,
L'umbre d'un grant oisel choisi
Par mi une estreite fenestre ;
108 Ele ne seit que ceo pout estre.
En la chambre volant entra ;
Gez ot as piez, ostur sembla,
De cinc mues fu u de sis.
112 Il s'est devant la dame asis.
Quant il i ot un poi esté
E ele l'ot bien esgardé,
Chevalier bel e gent devint.
116 La dame a merveille le tint ;
Li sens li remut e fremi,
Grant poür ot, sun chief covri.
Mut fu curteis li chevaliers,
120 Il la areisunat primers :
« Dame, fet il, n'eiez poür :
Gentil oisel ad en ostur.
Si li segrei vus sunt oscur,
124 Gardez ke seiez a seür,
Si fetes de mei vostre ami !
Pur ceo, fet il, vinc jeo ici.
Jeo vus ai lungement amee
128 E en mun quor mut desiree ;
Unkes femme fors vus n'amai
[162 b] Ne jamés autre ne amerai.
Mes ne poeie a vus venir
132 Ne fors de mun paleis eissir,
Si vus ne me eüssez requis.
Or puis bien estre vostre amis. »
La dame se raseüra,
136 Sun chief descovri, si parla ;
Le chevaler ad respundu
E dit qu'ele en ferat sun dru,
S'en Deu creïst e issi fust
140 Que lur amur estre peüst,
Kar mut esteit de grant beauté :
Unkes nul jur de sun eé
Si beals chevalier ne esgarda
144 Ne jamés si bel ne verra.

Après s'être désolée ainsi, elle aperçut l'ombre d'un grand oiseau à une étroite fenêtre, elle ne savait ce que ce pouvait être. L'oiseau en volant entra dans la chambre ; il avait des lanières aux pattes, il ressemblait à un autour de cinq ou six mues. Il se posa devant la dame. Au bout d'un moment, quand elle l'eut bien regardé, il se transforma en un beau et aimable chevalier. La dame en fut stupéfaite, tout son sang ne fit qu'un tour et bouillonna. Épouvantée, elle se couvrit la tête. Or le chevalier était d'une parfaite courtoisie, il lui adressa le premier la parole : « Dame, fit-il, n'ayez pas peur : l'autour est un noble oiseau. Si ce mystère vous semble obscur, soyez rassurée, faites de moi votre ami ; c'est pour cela que je suis venu ici. Je vous aime et vous désire depuis longtemps, de tout mon cœur ; je n'ai jamais aimé et je n'aimerai jamais une autre femme que vous. Mais je n'aurais pu venir jusqu'à vous ni sortir de mon palais, si vous ne m'aviez pas appelé de vos vœux. Maintenant je puis bien être votre ami. »

La dame se rassura, découvrit sa tête et répondit au chevalier qu'elle ferait de lui son ami, s'il croyait en Dieu et si leur amour était ainsi possible, car il était d'une merveilleuse beauté. Jamais de sa vie elle n'a vu un si beau chevalier et n'en verra jamais de si beau.

« Dame, dit il, vus dites bien.
Ne vodreie pur nule rien
Que de mei i ait acheisun,
148 Mescreauncë u suspeçun.
Jeo crei mut bien el Creatur,
Ki nus geta de la tristur
U Adam nus mist, nostre pere,
152 Par le mors de la pumme amere ;
Il est e ert e fu tuz jurs
Vie e lumere as pecheürs.
Si vus de ceo ne me creez,
156 Vostre chapelain demandez,
Dites ke mal vus ad susprise,
Si volez aver le servise
Que Deus ad el mund establi,
160 Dunt li pecheür sunt gari.
La semblance de vus prendrai,
Le cors Damedeu recevrai,
Ma creance vus dirai tute :
164 Ja mar de ceo serez en dute ! »
[162 c] El li respunt que bien ad dit.
Delez li s'est cuché el lit,
Mes il ne vout a li tucher
168 Ne de acoler ne de baiser.
A tant la veille est repeirie ;
La dame trovat esveillie,
Dist li que tens est de lever :
172 Ses dras li voleit aporter.
La dame dist que ele est malade :
Del chapelain se prenge garde,
Sil face tost a li venir,
176 Kar grant poür ad de murir.
La vielle dist : « Vus sufferez !
Mis sires est el bois alez ;
Nul n'entrera caënz fors mei. »
180 Mut fu la dame en grant esfrei ;
Semblant fist que ele se pasma.
Cele le vit, mut s'esmaia ;
L'us de la chambre ad defermé,
184 Si ad le prestre demandé,

« Dame, dit-il, vous parlez sagement, je ne voudrais pour rien au monde être l'objet d'une accusation, d'une méfiance ou d'un soupçon. Je crois de tout mon être au Créateur qui nous a délivrés de la détresse où nous avait plongés notre père Adam pour avoir mordu la pomme d'amertume. Il a été, il est et sera toujours vie et lumière pour les pécheurs. Si vous ne me croyez pas, mandez votre chapelain, dites-lui que vous êtes prise de maladie, que vous désirez recevoir le sacrement que Dieu a institué dans le monde et qui est le salut des pécheurs. Je prendrai votre aspect, je recevrai le corps de Dieu et je ferai un complet acte de foi. Vous n'aurez rien à craindre[3]. » Elle approuve sa proposition et se couche à ses côtés dans le lit, mais il se garde de la toucher, de l'étreindre et de l'embrasser.

La vieille revient alors, trouve la dame réveillée, lui dit qu'il est temps de se lever et veut lui apporter ses vêtements. Mais la dame dit qu'elle est malade, demande à la vieille de faire vite venir le chapelain, car elle a grand peur de mourir. « Patientez ! lui répond la vieille. Mon seigneur est allé chasser en forêt ; personne n'entrera ici que moi. »

En grand désarroi, la dame fait semblant de s'évanouir. À cette vue, la vieille s'inquiète, elle ouvre la porte de la chambre et appelle le prêtre.

E cil i vint cum plus tost pot :
Corpus domini aportot.
Li chevalers l'ad receü,
188 Le vin del chalice beü.
Li chapeleins s'en est alez
E la vielle ad les us fermez.
La dame gist lez sun ami :
192 Unke si bel cuple ne vi.

Quant unt asez ris e jué
E de lur priveté parlé,
Li chevalier ad cungé pris :
196 Raler s'en voelt en sun païs.
Ele le prie ducement
Que il la reveie sovent.
« Dame, fet il, quant vus plerra,
[162 d] Ja l'ure ne trespassera ;
201 Mes tel mesure en esgardez
Que nus ne seium encumbrez.
Ceste vielle nus traïra,
204 E nuit e jur nus gaitera ;
Ele parcevra nostre amur,
S'il cuntera a sun seignur.
Si ceo avient cum jeo vus di
208 E nus seium issi trahi,
Ne m'en puis mie departir
Que mei n'en estuce murir. »

Li chevalers a tant s'en veit ;
212 A grant joie s'amie leit.
El demain lieve tute seine ;
Mut fu haitie la semeine.
Sun cors teneit en grant chierté :
216 Tute recovre sa beauté.
Or li plest plus a surjurner
Que en nul autre deduit aler !
Sun ami voelt suvent veer
220 E de lui sun delit aveir ;
Des que sis sires s'en depart,
E nuit e jur e tost e tart

Il arrive aussitôt, apportant le corps du Seigneur ; le chevalier le reçoit et boit le vin du calice. Le chapelain s'en retourne et la vieille ferme les portes ; la dame se couche près de son ami : on ne vit jamais un si beau couple.

Quand ils eurent bien ri, bien joué et longuement parlé, le chevalier prit congé et voulut rentrer dans son pays. Elle le pria tendrement de revenir souvent la voir. « Dame, fit-il, quand il vous plaira, je serai là sur l'heure, mais veillez à garder une juste mesure, afin que nous ne soyons pas surpris. Cette vieille nous trahira et nous espionnera nuit et jour, elle découvrira notre amour et ira tout raconter à son maître. Si tout arrive comme je vous dis et si nous sommes trahis, il n'est pas d'autre issue pour moi que la mort. » Le chevalier s'en va alors, laissant son amie toute joyeuse. Le lendemain, elle se lève fraîche et dispose, toute la semaine elle est de bonne humeur et prend grand soin de sa personne. Elle retrouve toute sa beauté, elle a plus de plaisir à rester dans sa chambre qu'à rechercher d'autres distractions. Elle a envie de voir souvent son ami et de jouir de sa présence. Dès que son mari s'éloigne, nuit et jour, tôt ou tard,

Ele l'ad tut a sun pleisir.
224 Or l'en duinst Deus lunges joïr !

Pur la grant joie u ele fu
Que suvent puet veer sun dru,
Esteit tut sis semblanz changez.
228 Sis sires esteit mut veizïez :
En sun curage se aparceit
Que autrement est k'il ne suleit.
Mescreance ad vers sa serur.
232 Il la met a reisun un jur
E dit que mut ad grant merveille
Que la dame si se appareille ;
[163 a] Demande li que ceo deveit.
236 La vielle dist qu'el ne saveit,
Kar nul ne pot parler od li
Ne ele n'ot dru ne ami,
Fors tant que sule remaneit
240 Plus volenters que el ne suleit :
De ceo s'esteit aparceüe.
Dunc l'ad li sires respundue :
« Par fei, fet il, ceo qui jeo bien.
244 Or vus estuet fere une rien :
Al matin, quant jeo erc levez
E vus avrez les hus fermez,
Fetes semblant de fors eissir,
248 Si la lessez sule gisir ;
En un segrei liu vus estez
E si veez e esgardez
Que ceo peot estre e dunt ço vient
252 Ki en si grant joie la tient. »
De cet cunseil sunt departi.
Allas ! Cum ierent malbailli
Cil ke l'un veut si agaitier
256 Pur eus traïr e enginner !

Tiers jur aprés, ç'oï cunter,
Fet li sires semblant de errer.
A sa femme ad dit e cunté
260 Que li reis l'ad par briefs mandé,
Mes hastivement revendra.

elle l'a tout à elle pour son plaisir. Que Dieu lui accorde d'en jouir longtemps !

Le grand bonheur que lui apportent les fréquentes visites de son ami l'ont complètement changée. Mais son mari était malin : il s'aperçoit qu'il y a là quelque chose d'insolite. Il se méfie de sa sœur et un jour, au cours d'une conversation avec elle, lui avoue qu'il s'étonne beaucoup des toilettes que fait sa femme ; il lui demande ce que cela signifie. La vieille répond qu'elle n'en sait rien, que personne en tout cas ne peut parler à la dame, qu'elle n'a ni soupirant ni ami ; elle reste seule plus volontiers que d'habitude, c'est tout ce qu'elle a remarqué. Le mari lui répond : « Ma foi, je le sais bien ! Voici ce qu'il vous faut faire à présent : demain matin, quand je serai levé et que vous aurez fermé les portes, faites semblant de sortir et laissez-la seule au lit. Cachez-vous dans un recoin, ouvrez bien les yeux et voyez ce qu'il en est et d'où vient cette grande joie qui ne la quitte pas. » Cette décision prise, ils se séparent. Hélas, quel malheur pour eux d'être ainsi espionnés, trahis et pris au piège.

Deux jours plus tard, ai-je entendu raconter, le mari fit semblant de partir en voyage ; il déclara à sa femme que le roi l'avait convoqué par lettre, mais qu'il reviendrait sans tarder.

De la chambre ist e l'us ferma.
Dunc s'esteit la vielle levee,
264 Triers une cortine est alee ;
Bien purrat oïr e veer
Ceo que ele cuveite a saver.
La dame jut, pas ne dormi,
268 Kar mut desire sun ami.
Venuz i est, pas ne demure,
[163 b] Ne trespasse terme ne hure.
Ensemble funt joie mut grant
272 E par parole e par semblant,
De si ke tens fu de lever,
Kar dunc li estuveit aler.
Cele le vit, si l'esgarda,
276 Coment il vint e il ala.
De ceo ot ele grant poür
Que hume le vit e pus ostur.
Quant li sires fu repeirez,
280 Ki gueres n'esteit esluignez,
Cele li ad dit e mustré
Del chevalier la verité,
E il en est forment pensifs.
284 Des engins faire fu hastifs
A ocire le chevalier.
Broches de fer fist granz furchier
E acerer le chief devant :
288 Suz ciel n'ad rasur plus trenchant.
Quant il les ot apparailliees
E de tutes parz enfurchiees,
Sur la fenestre les ad mises,
292 Bien serreies e bien asises,
Par unt le chevalier passot,
Quant a la dame repeirot.
Deus, qu'il ne sout la traïsun
296 Que aparaillot le felun !

El demain a la matinee,
Li sires lieve ainz l'ajurnee
E dit qu'il voet aler chacier.

Il sortit de la chambre et ferma la porte. La vieille se leva et se dissimula derrière une tenture d'où elle pourrait entendre et voir ce qu'elle désirait savoir. La dame était couchée, mais elle ne dormait pas, car elle attendait avec impatience la venue de son ami. Il arriva sans retard, respectant l'heure et le délai. Ils se livrèrent tous deux, en paroles et en actions, à la joie, jusqu'au moment où le chevalier dut se lever et partir. La vieille, les yeux grands ouverts, vit comment il était venu et comment il s'en était allé ; elle fut effrayée de le voir sous la forme d'un homme, puis d'un autour.

Au retour du mari qui ne s'était guère éloigné, elle lui raconta toute la vérité au sujet du chevalier. Inquiet au plus haut point, il se hâta de fabriquer des pièges pour tuer le chevalier et fit forger de grandes broches de fer aiguisées par le bout : il n'y avait pas au monde rasoirs plus tranchants. Quand elles furent prêtes, barbelées de toutes parts, il les plaça, bien serrées et bien fixées, sur la fenêtre par où passait le chevalier, quand il venait voir la dame. Dieu ! Si ce malheureux avait su la trahison que préparait ce perfide !

Le lendemain, au matin, le mari se lève au point du jour et dit qu'il veut aller chasser.

300 La vielle le vait cunveer,
Pus se recuche pur dormir,
Kar ne poeit le jur choisir.
La dame veille, si atent
304 Celui que ele eime lealment,
[163 c] E dit que or purreit bien venir
E estre od li tut a leisir.
Si tost cum el l'ad demandé,
308 N'i ad puis gueres demuré :
En la fenestre vint volant.
Mes les broches furent devant :
L'une le fiert par mi le cors,
312 Li sans vermeil en sailli fors.
Quant il se sot a mort nafré,
Desferre sei, enz est entré.
Devant la dame el lit descent,
316 Que tut li drap furent sanglent.
Ele veit le sanc e la plaie,
Mut anguissusement s'esmaie.
Il li ad dit : « Ma duce amie,
320 Pur vostre amur perc jeo la vie.
Bien le vus dis que en avendreit :
Vostre semblant nus ocireit. »
Quant el l'oï, dunc chiet pasmee ;
324 Tute fu morte une loëe.
Il la cunforte ducement
E dit que dols n'i vaut nïent :
De lui est enceinte d'enfant.
328 Un fiz avra, pruz e vaillant ;
Icil la recunforterat.
Yönec numer le ferat.
Il vengerat e lui e li,
332 Il oscirat sun enemi.

Il ne peot dunc demurer mes,
Kar sa plaie seignot adés ;
A grant dolur s'en est partiz.
336 Ele le siut a mut grant criz.
Par une fenestre s'en ist ;
C'est merveille k'el ne s'ocist,

La vieille l'accompagne, puis se recouche pour dormir, voyant qu'il ne fait pas encore grand jour. Éveillée, la dame attend celui qu'elle aime loyalement et se dit qu'à présent il peut bien venir et rester avec elle tout à loisir. À peine l'a-t-elle souhaité que le chevalier ne tarde guère, il vient en volant à la fenêtre, mais les broches en défendent l'approche, l'une d'elles lui traverse le corps, le sang vermeil en jaillit. Quand il se sait blessé à mort, il se dégage des fers et entre dans la chambre ; devant la dame, il s'affaisse sur le lit en ensanglantant tous les draps. Elle voit le sang et la blessure, bouleversée jusqu'à l'angoisse. Il lui dit : « Ma douce amie, à cause de mon amour pour vous je perds la vie. Je vous avais bien dit ce qui arriverait : votre attitude nous mènerait à notre perte. »

À ces mots, elle tombe sans connaissance, elle est comme morte pendant un long moment. Il la réconforte tendrement et dit qu'il n'y a pas à se désoler : de lui elle est enceinte d'un enfant, elle aura un fils preux et vaillant qui sera sa consolation ; elle le fera appeler Yonec, il les vengera, elle et lui, et tuera son ennemi.

Il ne put demeurer davantage, car sa plaie n'arrêtait pas de saigner ; il partit dans de grandes souffrances. Elle le suivit en poussant de grands cris et s'évada par une fenêtre ; ce fut miracle qu'elle ne se tuât pas,

Kar bien aveit vint piez de haut
[163 d] Iloec u ele prist le saut !
341 Ele esteit nue en sa chemise.
A la trace del sanc s'est mise
Ki del chevaler degotot
344 Sur le chemin u ele alot.
Icel senter errat e tint,
De si qu'a une hoge vint.
En cele hoge ot une entree,
348 De cel sanc fu tute arusee ;
Ne pot nïent avant veer.
Dunc quidot ele bien saver
Que sis amis entré i seit :
352 Dedenz se met a grant espleit.
El n'i trovat nule clarté.
Tant ad le dreit chemin erré
Que fors de la hoge est issue
356 E en un mut bel pré venue.
Del sanc trovat l'erbe moillie,
Dunc s'est ele mut esmaie.
La trace ensiut par mi le pré.
360 Asez pres ot une cité.
De mur fu close tut entur ;
N'i ot mesun, sale ne tur
Ki ne parust tute d'argent ;
364 Mut sunt riche li mandement.
Devers le burc sunt li mareis
E les forez e les difeis.
De l'autre part, vers le dunjun,
368 Curt une ewe tut envirun ;
Ileoc arivoent les nefs,
Plus i aveit de treis cent tres.
La porte aval fu desfermee ;
372 La dame est en la vile entree
Tuz jurs aprés le sanc novel,
Par mi le burc, deske al chastel.
Unkes nul a li ne parla,
376 Humme ne femme n'i trova.
[164 a] El paleis vient al paviment,
Del sanc le treve tut sanglent.

car il y avait bien vingt pieds de hauteur à l'endroit d'où elle sauta. Nue sous sa chemise, elle suivit la trace du sang qui s'échappait à grosses gouttes du corps du chevalier tout au long de son chemin. Elle ne quitta pas ce sentier jusqu'à ce qu'elle arrivât à une colline. Il y avait à cet endroit une porte toute arrosée de sang, elle ne pouvait rien voir au-delà. Pensant que son ami était entré par là, elle y pénétra tout aussitôt, en pleine obscurité. Elle poursuivit tout droit sa marche, tant qu'elle sortît enfin de la colline et parvint à une très belle prairie ; elle trouva l'herbe mouillée de sang, ce qui la bouleversa. Elle suivit les traces à travers la prairie. Tout près était une cité entourée de murs de tous côtés ; maisons, salles, tours, tout semblait d'argent ; les bâtiments étaient d'une grande richesse. À proximité du bourg étaient les marais, les forêts et les terres protégées[4]. De l'autre côté, vers le donjon, coulait une rivière qui encerclait le domaine. C'est là qu'abordaient les navires, ils étaient plus de trois cent trois. La porte du bas était ouverte ; la dame entra dans la ville, suivant toujours la trace du sang frais, traversa le bourg jusqu'au château. Personne ne lui adressa la parole et elle ne rencontra ni homme ni femme. Elle parvint au palais dont le pavement était tout ensanglanté ;

En une bele chambre entra,
380 Un chevalier dormant trova ;
Nel cunut pas, si vet avant.
En une autre chambre plus grant
Un lit trevë e nïent plus,
384 Un chevaler dormant desus.
Ele s'en est utre passee,
En la terce chambre est entree :
Le lit sun ami ad trové.
388 Li pecol sunt d'or esmeré ;
Ne sai mie les dras preisier ;
Les cirges e les chandelier,
Ki nuit é jur sunt alumé,
392 Valent tut l'or de une cité.
Si tost cum ele l'ad veü,
Le chevalier ad cuneü.
Avant alat tut esfree,
396 Par desus lui cheï pasmee.
Cil la receit ki forment l'aime ;
Maleürus sovent se claime.
Quant del pasmer fu trespassee,
400 Il l'ad ducement cunfortee :
« Bele amie, pur Deu merci,
Alez vus en, fuiez d'ici !
Sempres murai en mi le jur ;
404 Ci einz avrat si grant dolur,
Si vus i esteiez trovee,
Mut en serïez turmentee.
Bien iert entre ma gent seü
408 Que me unt por vostre amur perdu.
Pur vus sui dolent e pensis. »
La dame li ad dit : « Amis,
Mieuz voil ensemble od vus murir
[164 b] Que od mun seignur peine suffrir :
413 S'a lui revois, il me ocira ! »
Li chevalier l'aseüra :
Un anelet li ad baillé,
416 Si li ad dit e enseigné,
Ja tant cum el le gardera,
A sun seignur n'en membera

elle pénétra dans une belle chambre et y découvrit un chevalier endormi. Ne le connaissant pas, elle poursuivit son chemin. Dans une autre chambre, plus grande, elle ne trouva qu'un lit où dormait un chevalier. Passant outre, elle entra dans une troisième chambre où elle trouva le lit de son ami. Les montants étaient d'or pur, je suis incapable de mettre un prix aux draps. Les cierges et les chandeliers, allumés nuit et jour, valaient tout l'or d'une cité.

Sitôt qu'elle le vit, elle reconnut le chevalier. Elle s'avance, bouleversée, et tombe sans connaissance sur lui ; celui qui l'aime passionnément la reçoit dans ses bras, ne cessant de déplorer son malheur. Quand elle revient à elle, il la console d'une voix douce : « Amie chère, allez-vous-en, fuyez d'ici. Je vais bientôt mourir, au milieu de la journée ; il y aura un tel deuil que si on vous y trouve, vous subirez de mauvais traitements ; mes gens sauront qu'ils m'ont perdu à cause de votre amour, je suis plein de souci et d'angoisse pour vous. »

La dame lui dit : « Ami, j'aime mieux mourir avec vous que vivre malheureuse avec mon époux. Si je retourne chez lui, il me tuera ! » Le chevalier la rassure, il lui donne un petit anneau et lui révèle que tant qu'elle le gardera, son mari ne se souviendra pas

De nule rien ki fete seit,
420 Ne ne l'en tendrat en destreit.
S'espee li cumande e rent,
Puis la cunjurë e defent
Que ja nul hum n'en seit saisiz,
424 Mes bien la gart a oés sun fiz.
Quant il serat creüz e grant
E chevalier pruz e vaillant,
A une feste u ele irra
428 Sun seigneur e lui amerra.
En une abbeïe vendrunt ;
Par une tumbe k'il verrunt
Orrunt renoveler sa mort
432 E cum il fu ocis a tort.
Ileoc li baillerat s'espeie.
L'aventure li seit cuntee
Cum il fu nez, ki le engendra :
436 Asez verrunt k'il en fera.
Quant tut li ad dit e mustré,
Un chier bliaut li ad doné ;
Si li cumandë a vestir,
440 Puis l'ad fete de lui partir.
Ele s'en vet, l'anel enporte
E l'espee ki la cunforte.
A l'eissue de la cité,
444 N'ot pas demie liwe erré,
Quant ele oï les seins suner
E le doel el chastel mener
Por lur seignur ki se mureit.
448 Ele set bien que morz esteit ;
[164 c] De la dolur que ele en ad
Quatre fiëes se pasmad.
E quant de paumesuns revint,
452 Vers la hoge sa veie tint ;
Dedenz entra, utre est passee,
Si s'en reveit en sa cuntree.
Ensemblement od sun seignur
456 Demurat meint di e meint jur
Que de cel fet ne la retta
Ne ne mesdist ne ne gaba.

de tout ce qui s'est passé et ne la maltraitera pas. Il lui confie et lui remet son épée en la conjurant expressément de ne s'en dessaisir pour personne, mais de la garder pour son fils. Quand il aura grandi en âge et en forces et qu'il sera un chevalier preux et vaillant, elle l'emmènera avec son mari à une fête où elle assistera elle-même. Ils se rendront à une abbaye, ils verront une tombe et on leur rappellera le souvenir de sa mort et la façon dont il fut odieusement tué. Elle donnera alors l'épée à son fils, lui racontera les circonstances de sa naissance et qui fut son père. On verra bien alors ce qu'il fera.

Après lui avoir fait toutes ces recommandations, il lui donne un bliaut de prix, l'invite à s'en revêtir, puis lui demande de le laisser seul. Elle se retire, en emportant l'anneau et l'épée qui lui redonnent courage. À la sortie de la cité, elle n'a pas fait une demi-lieue quand elle entend les cloches sonner et le deuil s'élever au château pour le seigneur qui vient de mourir. Elle apprend ainsi sa mort. De la douleur qu'elle éprouve elle s'évanouit à quatre reprises. Reprenant ses sens, elle se dirige vers la colline, elle y pénètre, la traverse et revient dans son pays. Elle vécut de longs jours avec son mari qui lui épargna accusations, reproches et railleries.

Lur fiz fu nez e bien nuriz
460 E bien gardez e bien cheriz.
Yönec le firent numer.
El regné ne pot hum trover
Si bel, si pruz ne si vaillant,
464 Si large ne si despendant.
Quant il fu venuz en eé,
A chevaler l'unt adubé.
En l'an meïsme que ceo fu,
468 Oëz cument est avenu :
A la feste seint Aaron,
C'um selebrot a Karlïon
E en plusurs autres citez,
472 Li sires aveit esté mandez
Qu'il i alast od ses amis
A la custume del païs ;
Sa femme e sun fiz i menast
476 E richement s'aparaillast.
Issi avint, aléz i sunt,
Mes il ne seivent u il vunt.
Ensemble od eus ot un meschin
480 Kis ad mené le dreit chemin,
Tant qu'il viendrent a un chastel ;
En tut le mund nen ot plus bel.
Une abbeïe i ot dedenz
[164 d] De mut religïuses genz.
485 Li vallez les i herberja
Ki a la feste les mena.
En la chambre ki fu l'abbé
488 Bien sunt servi e honuré.
El demain vunt la messe oïr,
Puis s'en voleient departir.
Li abes vet od eus parler,
492 Mut les prie de surjurner :
Si lur musterrat sun dortur,
Sun chapitre, sun refeitur,
E cum il sunt bien herbergiéz.
496 Li sires lur ad otriéz.

Son fils naquit, il grandit parmi les soins et l'affection ; on l'appela Yonec ; on ne pouvait trouver dans le royaume un chevalier aussi beau, aussi preux, aussi vaillant, aussi généreux, aussi porté aux largesses. Quand il fut venu en âge, on l'adouba chevalier. Cette même année écoutez ce qui arriva. À la fête de saint Aaron qu'on célèbre à Carlion et en plusieurs autres cités, le seigneur avait été invité avec ses amis selon la coutume du pays ; il devait y amener sa femme et son fils et paraître en riche équipage. Ils se mirent ainsi en route, mais ils ne savaient pas vers quel destin ils allaient. Il y avait avec eux un jeune homme qui les mena tout droit jusqu'à un château : c'était le plus beau du monde ; il avait dans ses murs une abbaye de très religieuses personnes. Le jeune homme qui les avait conduits à la fête les y logea. Ils furent bien traités et servis dans la chambre de l'abbé. Le lendemain ils allèrent entendre la messe, puis s'apprêtèrent au départ. L'abbé vint leur parler et les pria instamment de prolonger leur séjour : il leur montrera, dit-il, son dortoir, son chapitre, son réfectoire et le confort de son monastère. Le seigneur accepta.

Le jur, quant il orent digné,
As officines sunt alé.
El chapitre vindrent avant ;
500 Une tumbe troverent grant,
Coverte d'un palie roé,
D'un chier orfreis par mi bendé.
Al chief, as piez e as costez
504 Aveit vint cirges alumez ;
De or fin erent li chandelier,
E dë argent li encensier
Dunt il encensouent le jur
508 Cele tumbe par grant honur.
Il unt demandé e enquis
Icels ki erent del païs
De la tumbe ki ele esteit
512 E queil hum fu ki la giseit.
Cil comencerent a plurer
E en plurant a recunter
Que c'iert le mieudre chevalier
516 E li plus forz e li plus fiers,
Li plus beaus e li plus amez
Ki jamés seit el secle nez.
[165 a] De ceste tere ot esté reis,
520 Unques ne fu nul si curteis.
A Caruënt fu entrepris,
Pur l'amur de une dame ocis.
« Unques puis n'eümes seignur,
524 Ainz avum atendu meint jur
Un fiz que en la dame engendra,
Si cum il dist e cumanda. »
Quant la dame oï la novele,
528 A haute voiz sun fiz apele :
« Beaus fiz, fet ele, avez oï
Cum Deus nus ad mené ici ?
C'est vostre pere ki ci gist,
532 Que cist villarz a tort ocist.
Or vus comant e rent s'espee,
Jeo l'ai asez lung tens gardee. »
Oianz tuz li ad coneü
536 Que il l'engendrat e sis fiz fu ;

Ce jour-là, après avoir dîné, ils allèrent visiter les ateliers de l'abbaye, puis entrèrent dans la salle du chapitre ; ils y découvrirent un imposant tombeau, couvert d'une soie ornée de rosaces et coupée par le milieu d'une bande de précieux orfroi. À la tête, aux pieds, de chaque côté vingt cierges étaient allumés ; les chandeliers étaient d'or fin et d'argent les encensoirs qui répandaient toute la journée de l'encens pour honorer cette tombe. Ils s'enquirent et demandèrent aux gens du pays ce qu'était ce tombeau et qui y reposait. Les gens se mirent à pleurer et à raconter, en larmes, que c'était le meilleur chevalier, le plus fort, le plus fier, le plus beau, le plus aimé qui fût jamais au monde. Il avait été roi de cette terre ; il n'en fut jamais de si courtois. Il fut victime d'un piège à Caerwent et tué pour l'amour d'une femme. « Jamais depuis nous n'avons plus eu de seigneur, mais nous avons attendu des jours et des jours un fils qu'il eut de cette dame, selon ses dires. »

Quand la dame entend ces propos, d'une forte voix elle appelle son fils : « Cher fils, fait-elle, avez-vous entendu ? C'est Dieu qui nous a amenés ici ! C'est votre père qui repose là et que ce vieillard a odieusement tué. Je vous remets et je vous confie son épée, je l'ai assez longtemps gardée. » Elle lui avoue devant tout le monde que le défunt était son père et qu'il est son fils,

Cum il suleit venir a li
E cum si sires le trahi,
La verité li ad cuntee.
540 Sur la tumbe cheï pasmee ;
En la paumeisun devïa,
Unc puis a humme ne parla.
Quant sis fiz veit que morte fu,
544 Sun parastre ad le chief tolu ;
De l'espeie ki fu sun pere
Ad dunc vengié lui e sa mere.
Puis ke si fu dunc avenu
548 E par la cité fu sceü,
A grant honur la dame unt prise
E el sarcu posee e mise
Delez le cors de sun ami.
552 Deus lur face bone merci !
Lur seignur firent de Yönec,
Ainz quë il partissent d'ilec.

Cil ki ceste aventure oïrent
[165 b] Lunc tens aprés un lai en firent
557 De la pité de la dolur
Que cil suffrirent pur amur.

comment il venait la visiter et comment son mari l'a trahi ; elle lui raconte toute l'aventure. Sur le tombeau elle s'écroule sans connaissance et dans cette défaillance elle rend l'âme sans prononcer une seule parole.

Quand son fils voit qu'elle est morte, il coupe la tête de son parâtre ; avec l'épée de son père il le venge, lui et sa mère. Après ces événements, quand on les apprit dans la cité, les habitants prirent, en lui rendant de grands honneurs, le corps de la dame et le déposèrent dans le tombeau près du corps de son ami. Que Dieu leur accorde son bon pardon ! Ils firent d'Yonec leur seigneur, avant de quitter ces lieux.

Ceux qui ont entendu conter cette aventure en ont fait un lai longtemps après sur la peine et la douleur que ces deux êtres endurèrent pour s'être aimés.

LAÜSTIC

Une aventure vus dirai
Dunt li Bretun firent un lai.
Laüstic ad nun, ceo m'est vis,
4 Si l'apelent en lur païs ;
Ceo est « russignol » en franceis
E « nihtegale » en dreit engleis.

En Seint Mallo en la cuntree
8 Ot une vile renumee.
Deus chevaliers ilec maneient
E deus forz maisuns i aveient.
Pur la bunté des deus baruns
12 Fu de la vile bons li nuns.
Li uns aveit femme espusee,
Sage, curteise a acemee ;
A merveille se teneit chiere
16 Sulunc l'usage e la manere.
Li autres fu un bachelers
Bien coneüz entre ses pers,
De pruësce, de grant valur,
20 E volentiers feseit honur :
Mut turneot e despendeit
E bien donot ceo qu'il aveit.
La femme sun veisin ama ;
24 Tant la requist, tant la preia
E tant par ot en lui grant bien

LE ROSSIGNOL

Je vais vous dire une aventure dont les Bretons ont fait un lai. Il s'intitule *Laüstic*, ainsi l'appellent-ils en leur pays, je crois. C'est en français le *Rossignol* et *Nihtegale* en bon anglais.

Dans la région de Saint-Malo il y avait une ville célèbre. Deux chevaliers y demeuraient et y possédaient deux maisons fortifiées. La ville méritait son renom grâce à la bravoure des deux barons. L'un avait épousé une femme sage, courtoise, élégante qui menait une vie très digne, conforme aux usages et aux bonnes manières. L'autre était un homme encore jeune, bien connu parmi ses pairs pour ses prouesses et son grand courage ; il aimait se distinguer, il fréquentait assidûment les tournois, se montrant généreux et donnant largement de son avoir. Il s'éprit de la femme de son voisin ; il sollicita tant son amour, la poursuivit tant de ses assiduités et il était homme de si grand mérite

Que ele l'ama sur tute rien,
Tant pur le bien qu'ele en oï,
28 Tant pur ceo qu'il iert pres de li.
Sagement e bien s'entreamerent,
Mut se covrirent e garderent
Qu'il ne feussent aparceüz
32 Ne desturbez ne mescreüz,
[165 c] E il le poeient bien fere,
Kar pres esteient lur repere :
Preceines furent lur maisuns
36 E lur sales e lur dunguns ;
N'i aveit bare ne devise
Fors un haut mur de piere bise.
Des chambres u la dame jut,
40 Quant a la fenestre s'estut,
Poeit parler a sun ami
De l'autre part, e il a li,
E lur aveirs entrechangier
44 E par geter e par lancier.
N'unt gueres rien ki lur despleise,
Mut esteient amdui a eise,
Fors tant k'il ne poent venir
48 Del tut ensemble a lur pleisir,
Kar la dame ert estreit gardee
Quant cil esteit en la cuntree.
Mes de tant aveient retur,
52 U fust par nuit u fust par jur,
Que ensemble poeient parler.
Nul nes poeit de ceo garder
Que a la fenestre n'i venissent
56 E iloec ne s'entreveïssent.
Lungement se sunt entreamé,
Tant que ceo vint a un esté,
Que bruil e pré sunt reverdi
60 E li vergier ierent fluri ;
Cil oiselet par grant duçur
Mainent lur joie en sum la flur.
Ki amur ad a sun talent,
64 N'est merveille s'il i entent !
Del chevalier vus dirai veir :

qu'elle l'aima passionnément pour le bien qu'elle entendait dire de lui. Ils s'aimèrent avec prudence, restèrent discrets et prirent garde de ne pas être surpris, inquiétés ni soupçonnés. La chose leur était facile, car leurs demeures étaient proches ; leurs maisons, leurs salles, leurs donjons étaient voisins. Il n'y avait pour barrière et séparation qu'un haut mur de pierre grise[1].

Des chambres où couchait la dame, quand elle se tenait à la fenêtre, elle pouvait parler de l'autre côté à son ami, et lui à elle, et ils pouvaient échanger leurs cadeaux en les jetant et en les lançant. Tout allait selon leurs vœux et tous deux étaient heureux, si ce n'est qu'ils ne pouvaient pas se retrouver à leur gré, car la dame était étroitement surveillée, quand son ami était dans le pays. Mais ils avaient au moins l'avantage de pouvoir se parler de nuit comme de jour ; personne ne pouvait les empêcher de se tenir à la fenêtre et de se voir de loin.

Ils s'aimèrent longtemps ainsi, jusqu'à un printemps où halliers et prés reverdissent et où les vergers sont en fleurs ; les petits oiseaux voltigent allègrement sur les fleurs[2]. Qui jouit de l'amour librement ne peut que s'y adonner tout entier ! Je vous dirai la vérité sur le chevalier :

Il i entent a sun poeir,
E la dame de l'autre part,
[165 d] E de parler e de regart.
69 Les nuiz, quant la lune luseit
E ses sires cuché esteit,
De juste lui sovent levot
72 E de sun mantel se afublot ;
A la fenestre ester veneit
Pur sun ami qu'ele saveit
Que autreteu vie demenot
76 E le plus de la nuit veillot.
Delit aveient al veer,
Quant plus ne poeient aver.
Tant i estut, tant i leva,
80 Que ses sires s'en curuça
E meintefeiz li demanda
Pur quei levot e u ala.
« Sire, la dame li respunt,
84 Il nen ad joië en cest mund
Ki n'ot le laüstic chanter.
Pur ceo me vois ici ester.
Tant ducement l'i oi la nuit
88 Que mut me semble grant deduit ;
Tant me delit e tant le voil
Que jeo ne puis dormir de l'oil. »
Quant li sires ot que ele dist,
92 De ire e de maltalent en rist.
De une chose se purpensa :
Le laüstic enginnera.
Il n'ot vallet en sa meisun
96 Ne face engin, reis u laçun,
Puis les mettent par le vergier.
N'i ot codre ne chastainier
U il ne mettent laz u glu,
100 Tant que pris l'unt e retenu.
Quant le laüstic eurent pris,
Al seignur fu rendu tut vis.
[166 a] Mut en fu liez, quant il le tint.
104 As chambres a la dame vint.

il s'y abandonna de tout son cœur, en échangeant paroles et regards, ainsi que la dame de son côté. La nuit, quand brillait la lune et que son mari était couché, elle quittait souvent son lit, se couvrait d'un manteau et venait se mettre à la fenêtre, attirée par son ami dont elle savait qu'il faisait de même et elle restait éveillée presque toute la nuit. Ils prenaient plaisir à se voir, puisqu'ils ne pouvaient espérer davantage.

À force de se lever et de venir à la fenêtre, elle fit que son mari en prit ombrage et lui demanda plusieurs fois pourquoi elle se levait et où elle allait. « Seigneur, répondit la dame, il n'y a point de joie ici-bas, si l'on n'entend pas chanter le rossignol : c'est pourquoi je viens me placer ici. J'ai tant de plaisir à l'écouter, la nuit, qu'il me comble d'aise ; j'y trouve tant d'attrait, je désire tant l'écouter que je ne puis fermer l'œil. »

À ce langage, le mari dans un accès de colère et de mauvaise humeur, part d'un mauvais rire et il lui vient une idée : il tendra un piège au rossignol. Tous les domestiques de sa maison savaient confectionner pièges, filets ou lacets. Ils les posent ensuite dans le verger ; sur chaque noisetier ou châtaignier ils posent des lacets ou de la glu, si bien qu'ils attrapent et capturent le rossignol, puis ils le remettent vivant à leur maître. Celui-ci, heureux de le tenir, entre dans la chambre de la dame.

« Dame, fet il, u estes vus ?
Venez avant, parlez a nus !
J'ai le laüstic enginnié
108 Pur quei vus avez tant veillié.
Des or poëz gisir en peis :
Il ne vus esveillerat meis. »
Quant la dame l'ad entendu,
112 Dolente e cureçuse fu.
A sun seignur l'ad demandé,
E il l'ocist par engresté :
Le col li rumpt a ses deus meins.
116 De ceo fist il ke trop vileins.
Sur la dame le cors geta,
Si que sun chainse ensanglanta
Un poi desur le piz devant.
120 De la chambre s'en ist a tant.
La dame prent le cors petit,
Durement plure e si maudit
Ceus ki le laüstic traïrent,
124 Les engins e les laçuns firent,
Kar mut li unt toleit grant hait.
« Lasse, fet ele, mal m'estait !
Ne purrai mes la nuit lever
128 Ne aler a la fenestre ester,
U jeo soil mun ami veer.
Une chose sai jeo de veir :
Il quidera ke jeo me feigne ;
132 De ceo m'estuet que cunseil preigne.
Le laüstic li trametrai,
L'aventure li manderai. »
En une piece de samit
136 A or brusdé e tut escrit
Ad l'oiselet envolupé ;
[166 b] Un son vaslet ad apelé,
Sun message li ad chargié,
140 A sun ami l'ad enveié.
Cil est al chevalier venuz ;
De sa dame li dist saluz,
Tut sun message li cunta,
144 Le laüstic li presenta.

« Dame, dit-il, où êtes-vous ? Approchez, venez me parler. J'ai pris au piège le rossignol qui vous a fait tant veiller ! Désormais vous pouvez dormir tranquille, il ne vous réveillera plus. »

Quand la dame l'entend, elle en est peinée et indignée. Elle demande l'oiseau à son mari qui le tue avec cruauté en lui tordant le cou de ses deux mains, en vrai rustre qu'il est. Il jette le cadavre sur la dame, en ensanglantant sa robe, un peu sur le devant de la poitrine, puis il sort de la chambre. La dame prend le petit corps, fondant en larmes et maudissant ceux qui avaient fabriqué les pièges et les lacets et qui l'ont frustrée de sa joie. « Hélas, fait-elle, malheureuse que je suis ! Je ne pourrai plus me lever la nuit ni aller me mettre à la fenêtre où j'ai pris l'habitude de voir mon ami. Il croira, j'en suis sûre, que je renonce à lui. Il faut que je trouve une solution : je lui enverrai le rossignol et je lui ferai savoir l'aventure. »

Dans un morceau de brocart où elle a raconté leur histoire en lettres d'or brodées elle enveloppe le petit oiseau ; elle appelle un de ses serviteurs, lui confie son message et l'envoie à son ami. L'homme se rend chez le chevalier, le salue de la part de sa dame, s'acquitte de son message et lui présente le rossignol.

Quant tut li ad dit e mustré
E il l'aveit bien escuté,
De l'aventure esteit dolenz ;
148 Mes ne fu pas vileins ne lenz.
Un vaisselet ad fet forger ;
Unques n'i ot fer ne acer,
Tut fu de or fin od bones pieres,
152 Mut precïuses e mut cheres ;
Covercle i ot tres bien asis.
Le laüstic ad dedenz mis,
Puis fist la chasse enseeler.
156 Tuz jurs l'ad fete od lui porter.

Cele aventure fu cuntee,
Ne pot estre lunges celee.
Un lai en firent li Bretun :
160 *Le Laüstic* l'apelë hum.

Quand il a tout raconté et que le chevalier l'a bien écouté, celui-ci est désolé de ce qui est arrivé, mais il ne tarda pas à se composer en homme courtois. Il fait forger un coffret, ni de fer ni d'acier, mais entièrement d'or fin, orné de pierres précieuses de très grande valeur sur lequel on fixe un couvercle. Il y dépose le rossignol, puis il fait sceller la châsse et désormais ne s'en sépare plus.

On raconta cette aventure qui fut bientôt divulguée. Les Bretons en firent un lai ; on l'appelle *Le Rossignol.*

MILUN

Ki divers cunte veut traitier
Diversement deit comencier
E parler si rainablement
4 K'il seit pleisibles a la gent.
Ici comencerai *Milun*
E musterai par brief sermun
Pur quei e coment fu trovez
8 Li lais ki issi est numez.

Milun fu de Suhtwales nez.
Puis le jur k'il fu adubez
Ne trova un sul chevalier
12 Ki l'abatist de sun destrier.
[166 c] Mut par esteit bons chevaliers,
Francs e hardiz, curteis e fiers.
Mut fu coneüz en Irlande,
16 En Norwejë e en Guhtlande ;
En Logrë e en Albanie
Eurent plusurs de lui envie.
Pur sa pruësce iert mut amez
20 E de muz princes honurez.
En sa cuntree ot un barun,
Mes jeo ne sai numer sun nun ;
Il aveit une fille bele
24 E mut curteise dameisele.
Ele ot oï Milun nomer,
Mut le cumençat a amer.

MILON

Qui veut écrire des contes variés doit en varier les débuts et s'exprimer clairement pour plaire aux gens. Je vais commencer *Milon* et dire brièvement pourquoi et comment fut composé le lai qui porte ce nom.

Milon était natif du Sud du pays de Galles. Depuis le jour de son adoubement il ne rencontra pas un seul chevalier sans l'abattre de son destrier. Il était un parfait chevalier, loyal et hardi, courtois et fier. Il était très connu en Irlande, en Norvège, dans le Jutland, dans le royaume de Logres et en Écosse ; il faisait bien des envieux en raison de sa prouesse ; il était très aimé et honoré de nombreux princes.

Dans le pays vivait un baron, dont j'ignore le nom, qui avait une fille, belle et très courtoise demoiselle. Elle entendit prononcer le nom de Milon et se mit à l'aimer ;

Par sun message li manda
28 Que, si li plest, el l'amera.
Milun fu liez de la novele,
S'en mercïat la dameisele ;
Volentiers otriat l'amur :
32 N'en partirat jamés nul jur.
Asez li fait curteis respuns.
Al message dona granz duns
E grant amistié li premet.
36 « Amis, fet il, or t'entremet
Que a m'amie puisse parler
E de nostre cunseil celer.
Mun anel de or li porterez
40 E de meie part li durez.
Quant li plerra, si vien pur mei
E jeo irai ensemble od tei. »
Cil prent cungé e si le lait.
44 A sa dameisele revait,
L'anel li dune, si li dist
Que bien ad fet ceo ke il quist.
Mut fu la dameisele lie
[166 d] De l'amur issi otrie.

49 Delez sa chambre en un vergier
U ele alout esbanïer,
La justouent lur parlement
52 Milun e ele bien suvent.
Tant i vint Milun, tant l'ama
Que la dameisele enceinta.
Quant aparceit que ele est enceinte,
56 Milun manda, si fist sa pleinte,
Dist li cument est avenu :
S'onur e sun bien ad perdu,
Quant de tel fet s'est entremise ;
60 De li ert faite granz justise :
A gleive serat turmentee
U vendue en autre cuntree.
Ceo fu custume as ancïens,
64 Issi teneient en cel tens.

par son messager elle lui offrit son amour. Milon fut heureux de la nouvelle et remercia la demoiselle en lui accordant volontiers son amour : il lui restera, dit-il, à jamais fidèle. Il lui fit une très courtoise réponse, chargea le messager de grands cadeaux pour elle et lui promit sa sincère amitié. « Ami, dit-il au messager, débrouille-toi pour que je puisse parler à mon amie et garder secrète notre liaison. Tu lui porteras mon anneau d'or et le lui donneras de ma part. Quand il lui plaira de me voir, viens me chercher et je te suivrai. » Le messager prend congé, le laisse et retourne chez sa maîtresse. Il lui donne l'anneau et lui dit qu'il s'est bien acquitté de sa mission. La demoiselle est toute heureuse d'avoir obtenu ainsi l'amour du jeune homme.

Près de sa chambre, en un verger où elle allait se délasser, ils se retrouvaient tous deux. Milon la rencontra si souvent et la demoiselle l'aimait si ardemment qu'elle devint enceinte. Quand elle s'en aperçut, elle appela Milon, se désola et lui dit ce qui était arrivé : elle avait perdu son honneur et sa tranquillité en se conduisant de la sorte ; elle encourra une sévère condamnation, elle sera suppliciée par l'épée ou vendue en pays étranger ; telle était la coutume des anciens observée en ce temps-là.

Milun respunt que il fera
Ceo que ele cunseillera.
« Quant li enfes, fait ele, ert nez,
68 A ma serur le porterez
Ki en Norhumbre est marïee,
Riche dame, pruz e senee,
Si li manderez par escrit
72 E par paroles e par dit
Que ceo est l'enfant sa serur,
S'en ad suffert meinte dolur.
Ore gart k'il seit bien nuriz,
76 Queil ke ço seit, u fille u fiz.
Vostre anel al col li pendrai
E un brief li enveierai ;
Escrit i ert le nun sun pere
80 E l'aventure de sa mere.
Quant il serat grant e creüz
E en tel eage venuz
[167 a] Que il sache reisun entendre,
84 Le brief e l'anel li deit rendre,
Si li cumant tant a garder
Que sun pere puisse trover. »

A sun cunseil se sunt tenu,
88 Tant que li termes est venu
Que la dameisele enfanta.
Une vielle ki la garda,
A ki tut sun estre geï,
92 Tant la cela, tant la covri,
Unques n'en fu aparcevance
En parole ne en semblance.
La meschine ot un fiz mut bel.
96 Al col li pendirent l'anel
E une aumoniere de seie
Avoec le brief, que nul nel veie ;
Puis le cuchent en un bercel,
100 Envolupé d'un blanc lincel.
Dedesuz la teste a l'enfant
Mistrent un oreiller vaillant
E desus lui un covertur
104 Urlé de martre tut entur.

Milon répondit qu'il se rangerait à sa décision. « Quand l'enfant, dit-elle, sera né, vous le porterez à ma sœur qui est mariée en Northumberland, une puissante dame, prudente et sage, et vous lui ferez savoir par une lettre de moi et de vive voix que c'est l'enfant de sa sœur qui lui a valu bien des souffrances ; qu'elle prenne soin de bien l'élever, que ce soit une fille ou un garçon. Je lui suspendrai votre anneau au cou, je joindrai une lettre où seront écrits le nom de son père et l'aventure de sa mère. Quand il aura grandi et sera parvenu à l'âge de raison, ma sœur devra lui remettre la lettre et l'anneau et lui recommander de les garder jusqu'à ce qu'il puisse retrouver son père.

Ils s'en tinrent à cette décision, jusqu'au moment où la demoiselle donna le jour à l'enfant. Une vieille qui la gardait et qu'elle avait informée de sa situation la tint si bien cachée, garda si bien le secret que personne n'en sut rien : il n'y eut ni bavardages ni soupçons. La jeune fille eut un très beau fils ; on lui suspendit au cou l'anneau et une aumônière de soie avec la lettre, bien dissimulée ; puis on le coucha dans un berceau, enveloppé d'un drap de lin blanc ; sous la tête de l'enfant on plaça un oreiller de grand prix et sur lui une couverture tout autour ourlée de martre.

La vielle l'ad Milun baillié,
Ki l'ot atendue el vergier.
Il le cumaunda a teu gent
108 Ki l'i porterent lëaument.
Par les viles u il errouent
Set feiz le jur se resposoent ;
L'enfant feseient aleitier,
112 Cucher de nuvel e baignier.
Tant unt le dreit chemin erré
Que a la dame l'unt comandé.
El le receut, si l'en fu bel ;
[167 b] Le brief li baille e le seel.
117 Quant ele sot ki il esteit,
A merveille le cheriseit.
Cil ki l'enfant eurent porté
120 En lur païs sunt returné.

Milun eissi fors de sa tere
En soudees pur sun pris quere.
S'amie remest a meisun.
124 Sis peres li duna barun,
Un mut riche humme del païs,
Mut esforcible e de grant pris.
Quant ele sot cele aventure,
128 Mut est dolente a demesure
E suvent regrette Milun,
Kar mut dute la mesprisum
De ceo qu'ele ot eü enfant ;
132 Il le savra demeintenant.
« Lasse, fet ele, que ferai ?
Avrai seignur ? Cum le prendrai ?
Ja ne sui jeo mie pucele ;
136 A tuz jurs mes serai ancele.
Jeo ne soi pas que fust issi,
Ainz quidoue aveir mun ami ;
Entre nus celisum l'afaire,
140 Ja ne l'oïsse aillurs retraire.
Mieuz me vendreit murir que vivre !
Mes jeo ne sui mie delivre,

La vieille donna l'enfant à Milon qui l'attendait dans le verger et le confia à des gens sûrs qui le portèrent en Northumberland. Par les villes où ils passaient, ils faisaient halte sept fois par jour, ils faisaient allaiter l'enfant, changer ses couches et le baigner. Au terme de leur voyage ils le remirent à la dame qui l'accueillit avec plaisir. On lui donna la lettre scellée : quand elle sut qui il était, elle l'entoura de sa tendresse. Ceux qui avaient amené l'enfant retournèrent dans leur pays.

Milon quitta sa terre, en quête de gloire, en louant ses services. Son amie resta chez elle ; son père songea à lui donner un mari, un homme du pays, très riche, très puissant et de grande réputation. Quand elle apprit ce projet, elle en éprouva un profond désespoir ; elle ne cessait de regretter Milon, car elle redoutait la conséquence de sa faute, la naissance de son enfant. Son mari, pensa-t-elle, le saura sans tarder. « Hélas, dit-elle, que faire ? J'aurai un époux ? Comment ? Je ne suis plus vierge, toujours je serai sa servante. J'étais loin de m'attendre à cela ! Je pensais épouser mon ami ; nous aurions tous deux caché cette affaire, sans en entendre parler un peu partout. J'aimerais mieux mourir que vivre ! Mais je ne suis pas libre,

Ainz ai asez sur mei gardeins
144 Vieuz e jeofnes, mes chamberleins,
Ki tuz jurz heent bone amur
E se delitent en tristur.
Or m'estuvrat issi suffrir,
148 Lasse ! quant jeo ne puis murir. »
Al terme ke ele fu donee,
Sis sires l'en ad amenee.

[167 c] Milun revint en sun païs.
152 Mut fu dolent e mut pensis,
Grant doel fist, grant doel demena,
Mes de ceo se recunforta
Que pres esteit de sa cuntree
156 Cele k'il tant aveit amee.
Milun se prist a purpenser
Coment il li purrat mander,
Si qu'il ne seit aparceüz,
160 Qu'il est el païs revenuz.
Ses lettres fist, sis seela.
Un cisne aveit k'il mut ama :
Le brief li ad al col lïé
164 E dedenz la plume muscié.
Un suen esquïer apela,
Sun message li encharga :
« Va tost, fet il, change tes dras !
168 Al chastel m'amie en irras,
Mun cisne porteras od tei ;
Garde que en prenges cunrei :
U par servant u par meschine,
172 Que presenté li seit le cisne. »
Cil ad fet sun comandement ;
A tant s'en vet, le cigne prent.
Tut le dreit chemin que il sot
176 Al chastel vint, si cum il pot.
Par mi la vile est trespassez,
A la mestre porte est alez.
Le portier apelat a sei :
180 « Amis, fet il, entent a mei !

des gardiens me surveillent, vieux et jeunes : ce sont mes chambellans qui toujours haïssent un amour sincère et n'ont de plaisir qu'à voir les autres malheureux. Il me faudra, hélas, me résigner à souffrir de la sorte, puisque je ne puis pas mourir. » Au jour fixé pour le mariage, son mari l'emmena.

Milon revint dans son pays, le cœur en peine et abattu. Il s'abandonna à une profonde douleur, mais celle qu'il avait tant aimée n'était pas loin de son pays, ce qui le réconforta. Il se mit à chercher un moyen de lui faire savoir en secret qu'il était revenu au pays. Il fit sa lettre et la scella. Il possédait un cygne qu'il aimait beaucoup ; il lui attacha la lettre au cou et la cacha sous le plumage ; il appela son écuyer et le chargea du message : « Va vite, dit-il, change de vêtements ! Tu vas aller au château de mon amie, tu emporteras mon cygne. Fais en sorte qu'il lui soit présenté par un serviteur ou une jeune servante. »

Le messager obéit à ces ordres, il prend le cygne et s'en va. Par le plus court chemin qu'il connaisse il parvient au château, il traverse la ville, arrive à la porte principale et appelle le portier. « Ami, fait-il, écoute-moi.

Jeo sui un hum de tel mester,
De oiseus prendre me sai aidier.
Une archiee suz Karlïun
184 Pris un cisnë od mun laçun.
Pur force e pur meintenement
[167 d] La dame en voil fere present,
Que jeo ne seie desturbez,
188 En cest païs achaisunez. »
Li bachelers li respundi :
« Amis, nul ne parole od li ;
Mes nepurec j'irai saveir
192 Si jeo poeie liu veeir
Que jeo t'i peüsse mener,
Jeo te fereie a li parler. »
En la sale vint li portiers,
196 N'i trova fors deus chevalers ;
Sur une grant table seeient,
Od uns eschés se deduieient.
Hastivement returne arere,
200 Celui ameine en teu manere
Que de nului n'i fu sceüz,
Desturbez ne aparceüz.
A la chambre vient, si apele ;
204 L'us lur ovri une pucele.
Cil sunt devant la dame alé,
Si unt le cigne presenté.
Ele apelat un suen vallet,
208 Puis si li dit : « Or t'entremet
Que mis cignes seit bien gardez
E ke il eit vïande asez.
— Dame, fet cil ki l'aporta,
212 Ja nul fors vus nel recevra ;
E gia est ceo presenz rëaus :
Veez cum il est bons e beaus ! »
Entre ses mains li baille e rent,
216 El le receit mut bonement.
Le col li manie e le chief,
Desuz la plume sent le brief ;
Le sanc li remut e fremi :

Je suis oiseleur, mon métier est de prendre les oiseaux. À une portée d'arc des murs de Carlion j'ai capturé un cygne au lacet. Pour obtenir son appui et sa protection je veux en faire cadeau à la dame, afin de ne pas être inquiété ni accusé dans ce pays. » Le jeune homme lui répond : « Ami, personne ne peut lui parler, toutefois je vais aller voir si je peux trouver un endroit où je puisse te conduire jusqu'à elle et te ménager un entretien avec elle. » Le portier entre dans la salle et n'y trouve que deux chevaliers assis à une grande table, en train de faire une partie d'échecs. Il revient vite sur ses pas et introduit le messager sans être aperçu ni inquiété par personne. Puis il va à la chambre et appelle ; une jeune fille leur ouvre la porte, ils se présentent devant la dame et lui offrent le cygne. Elle fait venir un de ses serviteurs et lui dit : « Veille à ce que mon cygne soit bien soigné et qu'il ait une abondante nourriture. — Dame, fait celui qui l'avait apporté, personne autre que vous ne doit le recevoir : c'est un cadeau royal, voyez comme il est fort et beau ! » Il le lui donne en le remettant entre ses mains, elle le reçoit avec plaisir, elle caresse le cou et la tête de la bête et sent la lettre sous le plumage. Tout son sang ne fait qu'un tour et bouillonne,

220 Bien sot qu'il vint de sun ami.
[168 a] Celui ad fet del suen doner,
Si l'en cumandë a aler.
Quant la chambre fu delivree,
224 Une meschine ad apelee.
Le brief aveient deslïé,
Ele en ad le seel brusié.
Al primier chief trovat « Milun » ;
228 De sun ami cunut le nun :
Cent feiz le baisë en plurant,
Ainz que ele puïst dire avant.
Al chief de piece veit l'escrit,
232 Ceo k'il ot cumandé e dit :
Les granz peines e la dolur
Que Milun seofre nuit e jur ;
« Ore est del tut en sun pleisir
236 De lui ocire u de garir.
S'ele seüst engin trover
Cum il peüst a li parler,
Par ses lettres li remandast
240 E le cisne li renveast.
Primes le face bien garder,
Puis si le laist tant jeüner
Treis jurs quë il ne seit peüz ;
244 Le brief li seit al col penduz,
Laist l'en aler : il volera
La u il primes conversa. »
Quant ele ot tut l'escrit veü
248 E ceo qu'il i ot entendu,
Le cigne fet bien surjurner
E forment pestre e abevrer.
Dedenz sa chambre un meis le tint.

252 Mes ore oëz cum l'en avint !
Tant quist par art e par engin
Ke ele ot enke e parchemin.
Un brief escrit tel cum li plot,
[168 b] Od un anel l'enseelot.
257 Le cigne ot laissié jeüner,
Al col li pent, sil laist aler.

elle devine que le cygne lui est envoyé par son ami. Elle récompense le messager avec son argent et le congédie.

Quand la chambre est vidée, elle appelle une servante, elles détachent la lettre et la dame en brise le sceau. Dès la première ligne elle lit et reconnaît le nom de Milon, son ami. Cent fois, en larmes, elle le couvre de baisers avant de pouvoir continuer la lecture. Au bout d'un moment elle lit toute la lettre, tout ce que lui dit et lui confie son ami, le profond chagrin et la souffrance qu'il endure nuit et jour, « tout désormais dépend d'elle, sa vie ou sa mort sont entre ses mains. Si elle trouve le moyen de ménager entre eux une rencontre, qu'elle le lui fasse connaître par une lettre en lui renvoyant le cygne ; il convient d'abord de bien le soigner, puis de le faire jeûner en le privant de nourriture pendant trois jours, de lui suspendre ensuite la lettre au cou et de le laisser partir, il s'envolera jusqu'à son premier point de départ ». Quand elle a fini la lecture de la lettre et retenu ses recommandations, elle fait bien soigner le cygne, lui donne abondamment à boire et à manger et le garde tout un mois dans sa chambre.

Écoutez maintenant la suite ! À force de ruse et d'astuce elle se procura de l'encre et du parchemin, elle écrivit le message qu'elle désirait transmettre et le scella de son anneau. Elle avait laissé jeûner le cygne ; elle lui suspendit le tout au cou et le laissa partir.

Li oiseus esteit fameillus
260 E de vïande coveitus :
Hastivement est revenuz
La dunt il primes fu venuz.
En la vile e en la meisun
264 Descent devant les piez Milun.
Quant il le vit, mut en fu liez.
Par les eles le prent haitiez ;
Il apela un despensier,
268 Si li fet doner a mangier.
Del col li ad le brief osté,
De chief en chief l'ad esgardé,
Des enseignes qu'il i trova
272 E des saluz se reheita :
« Ne poet sanz lui nul bien aveir,
Or li remant tut sun voleir
Par le cigne sifaitement. »
276 Si ferat il hastivement.

Vint anz menerent cele vie
Milun entre lui e s'amie.
Del cigne firent messager,
280 N'i aveient autre enparler,
E sil feseient jeüner
Ainz qu'il le lessassent aler.
Cil a ki li oiseus veneit,
284 Ceo sachez quë il le peisseit.
Ensemble viendrent plusurs feiz.
Nul ne poet estre si destreiz
Ne si tenuz estreitement
288 Quë il ne truisse liu sovent.

La dame ki lur fiz nurri,
Tant ot esté ensemble od li
[168 c] Qu'il esteit venuz en eé.
292 A chevalier l'ad adubé ;
Mut i aveit gent dameisel.
Le brief li rendi e l'anel,
Puis li ad dit ki est sa mere
296 E l'aventure de sun pere

L'oiseau était affamé et avide de nourriture : il revint à tire-d'aile à son point de départ. Dans la ville, puis dans la maison de Milon il atterrit à ses pieds. En le voyant, il en fut tout heureux ; la joie au cœur, il le prit par les ailes, appela un intendant et fit donner à manger à l'oiseau. Il lui ôta la lettre du cou et la parcourut d'un bout à l'autre ; les signes d'authenticité et les salutations de la dame lui redonnèrent courage, « elle ne pouvait, lui disait-elle à son tour, être heureuse sans lui ; qu'il lui fasse connaître ses volontés de la même manière, au moyen du cygne ». Milon s'empressa de le faire.

Pendant vingt ans Milon et son amie menèrent cette vie. Ils firent du cygne leur messager, ils n'avaient pas d'autre truchement ; ils le faisaient jeûner, avant de lui laisser prendre son envol. Quand l'oiseau rejoignait l'un d'eux, sachez qu'il ne le laissait pas manquer de nourriture. Ils se rencontrèrent plusieurs fois : nul ne peut être si surveillé ou si étroitement gardé qu'il ne trouve souvent une occasion favorable.

La dame qui élevait leur fils — il avait vécu si longtemps avec elle qu'il avait grandi en âge — le fit adouber chevalier. C'était un noble jeune homme. Elle lui remit la lettre et l'anneau, lui révéla qui était sa mère et lui apprit l'aventure de son père,

E cum il est bon chevaliers,
Tant pruz, si hardi e si fiers,
N'ot en la tere nul meillur,
300 De sun pris ne de sa valur.
Quant la dame li ot mustré
E il l'aveit bien escuté,
Del bien sun pere s'esjoï.
304 Liez fu de ceo k'il ot oï !
A sei meïsmes pense e dit :
« Mut se deit hum preiser petit,
Quant il issi fu engendrez
308 E sis pere est si alosez,
S'il ne se met en greinur pris
Fors de la tere e del païs. »
Asez aveit sun estuveir,
312 Il ne demure fors le seir.
El demain aveit pris cungié ;
La dame l'ad mut chastïé
E de bien fere amonesté,
316 Asez li ad aveir doné.
A Suhthamptune vait passer ;
Cum il ainz pot se mist en mer.
A Barbefluet est arivez,
320 Dreit en Brutaine en est alez.
La despendi e turneia,
As riches hummes s'acuinta.
Unques ne vint en nul estur
324 Que l'en nel tenist al meillur.
Les povres chevaliers amot ;
[168 d] Ceo que des riches gaainot
Lur donout e sis reteneit
328 E mut largement despendeit.
Unques sun voil ne surjurna :
De tutes les teres de la
Porta le pris e la valur.
332 Mut fu curteis, mut sot honur.
De sa bunté e de sun pris
Veit la novele en sun païs
Que un damisels de la tere,
336 Ki passa mer pur sun pris quere,

combien il était un brave chevalier, si preux, si hardi et si fier qu'il n'avait pas son égal en réputation et en valeur. À la suite des révélations de la dame, qu'il avait bien écoutée, il se réjouit des mérites de son père, content de ce qu'il venait d'entendre. Il pensa et se dit en lui-même : « On doit avoir une piètre estime de soi, si, engendré par un père si réputé, on n'acquiert pas une plus grande renommée loin de sa terre et de son pays. » Pourvu de tout, il resta au château encore le soir, mais le lendemain il prit congé de la dame. Elle lui fit la leçon, l'exhorta à se bien conduire et lui donna une grosse somme d'argent. Il alla passer la mer à Southampton, s'embarqua dès qu'il le put, aborda à Barfleur et gagna directement la Bretagne. Là il se dépensa en largesses, fréquenta les tournois, fit la connaissance d'hommes puissants. En toutes les joutes où il paraissait il était tenu pour le meilleur ; charitable pour les chevaliers pauvres, il leur donnait ce qu'il gagnait sur les riches, il les retenait près de lui et dépensait généreusement ; il n'aimait guère prendre du repos. Reconnu comme le plus valeureux de toutes les régions voisines, il était courtois, scrupuleux sur l'honneur. La nouvelle de ses mérites et de sa renommée parvint jusque dans son pays : un jeune chevalier avait traversé la mer en quête de gloire

Puis ad tant fet par sa pruësce,
Par sa bunté, par sa largesce,
Que cil ki nel seivent numer
340 L'apeloent partut « Sanz Per ».

Milun oï celui loër
E les biens de lui recunter.
Mut ert dolent, mut se pleigneit
344 Del chevalier ki tant valeit :
Pur tant cum il peüst errer
Ne turneier ne armes porter,
Ne deüst nul del païs nez
348 Estre preisez ne alosez !
De une chose se purpensa :
Hastivement mer passera,
Si justera al chevalier
352 Pur lui leidir e empeirer.
Par ire se vodra cumbatre :
S'il le poet del cheval abatre,
Dunc serat il en fin honiz.
356 Aprés irra quere sun fiz
Ki fors del païs est eissuz,
Mes ne saveit qu'ert devenuz.
A s'amie le fet saveir,
360 Cungé voleit de li aveir.
[169 a] Tut sun curage li manda ;
Brief e seel li envea
Par le cigne, mun escïent :
364 Or li remandast sun talent.
Quant ele oï sa volenté,
Mercie l'en, si li sot gré,
Quant pur lur fiz trover e quere
368 Voleit eissir fors de la tere
E pur le bien de lui mustrer ;
Nel voleit mie desturber.
Milun oï le mandement ;
372 Il s'aparaille richement.
En Normendië est passez,
Puis est desqu'en Brutaine alez.
Mut s'aquointa a plusurs genz,

et s'était si bien illustré par sa prouesse, par sa bravoure, par sa largesse que ceux qui ignoraient son nom l'appelaient partout le Chevalier sans pair.

Milon entendit les éloges qu'on faisait de ce chevalier et tout le bien qu'on disait de lui ; il était contrarié et se plaignait de ce chevalier si valeureux : tant qu'il pourrait voyager, fréquenter les tournois, porter les armes, aucun autre chevalier du pays ne pourrait prétendre aux éloges et à la réputation. Il conçut donc un projet : il passera tout de suite la mer et se mesurera avec le chevalier pour lui infliger honte et dommage ; il a l'intention de l'affronter avec agressivité ; s'il peut l'abattre de son cheval, il le couvrira de honte ; puis il ira à la recherche de son fils qui a quitté le pays et dont il ignore ce qu'il est devenu.

Il le fit savoir à son amie et il désira avoir son accord. Il s'ouvrit à elle de son projet, lui envoya par le cygne, je pense, une lettre scellée en lui demandant de lui faire connaître par retour sa volonté. Quand elle apprit son dessein, elle l'en remercia, et lui fut reconnaissante de vouloir quitter le pays pour se mettre à la recherche de leur fils et pour faire preuve de sa valeur ; elle n'avait nullement l'intention de l'en détourner.

Milon reçut la réponse et s'équipa luxueusement. Il passa en Normandie et de là gagna la Bretagne ; il y fit de nombreuses connaissances,

376 Mut cercha les turneiemenz ;
Riches osteus teneit sovent
E si dunot curteisement.

Tut un yver, ceo m'est avis,
380 Conversa Milun el païs ;
Plusurs bons chevaliers retint.
Desquë aprés la Paske vint,
K'il recumencent les turneiz
384 E les gueres e les dereiz.
Al Munt Seint Michel s'asemblerent ;
Normein e Bretun i alerent,
E li Flamenc e li Franceis,
388 Mes n'i ot gueres des Engleis.
Milun i est alé primers,
Ki mut esteit hardiz e fiers.
Le bon chevalier demanda.
392 Asez i ot ki li cunta
De queil part il esteit venuz ;
A ses armes, a ses escuz,
Tost l'eurent à Milun mustré,
[169 b] E il l'aveit bien esgardé.
397 Li turneiemenz s'asembla.
Ki juste quist, tost la trova ;
Ki aukes volt les rens cerchier,
400 Tost i pout perdre u gaaignier
E encuntrer un cumpainun.
Tant vus voil dire de Milun :
Mut le fist bien en cel estur
404 E mut i fu preisez le jur,
Mes li vallez dunt jeo vus di
Sur tuz les autres ot le cri ;
Ne s'i pot nul acumparer
408 De turneer ne de juster.
Milun le vit si cuntenir,
Si bien puindre e si bien ferir,
Par mi tut ceo k'il l'envïot,
412 Mut li fu bel e mut li plot.
Al renc se met encuntre lui,
Ensemble justerent amdui.

il recherchait les tournois, pratiquait une fréquente et riche hospitalité et distribuait des dons avec courtoisie. Milon demeura, je crois, un hiver entier dans ce pays et retint auprès de lui plusieurs bons chevaliers. On arriva ainsi un peu après Pâques où recommencent tournois, guerres et rencontres. On s'assembla au mont Saint-Michel ; Normands et Bretons s'y rendirent, Flamands et Français aussi, mais il n'y eut guère d'Anglais. Milon y alla le premier, hardi et fier comme il l'était. Il s'enquit sur le bon chevalier ; beaucoup lui dirent de quel côté il était allé, sur ses armes et ses boucliers, tous le montrèrent à Milon qui l'observa avec attention.

On se réunit pour le tournoi ; qui cherchait la joute la trouvait sans peine ; qui voulait parcourir les pistes pouvait aussi bien perdre que gagner en rencontrant un adversaire. Ce que je puis dire de Milon, c'est qu'il se distingua dans cette rencontre, il y fut très prisé ce jour-là. Mais le jeune homme dont je vous parle l'emporta sur tous les autres : au tournoi et à la joute nul ne put se comparer à lui. Milon le voyait si bien se comporter, éperonner, asséner des coups que, tout en l'enviant, il l'admirait et y prenait plaisir.

Il se rangea au bout de la piste[1] pour l'attaquer. Tous deux engagèrent la joute ;

Milun le fiert si durement,
416 S'anste depiece veirement,
Mes ne l'aveit mie abatu.
Ja l'aveit cil lui si feru
Que jus del cheval l'abati.
420 Desuz la ventaille choisi
La barbe e les chevoz chanuz :
Mut li pesa k'il fu cheüz.
Par la reisne le cheval prent,
424 Devant lui le tient en present,
Puis li ad dit : « Sire, muntez !
Mut sui dolent e trespensez
Que nul humme de vostre eage
428 Deüsse faire tel utrage. »
Milun saut sus, mut li fu bel ;
Al dei celui cunuit l'anel,
[169 c] Quant il li rendi sun cheval.
432 Il areisune le vassal :
« Amis, fet il, a mei entent !
Pur amur Deu omnipotent,
Di mei cument ad nun tis pere !
436 Cum as tu nun ? Ki est ta mere ?
Saveir en voil la verité.
Mut ai veü, mut ai erré,
Mut ai cerchiees autres teres
440 Par turneiemenz e par gueres :
Unques pur coup de chevalier
Ne chaï mes de mun destrier !
Tu m'as abatu al juster :
444 A merveille te puis amer. »
Cil li respunt : « Jo vus dirai
De mun pere tant cum j'en sai.
Jeo quid k'il est de Gales nez
448 E si est Milun apelez.
Fillë a un riche humme ama,
Celeement m'i engendra.
En Norhumbre fu enveez ;
452 La fu nurri e enseignez.
Une meie aunte me nurri ;
Tant me garda ensemble od li,

Milon le frappa si violemment qu'il lui brisa la hampe de sa lance, sans parvenir cependant à le faire tomber de cheval. Le jeune homme lui asséna un tel coup qu'il le désarçonna. Sous la ventaille[2] il aperçut la barbe et les cheveux blancs, attristé de l'avoir fait tomber. Il saisit le cheval par les rênes et, face à lui, le lui présenta en disant : « Seigneur, montez en selle ! Je suis fâché et désolé d'avoir fait un tel outrage à un homme de votre âge. » Milon saute sur le cheval, tout heureux ; il reconnaît l'anneau au doigt du jeune homme, quand celui-ci lui rend son cheval, et il s'adresse à son jeune vainqueur : « Ami, fait-il, écoute-moi ! Pour l'amour du Dieu tout-puissant, dis-moi quel est le nom de ton père. Comment t'appelles-tu ? Qui est ta mère ? Je veux savoir la vérité. J'ai beaucoup vu, beaucoup voyagé, beaucoup parcouru toutes sortes de pays à travers guerres et tournois : jamais un coup de chevalier ne m'a fait tomber de mon destrier ! Tu m'as abattu à la joute, je puis te donner toute mon affection[3]. »

Le jeune homme répond : « Je vous dirai de mon père tout ce que j'en sais. Je crois qu'il est natif de Galles et qu'il s'appelle Milon. Il a aimé la fille d'un puissant seigneur et m'a engendré secrètement. J'ai été envoyé en Northumberland, j'y ai été élevé et éduqué ; une tante à moi m'a élevé, m'a gardé chez elle

Chevals e armes me dona,
456 En ceste tere m'envea.
Ci ai lungement conversé.
En talent ai e en pensé,
Hastivement mer passerai,
460 En ma cuntreie m'en irrai.
Saver voil l'estre de mun pere,
Cum il se cuntient vers ma mere.
Tel anel d'or li musterai
464 E teus enseignes li dirai,
Ja ne me vodra reneer,
[169 d] Ainz m'amerat e tendrat chier. »
Quant Milun l'ot issi parler,
468 Il ne poeit plus escuter :
Avant sailli hastivement,
Par le pan del hauberc le prent.
« E Deu ! fait il, cum sui gariz !
472 Par fei, amis, tu es mi fiz !
Pur tei trover e pur tei quere
Eissi uan fors de ma tere. »
Quant cil l'oï, a pié descent,
476 Sun peire baisa ducement ;
Mut bel semblant entre eus feseient
E iteus paroles diseient
Que li autres kis esgardouent
480 De joie e de pité plurouent.
Quant li turneiemenz depart,
Milun s'en vet ; mut li est tart
Que a sun fiz parolt a leisir
484 E qu'il li die sun pleisir.
En un ostel furent la nuit ;
Asez eurent joie e deduit
De chevaliers a grant plenté.
488 Milun ad a sun fiz cunté
De sa mere cum il l'ama,
E cum sis peres la duna
A un barun de sa cuntree,
492 E cument il l'ad puis amee
E ele lui de bon curage,
E cum del cigne fist message :

jusqu'au moment où elle m'a donné armes et cheval, et m'a envoyé en ce pays-ci. J'y ai longtemps vécu, je n'ai qu'une pensée, qu'un désir : passer au plus tôt la mer, rentrer en mon pays, me renseigner sur mon père, savoir comment il se conduit envers ma mère. Je lui montrerai un anneau d'or, je lui apporterai des preuves telles qu'il ne pourra me renier, mais il m'entourera de tendresse et d'affection. »

Quand Milon l'entendit, il ne put l'écouter plus longtemps : il bondit d'un seul coup et le saisit par le pan du haubert. « Ah Dieu, dit-il, comme je suis comblé ! Ma parole, ami, tu es mon fils ! Pour me mettre à ta recherche, pour te trouver j'ai quitté cette année ma terre. » Quand son fils l'entend, il met pied à terre et embrasse tendrement son père. La joie éclate si bien dans leurs retrouvailles et leurs paroles que les assistants en pleurent de joie et d'attendrissement.

Quand le tournoi prend fin, Milon s'en va ; il lui tarde de parler à son fils à loisir et sans contrainte. Ils passent la nuit dans le même logis parmi la joie et les divertissements, au milieu de nombreux chevaliers. Milon raconte à son fils comment il s'est épris de sa mère, comment le père de celle-ci l'a donnée en mariage à un baron de son pays, comment ils se sont aimés loyalement et comment il faisait du cygne son messager

Ses lettres li feseit porter,
496 Ne s'osot en nul liu fïer.
Li fiz respunt : « Par fei, bels pere,
Assemblerai vus e ma mere !
Sun seignur qu'ele ad ocirai
500 E espuser la vus ferai. »

[170 a] Cele parole dunc lessierent
E el demain s'apareillerent ;
Cungié pernent de lur amis,
504 Si s'en revunt en lur païs.
Mer passerent hastivement,
Bon oré eurent e suef vent.
Si cum il eirent le chemin,
508 Si encuntrerent un meschin.
De l'amie Milun veneit,
En Bretaigne passer voleit ;
Ele l'i aveit enveié.
512 Ore ad sun travail acurcié !
Un brief li baille enseelé ;
Par parole li ad cunté
Que s'en venist, ne demurast :
516 Morz est sis sires, or s'en hastast !
Quant Milun oï la novele,
A merveille li sembla bele.
A sun fiz l'ad mustré e dit.
520 N'i ot essuigne ne respit :
Tant eirent quë il sunt venu
Al chastel u la dame fu.
Mut par fu liee de sun fiz
524 Ki tant esteit pruz e gentiz.
Unc ne demanderent parent :
Sanz cunseil de tute autre gent
Lur fiz amdeus les assembla,
528 La mere a sun pere dona.
En grant bien e en grant duçur
Vesquirent puis e nuit e jur.

De lur amur e de lur bien
532 Firent un lai li auncïen,
E jeo, ki le mis en escrit,
Al recunter mut me delit.

et lui faisait porter ses lettres, n'osant se fier à personne. Le fils répond : « Par ma foi, cher père, je vous réunirai, vous et ma mère ; je tuerai son mari et je vous la ferai épouser. »

Ils cessèrent là cet entretien ; le lendemain ils firent leurs préparatifs, dirent adieu à leurs amis et revinrent dans leur pays. Ils passèrent sans retard la mer, profitant d'un temps favorable et d'un fort vent. En chemin ils rencontrèrent un serviteur dépêché par l'amie de Milon, il voulait passer en Bretagne où elle l'avait envoyé. Voilà sa besogne abrégée ! Il remet à Milon une lettre scellée et lui demande de vive voix de s'en venir sans tarder : le mari de la dame est mort ; qu'il se hâte ! Quand Milon apprend la nouvelle, il la trouve miraculeuse ; il en fait part à son fils. Pas de délai, pas de répit ! Ils se pressent tant qu'ils arrivent au château de la dame. Elle se réjouit de retrouver son fils, si preux, si aimable. Sans appeler leurs parents, sans prendre conseil de personne leur fils les unit et donne en mariage sa mère à son père.

Ils passèrent depuis leurs nuits et leurs jours dans un bonheur parfait et une profonde tendresse.

Sur leur amour et leur bonheur les anciens firent un lai. Quant à moi, je l'ai mis par écrit ; j'ai grand plaisir à le raconter.

CHAITIVEL

Talent me prist de remembrer
[170 b] Un lai dunt jo oï parler.
L'aventure vus en dirai
4 E la cité vus numerai
U il fu nez e cum ot nun :
Le Chaitivel l'apelet hum,
E si i ad plusurs de ceus
8 Ki l'apelent *Les Quatre Deuls.*

En Bretaine a Nantes maneit
Une dame ki mut valeit
De beauté e d'enseignement
12 E de tut bon affeitement.
N'ot en la tere chevalier
Ki aukes feïst a preisier,
Pur ceo que une feiz la veïst,
16 Ki ne l'amast e requeïst.
El nes pot mie tuz amer
Ne el nes vot mie tuer.
Tutes les dames de une tere
20 Vendreit mieuz d'amer e requere
Que un fol de sun pan tolir,
Kar cil voelt an eire ferir.
La dame sait a celui gré
24 De sue bone volunté ;
Pur quant, s'ele nel veolt oïr,

LE PAUVRE MALHEUREUX

L'envie m'a prise de rappeler un lai dont j'ai entendu parler. Je vous en dirai l'aventure, le nom de la cité où il a pris naissance, et son nom à lui : on l'appelle : *Le Pauvre Malheureux*, mais beaucoup intitulent le lai *Les Quatre Douleurs*.

À Nantes, en Bretagne, demeurait une dame célèbre par sa beauté, son éducation et sa parfaite distinction. Dans le pays tout chevalier digne de quelque estime ne pouvait s'empêcher de l'aimer et de la prier d'amour, après l'avoir vue une seule fois. Elle ne pouvait les aimer tous, mais ne voulait pas non plus leur mort. Il serait plus facile de solliciter l'amour de toutes les dames d'un pays[1] que d'arracher son morceau de pain à un fou, car il n'est pas long à vous donner des coups. À qui lui fait la cour une dame sait gré de ses bons sentiments, mais même si elle ne veut pas l'écouter,

Nel deit de paroles leidir,
Mes enurer e tenir chier,
28 A gré servir e mercïer.

La dame dunt jo voil cunter,
Ki tant fu requise de amer
Pur sa beauté, pur sa valur,
32 S'en entremistrent nuit e jur.
En Bretaine ot quatre baruns,
Mes jeo ne sai numer lur nuns ;
Il n'aveient gueres de eé,
36 Mes mut erent de grant beauté
[170 c] E chevaliers pruz e vaillanz,
Larges, curteis e despendanz.
Mut par esteient de grant pris
40 E gentiz hummes del païs.
Icil quatre la dame amoent
E de bien fere se penoent ;
Pur li e pur s'amur aveir
44 I meteit chescun sun poeir.
Chescuns par sei la requereit
E tute sa peine i meteit ;
N'i ot celui ki ne quidast
48 Que mieuz d'autre n'i espleitast.
La dame fu de mut grant sens :
En respit mist e en purpens
Pur saver e pur demander
52 Li queils sereit mieuz a amer.
Tant furent tuz de grant valur,
Ne pot eslire le meillur.
Ne volt les treis perdre pur l'un :
56 Bel semblant feseit a chescun,
Ses druëries lur donout,
Ses messages lur enveiout.
Li uns de l'autre le saveit,
60 Mes departir nul nes poeit :
Par bel servir e par preier
Quidot chescun mieuz espleiter.
A l'assembler des chevaliers
64 Voleit chescun estre primiers

elle ne doit pas répondre par des propos blessants, mais l'honorer, l'estimer, se montrer aimable et le remercier.

La dame dont je veux vous raconter l'histoire, si souvent requise d'amour pour sa beauté et ses mérites, était l'objet d'incessantes avances. Il y avait en Bretagne quatre barons, dont j'ignore les noms, encore jeunes, de grande beauté, chevaliers preux et vaillants, portés aux largesses, courtois et généreux. Ils jouissaient d'une bonne réputation et appartenaient à la noblesse du pays. Tous quatre aimaient la dame et s'appliquaient à se distinguer ; pour la mériter, elle et son amour, chacun d'eux ne ménageait pas ses efforts. Chacun de son côté la sollicitait assidûment et pensait réussir mieux que les autres.

Dans sa grande sagesse la dame se fixa un délai et un temps d'attente pour s'interroger et savoir lequel était le plus digne de son amour. Ils étaient tous de si haute valeur qu'elle fut incapable de choisir le meilleur : elle ne voulait pas, pour un seul, perdre les trois autres. Elle faisait bon visage à chacun, leur distribuait des gages d'amour, leur envoyait des messages. Chacun savait n'être pas le seul soupirant, mais aucun d'eux n'allait jusqu'à renoncer à la dame ; par leurs services empressés, par leurs prières, ils pensaient l'emporter sur les autres. Aux tournois, chacun voulait être, si possible, le premier

De bien fere, si il peust,
Pur ceo que a la dame pleüst.
Tuz la teneient pur amie,
68 Tuit portouent sa druërie,
Anel u mance u gumfanun,
E chescun escriot sun nun.

Tuz quatre les ama e tint,
[170 d] Tant que aprés une Paske vint
73 Que devant Nantes la cité
Ot un turneiement crié.
Pur aquointier les quatre druz
76 I sunt d'autre païs venuz
E li Franceis e li Norman
E li Flemenc e li Breban ;
Li Buluineis, li Angevin
80 E cil ki pres furent veisin,
Tuz i sunt volenters alé :
Lunc tens aveient surjurné !
Al vespres del turneiement
84 S'entreferirent durement.
Li quatre dru furent armé
E eissirent de la cité.
Lur chevaliers viendrent aprés,
88 Mes sur eus quatre fu le fes.
Cill defors les unt coneüz
As enseignes e as escuz ;
Cuntre eus enveient chevaliers,
92 Deus Flamens e deus Henoiers,
Apareillez cume de puindre.
N'i ad celui ne voillle juindre.
Cil les virent vers eus venir ;
96 N'aveient talent de fuïr :
Lance baissie, a esperun,
Choisi chescun sun cumpainun.
Par tel haïr s'entreferirent
100 Que li quatre defors cheïrent ;
Il n'eurent cure des destriers,
Ainz les laisserent estraiers ;
Sur les abatuz se resturent.

par ses actions d'éclat, afin de plaire à la dame. Tous quatre la tenaient pour leur amie, tous portaient le gage d'amour venant d'elle, un anneau, une manche, une banderole au bout de la lance ; chacun prenait son nom pour cri de ralliement.

Elle réussit à conserver l'amour de tous les quatre, jusqu'à ce qu'une fois, après Pâques, on annonçât un tournoi devant la cité de Nantes. Pour rencontrer les quatre amants y vinrent des gens d'autres pays, Français, Normands, Flamands, Brabançons, Boulonnais, Angevins, et ceux des régions voisines. Tous eurent plaisir à y paraître : ils avaient longtemps été condamnés au repos.

Le soir qui précéda le tournoi, on échangea déjà de rudes coups. Les quatre amants, en armes, sortirent de la cité ; leurs chevaliers les suivirent, mais tout le poids du combat reposait sur eux. Ceux du dehors les reconnurent à leurs bannières et à leurs boucliers. Ils envoyèrent contre eux deux chevaliers flamands et deux chevaliers henuyers[2], prêts à l'attaque, tous quatre rêvant d'affrontement. Les quatre amants les virent venir vers eux ; ils n'avaient pas l'intention de fuir. Lance baissée et piquant des deux, chacun choisit son adversaire. Ils échangèrent des coups avec une telle violence que les quatre combattants du dehors tombèrent de cheval. Leurs vainqueurs ne s'occupèrent pas des destriers, mais les laissèrent aller sans cavalier et restèrent près de ceux qu'ils avaient abattus.

104 Lur chevaliers les succururent.
A la rescusse ot grant medlee,
Meint coup i ot feru d'espee.
[171 a] La dame fu sur une tur,
108 Bien choisi les suens e les lur ;
Ses druz i vit mut bien aidier,
Ne seit le queil deit plus preisier.
Li turneiemenz cumença,
112 Li reng crurent, mut espessa.
Devant la porte meinte feiz
Fu le jur mellé le turneiz.
Si quatre dru bien le feseient,
116 Si ke de tuz le pris aveient,
Tant ke ceo vint a l'avespre
Quë il deveient desevrer ;
Trop folement s'abaundonerent
120 Luinz de lur gent, sil cumparerent,
Kar li treis i furent ocis
E li quart nafrez e malmis
Par mi la quisse e einz el cors,
124 Si que la lance parut fors.
A traverse furent perduz
E tuz quatre furent cheüz.
Cil ki a mort les unt nafrez
128 Lur escuz unt es chans getez ;
Mut esteient pur eus dolent :
Nel firent pas a escïent.
La noise levat e le cri,
132 Unques tel doel ne fu oï !
Cil de la cité i alerent,
Unques les autres ne duterent.
Pur la dolur des chevaliers
136 I aveit iteus deus milliers
Ki lur ventaille deslacierent,
Chevoiz e barbes detraherent ;
Entre eus esteit li doels communs.
140 Sur sun escu fu mis chescuns ;
En la cité les unt porté
[171 b] A la dame kis ot amé.

Les chevaliers du même camp que ces derniers accourent alors à la rescousse : c'est une furieuse mêlée ; les épées ne ménagent pas leurs coups. La dame, du haut d'une tour distinguait nettement ses chevaliers et leurs adversaires ; elle assista aux prouesses de ses amants et ne sut lequel méritait le plus son estime.

Le tournoi commença ; les rangs se peuplèrent, la foule s'épaissit. Plus d'une fois dans la journée les engagements du tournoi se déroulèrent devant la porte. Les quatre amants s'illustraient, remportaient sur tous la victoire, jusqu'au soir, au moment de la séparation. Ils s'exposèrent alors au danger bien imprudemment, loin des leurs, et le payèrent cher, car trois d'entre eux furent tués et le quatrième mis à mal et blessé à la cuisse et en plein corps, transpercé par une lance. Ils furent perdus à la suite d'une attaque par le flanc et tous les quatre désarçonnés. Ceux qui les avaient blessés mortellement jetèrent leurs boucliers sur le terrain, affectés par ces morts qu'ils n'avaient pas voulues.

Le tumulte et le cri s'élèvent ; jamais on n'avait entendu une telle détresse. Ceux de la cité se rendent sur les lieux sans avoir peur de ceux d'en face. En signe de deuil pour ces pauvres chevaliers, ils sont deux mille à délacer leur ventaille et à s'arracher la barbe et les cheveux[3]. Le deuil est général. On met chaque mort sur un bouclier et on les porte dans la ville, chez la dame qui les avait aimés.

Des que ele sot cele aventure,
144 Paumee chiet a tere dure.
Quant ele vient de paumeisun,
Chescun regrette par sun nun.
« Lasse, fet ele, que ferai ?
148 Jamés haitië ne serai.
Ces quatre chevaliers amoue
E chescun par sei cuveitoue.
Mut par aveit en eus granz biens !
152 Il m'amoent sur tute riens ;
Pur lur beauté, pur lur pruësce,
Pur lur valur, pur lur largesce,
Les fis d'amer a mei entendre.
156 Nes voil tuz perdre pur l'un prendre !
Ne sai le queil jeo dei plus pleindre,
Mes ne m'en puis covrir ne feindre :
L'un vei nafré, li treis sunt mort,
160 N'ai rien el mund ki me confort.
Les morz ferai ensevelir,
E si li nafrez poet garir,
Volenters m'en entremetrai
164 E bons mires li baillerai. »
En ses chambres le fet porter,
Puis fist les autres cunreer.
A grant amur e noblement
168 Les aturnat e richement ;
En une mut riche abeïe
Fist grant offrendre e grant partie
La u il furent enfuï.
172 Deus lur face bone merci !
Sages mires aveit mandez,
Sis ad al chevalier livrez
Ki en sa chambre jut nafrez,
176 Tant que a garisun est turnez.
[171 c] Ele l'alot veer sovent
E cunfortout mut bonement,
Mes les autres treis regretot
180 E grant dolur pur eus menot.

Dès qu'elle apprend cette mésaventure, elle tombe sans connaissance sur le sol dur. Quand elle reprend ses esprits, elle prononce la plainte funèbre[4], en appelant chacun par son nom : « Hélas, dit-elle, que faire ? Jamais je ne retrouverai la joie. J'aimais ces quatre chevaliers et je les désirais chacun individuellement. C'étaient des hommes de grand mérite ! Ils m'aimaient par-dessus tout. Pour leur beauté, leur prouesse, leur générosité je les ai poussés à m'aimer ; je ne voulais pas les perdre tous pour n'en garder qu'un. Je ne sais duquel je dois le plus regretter la mort, mais je ne puis me cacher la triste vérité : j'en vois un blessé et les trois autres morts, rien au monde ne peut me consoler. Je vais faire ensevelir les morts et si le blessé peut guérir, je veillerai à lui donner un bon médecin. »

Elle le fit transporter dans ses appartements, puis elle s'occupa des autres, veilla avec amour à une toilette funèbre digne d'eux. Elle fit d'importantes offrandes et donations à une riche abbaye où ils furent enterrés. Que Dieu leur accorde sa bonne miséricorde ! Elle manda des médecins expérimentés et les plaça au chevet du chevalier blessé qui reposa dans sa chambre jusqu'à ce qu'il parvînt à la guérison. Elle allait souvent le voir, le réconfortait par de bonnes paroles, mais regrettait les trois autres, inconsolable de leur mort.

Un jur d'esté, aprés mangier,
Parlot la dame al chevaler.
De sun grant doel li remembrot,
184 Sun chief e sun vis en baissot ;
Forment comencet a penser.
E il la prist a regarder ;
Bien aparceit que ele pensot.
188 Avenaument l'areisunot :
« Dame, vus estes en esfrei !
Quei pensez vus ? Dites le mei !
Lessez vostre dolur ester :
192 Bien vus devrïez conforter.
— Amis, fet ele, jeo pensoue
E voz cumpainuns remembroue.
Jamés dame de mun parage,
196 Ja tant n'iert bele, pruz ne sage,
Teus quatre ensemble n'amera
Ne en un jur si nes perdra,
Fors vus tut sul ki nafrez fustes ;
200 Grant poür de mort en eüstes !
Pur ceo que tant vus ai amez,
Voil que mis doels seit remembrez ;
De vus quatre ferai un lai
204 E *Quatre Dols* le numerai. »
Li chevaliers li respundi
Hastivement, quant il l'oï :
« Dame, fetes le lai novel,
208 Si l'apelez *Le Chaitivel.*
E jeo vus voil mustrer reisun
Quë il deit issi aver nun.
Li autre sunt pieça finé
[171 d] E tut le seclë unt usé
213 La grant peine k'il en suffreient
De l'amur qu'il vers vus aveient ;
Mes jo, ki sui eschapé vif,
216 Tut esgaré e tut cheitif,
Ceo que el siecle puis plus amer
Vei sovent venir e aler,
Parler od mei matin e seir,

Un jour d'été, après le repas, la dame conversait avec le chevalier, pleine du souvenir de son deuil ; elle tenait la tête et le visage baissés, s'abîmant peu à peu dans ses pensées. Il se mit à la regarder, la voyant pensive et lui demanda gentiment : « Dame, vous êtes troublée ! À quoi pensez-vous ? Dites-le-moi. Renoncez à votre chagrin, vous devriez reprendre courage. — Ami, dit-elle, mes pensées allaient au souvenir de vos compagnons. Jamais dame de ma qualité, si belle, si bonne, si sage soit-elle, n'aimera à la fois quatre hommes comme ceux-là, pour les perdre en un seul jour, sauf vous qui vous en êtes tiré par une blessure ; vous étiez à deux doigts de la mort ! Puisque je vous ai tant aimés tous les quatre, je veux que soit gardé le souvenir de ma douleur. Je composerai sur vous quatre un lai et je l'appellerai *Les Quatre Deuils.* »

Le chevalier lui répondit sur-le-champ : « Dame faites ce nouveau lai et appelez-le *Le Pauvre Malheureux.* Je veux vous dire pourquoi il doit s'appeler ainsi. Mes autres compagnons sont morts maintenant et durant toute leur vie ils ont épuisé la grande peine qu'ils éprouvaient pour l'amour de vous. Mais moi j'en ai réchappé, tout éperdu et malheureux : je vois sans cesse aller et venir et me parler soir et matin l'être qui m'est le plus cher au monde,

220 Si n'en puis nule joie aveir
Ne de baisier ne d'acoler
Ne d'autre bien fors de parler.
Teus cent maus me fetes suffrir !
224 Mieuz me vaudreit la mort tenir !
Pur c'ert li lais de mei nomez :
Le Chaitivel iert apelez.
Ki *Quatre Dols* le numera
228 Sun propre nun li changera.
— Par fei, fet ele, ceo m'est bel :
Or l'apelum *Le Chaitivel* ! »

Issi fu li lais comenciez
232 E puis parfaiz e anunciez.
Icil kil porterent avant,
Quatre Dols l'apelent alquant ;
Chescun des nuns bien i afiert,
236 Kar la matire le requert ;
Le Chaitivel ad nun en us.
Ici finist, nen i ad plus,
Plus n'en oï ne plus n'en sai
240 Ne plus ne vus en cunterai.

sans avoir le plaisir de l'embrasser, de l'étreindre, mais seulement celui de lui adresser la parole. Ainsi vous me faites souffrir mille maux. J'aimerais mieux mourir. Aussi le lai doit porter mon nom : il sera appelé *Le Pauvre Malheureux*. Qui le nommera *Les Quatre Deuils* lui enlèvera son vrai titre. — Ma foi, fait-elle, je suis d'accord ; appelons-le *Le Pauvre Malheureux*.

Ainsi fut commencé le lai, puis achevé et diffusé. Quelques-uns de ceux qui le mirent en circulation l'appellent *Les Quatre Deuils*. Chacun de ces titres convient, car il correspond bien au sujet. *Le Pauvre Malheureux* est le titre usuel. Il se termine ici, sans rien de plus. Je n'en ai rien entendu de plus, je n'en sais pas plus et je ne vous raconterai rien de plus.

CHIEVREFOIL

Asez me plest e bien le voil,
Del lai qu'hum nume *Chievrefoil,*
Que la verité vus en cunt
4 Pur quei fu fet, coment e dunt.

Plusurs le me unt cunté e dit
E jeo l'ai trové en escrit
[172 a] De Tristram e de la reïne,
8 De lur amur ki tant fu fine,
Dunt il eurent meinte dolur,
Puis en mururent en un jur.
Li reis Marks esteit curucié,
12 Vers Tristram sun nevuz irié ;
De sa tere le cungea
Pur la reïne qu'il ama.
En sa cuntree en est alez,
16 En Suhtwales u il fu nez.
Un an demurat tut entier,
Ne pot ariere repeirier ;
Mes puis se mist en abandun
20 De mort e de destructïun.
Ne vus esmerveilliez neënt,
Kar cil ki eime lealment
Mut est dolenz e trespensez
24 Quant il nen ad ses volentez.

LE CHÈVREFEUILLE

J'ai l'intention et il me plaît beaucoup de vous dire l'histoire vraie du lai qu'on appelle *Le Chèvrefeuille,* comment il fut composé, son sujet et son origine. Plusieurs m'ont raconté, et je l'ai trouvée écrite dans un livre, l'histoire de Tristan et de la reine, de leur amour qui fut si parfait et qui fut pour eux la cause de tant de souffrances dont ils moururent le même jour.

Le roi Marc était plein de colère et d'indignation contre Tristan, son neveu. Il le bannit de sa terre à cause de son amour pour la reine. Tristan regagna son pays, le Sud du pays de Galles, où il était né. Il y demeura un an entier, avec l'interdiction de revenir. Dès lors il s'exposa aux pires dangers et à la mort. Ne vous étonnez pas, car qui aime loyalement est plongé dans la douleur et l'anxiété, quand ses désirs ne sont pas satisfaits.

Tristram est dolent e pensis,
Pur ceo s'esmut de sun païs.
En Cornuaille vait tut dreit
28 La u la reïne maneit.
En la forest tut sul se mist :
Ne voleit pas que hum le veïst.
En la vespree s'en eisseit,
32 Quant tens de herberger esteit.
Od païsanz, od povre gent,
Perneit la nuit herbergement ;
Les noveles lur enquereit
36 Del rei cum il se cunteneit.
Ceo li diënt qu'il unt oï
Que li barun erent bani,
A Tintagel deivent venir :
40 Li reis i veolt sa curt tenir ;
A Pentecuste i serunt tuit,
[172 b] Mut i avra joie e deduit,
E la reïnë i sera.
44 Tristram l'oï, mut se haita :
Ele n'i purrat mie aler
K'il ne la veie trespasser.
Le jur que li rei fu meüz,
48 Tristram est el bois revenuz.
Sur le chemin quë il saveit
Que la rute passer deveit,
Une codre trencha par mi,
52 Tute quarreie la fendi.
Quant il ad paré le bastun,
De sun cutel escrit sun nun.
Se la reïne s'aparceit,
56 Ki mut grant garde s'en perneit —
Autre feiz li fu avenu
Que si l'aveit aperceü —
De sun ami bien conustra
60 Le bastun, quant el le verra.
Ceo fu la summe de l'escrit
Qu'il li aveit mandé e dit
Que lunges ot ilec esté
64 E atendu e surjurné

Tristan était sombre et pensif ; aussi quitta-t-il son pays et se rendit-il tout droit en Cornouailles où demeurait la reine. Il s'engagea tout seul dans la forêt, désirant échapper à tous les regards. Il en sortait le soir, quand venait le moment de trouver un abri. Il passait la nuit sous le toit des paysans, des pauvres gens, il leur demandait des nouvelles du roi, de ses faits et gestes. Ils lui dirent que les barons, à ce qu'ils avaient appris, étaient convoqués par un ban et devaient se rendre à Tintagel : le roi désirait tenir sa cour, ils y seraient tous à la Pentecôte[1], il y aurait liesse et réjouissances et la reine accompagnerait le roi.

À cette nouvelle, Tristan est rempli de joie : la reine ne s'y rendra pas sans qu'il la voie passer. Le jour où le roi se met en route, Tristan revient dans la forêt, sur le chemin où il sait que doit passer le cortège. Il coupe par le milieu une branche de coudrier, il l'équarrit et quand il a préparé le bâton de son couteau, il y grave son nom : si la reine le remarque — et elle était attentive à ce genre de signal, plusieurs fois elle y avait prêté attention[2] —, elle reconnaîtra facilement le bâton de son amant, quand elle le verra. Tout ce que disait le message de Tristan tenait en ceci[3] : depuis longtemps il ne quittait pas ces lieux, il attendait,

Pur espïer e pur saver
Coment il la peüst veer,
Kar ne poeit vivre sanz li.
68 D'euls deus fu il tut autresi
Cume del chievrefoil esteit
Ki a la codre se perneit :
Quant il s'i est laciez e pris
72 E tut entur le fust s'est mis,
Ensemble poënt bien durer,
Mes ki puis les voelt desevrer,
Li codres muert hastivement
76 E li chievrefoil ensement.
[172 c] « Bele amie, si est de nus :
Ne vus sanz mei, ne jeo sanz vus. »

La reïne vait chevachant.
80 Ele esgardat tut un pendant,
Le bastun vit, bien l'aparceut,
Tutes les lettres i conut.
Les chevaliers ki la menoent
84 E ki ensemble od li erroent
Cumanda tuz a arester :
Descendre voet e resposer.
Cil unt fait sun commandement.
88 Ele s'en vet luinz de sa gent ;
Sa meschine apelat a sei,
Brenguein, ki mut ot bone fei.
Del chemin un poi s'esluina,
92 Dedenz le bois celui trova
Que plus amot que rien vivant :
Entre eus meinent joie mut grant.
A li parlat tut a leisir
96 E ele li dit sun pleisir ;
Puis li mustra cumfaitement
Del rei avrat acordement,
E que mut li aveit pesé
100 De ceo qu'il l'ot si cungeé :
Par encusement l'aveit fait.

épiant et cherchant le moyen de la voir, car il ne pouvait pas vivre sans elle. Il en était d'eux comme du chèvrefeuille qui s'attache au coudrier : quand une fois il s'y est attaché et enlacé et qu'il s'est enroulé autour de la tige, ils peuvent vivre longtemps ensemble ; mais si l'on veut les séparer, le coudrier meurt bien vite, et le chèvrefeuille aussi. « Belle amie, ainsi en est-il de nous : ni vous sans moi, ni moi sans vous. »

La reine allait à cheval, elle regarda le chemin en pente, elle aperçut et vit bien le bâton et distingua toutes les lettres. Elle ordonna aux chevaliers qui la conduisaient et qui cheminaient avec elle de s'arrêter : elle voulait descendre de cheval et se reposer. Ils obéirent à ses ordres. Elle s'éloigna alors de sa suite, appela sa servante, Brangien, qui lui était entièrement dévouée ; elle se mit un peu à l'écart du chemin et retrouva dans la forêt celui qu'elle aimait plus que tout au monde. Tous deux se laissèrent aller à la joie. Il lui parla tout à loisir et elle lui ouvrit sans détours son cœur. Puis elle lui indiqua comment se réconcilier avec le roi et combien elle avait eu de la peine, quand le roi l'avait congédié : il l'avait fait à la suite d'une accusation.

A tant s'en part, sun ami lait.
Mes quant ceo vint al desevrer,
104 Dunc comencierent a plurer.
Tristram en Wales s'en rala
Tant que sis uncles le manda.

Pur la joie qu'il ot eüe
108 De s'amie qu'il ot veüe
E pur ceo k'il aveit escrit
Si cum la reïne l'ot dit,
Pur les paroles remembrer,
[172 d] Tristram, ki bien saveit harper,
113 En aveit fet un nuvel lai ;
Asez brefment le numerai :
Gotelef l'apelent Engleis,
116 *Chievrefoil* le nument Franceis.
Dit vus en ai la verité
Del lai que j'ai ici cunté.

Alors elle le quitta, laissant là son ami ; mais au moment de la séparation, ils ne purent retenir leurs larmes. Tristan s'en retourna en Galles et y resta jusqu'à ce que son oncle le rappelât.

Pour la joie qu'il avait eue de revoir son amie et pour garder le souvenir de son message dans les termes où la reine l'avait lu, Tristan, le bon harpeur, en fit un nouveau lai. Je le nommerai d'un mot : *Gotelef* l'appellent les Anglais, les Français lui donnent le nom de *Chèvrefeuille.* Je vous ai dit la véritable histoire du lai que je vous ai ici conté.

ELIDUC

D'un mut ancïen lai bretun
Le cunte e tute la reisun
Vus dirai, si cum jeo entent
4 La verité, mun escïent.

En Bretaine ot un chevalier
Pruz e curteis, hardi et fier ;
Elidus ot nun, ceo m'est vis.
8 N'ot si vaillant hume el païs.
Femme ot espuse, noble e sage,
De haute gent, de grant parage.
Ensemble furent lungement,
12 Mut s'entreamerent lëaument.
Mes puis avint par une guere
Que il alat soudees quere ;
Iloc ama une meschine,
16 Fille ert a rei e a reïne.
Guilliadun ot nun la pucele,
El rëaume nen ot plus bele.
La femme resteit apelee
20 Guileluëc en sa cuntree.
D'eles deus ad li lai a nun
Guildeluëc ha Guilliadun.
Elidus fu primes nomez,
24 Mes ore est li nuns remuez,

ÉLIDUC

Je vais vous expliquer[1] l'histoire d'un très ancien lai breton et vous en dire toute la vérité que j'en sais.

Il était en Bretagne un chevalier preux et courtois, hardi et fier. Il s'appelait Éliduc, je crois. Il n'était pas d'homme aussi vaillant au pays. Il avait pour épouse une femme noble et sage, de très haut lignage, d'une prestigieuse famille. Ils vécurent longtemps ensemble, s'aimèrent d'un amour fidèle. Puis Éliduc partit à la suite d'une guerre offrir ses services. Il s'éprit là d'une jeune fille, fille d'un roi et d'une reine ; la pucelle se nommait Guilliadon, il n'en était pas de plus belle dans le royaume. La femme du chevalier était appelée Guildeluec en son pays : c'est d'elles deux que le lai tire son nom, *Guildeluec et Guilliadon ;* il fut d'abord appelé *Éliduc,* mais aujourd'hui il a changé de nom,

Kar des dames est avenu
L'aventure dunt li lais fu
Si cum avint vus cunterai,
28 La verité vus en dirrai.

[173 a] Elidus aveit un seignur,
Reis de Brutaine la Meinur,
Ki mut l'amot e cherisseit,
32 E il lëaument le serveit.
U que li reis deüst errer,
Il aveit la tere a garder.
Pur sa pruësce le retint.
36 Pur tant de mieuz mut li avint :
Par les forez poeit chacier ;
N'i ot si hardi forestier
Ki cuntredire l'en osast
40 Ne ja une feiz en grusçast.
Pur l'envie del bien de lui,
Si cum avient sovent d'autrui,
Esteit a sun seignur medlez
44 E empeirez e encusez,
Que de la curt le cungea
Sanz ceo qu'il ne l'areisuna.
Eliducs ne saveit pur quei ;
48 Soventefeiz requist le rei
Qu'il escundit de lui preïst
E que losenge ne creïst :
Mut l'aveit volentiers servi !
52 Mes li rei ne li respundi.
Quant il nel volt de rien oïr,
Si l'en covint idunc partir.
A sa mesun en est alez,
56 Si ad tuz ses amis mandez ;
Del rei sun seignur lur mustra
E de l'ire que vers lui a.
« Mut li servi a sun poeir,
60 Ja ne deüst maugré aveir.
Li vileins dit par repruver,
Quant tencë a sun charuier,
Que amur de seignur n'est pas fiez.

car les dames sont les héroïnes de l'aventure qui est le sujet du lai, comme je vais vous le raconter en disant toute la vérité.

Éliduc avait pour seigneur le roi de la Petite Bretagne qui l'aimait et l'appréciait beaucoup, et il le servait loyalement. Où que le roi dût se rendre, il avait la garde du royaume ; le roi le retenait auprès de lui pour sa prouesse et Éliduc n'en tirait que des avantages : il avait le privilège de chasser dans les forêts ; aucun forestier n'était assez hardi pour oser s'y opposer ou même protester. Mais l'envie que soulevait son bonheur fit, comme il arrive souvent à d'autres, qu'il fut décrié, calomnié et accusé auprès de son seigneur qui le bannit de sa cour, sans même daigner l'entendre. Éliduc en ignorait les raisons. À plusieurs reprises il pria le roi de le laisser se justifier et de ne pas croire les bruits mensongers : il l'avait servi de grand cœur ! Mais le roi ne lui répondit pas.

Puisque le roi ne voulait rien entendre, Éliduc se retira chez lui et convoqua tous ses amis, il les informa des mauvais sentiments du roi, son seigneur, à son égard : « Je l'ai servi cependant de mon mieux, je ne mérite pas son ingratitude. Le vilain dit dans son proverbe, quand il gronde son valet, la faveur du seigneur n'est pas un fief[2]. »

[173 b] Cil est sages e vedzïez
65 Ki lëauté tient sun seignur,
Envers ses bons veisins amur.
Ne voelt el païs arester,
68 Ainz passera, ceo dit, la mer.
El rëaume de Logre ira,
Une piece se deduira.
Sa femme en la tere larra ;
72 A ses hummes cumandera
Que il la gardent lëaument
E tuit si ami ensement. »
A cel cunseil s'est arestez,
76 Si s'est richement aturnez.
Mut furent dolent si ami
Pur ceo ke de eus se departi.
Dis chevalers od sei mena,
80 E sa femme le cunvea.
Forment demeine grant dolur
Al departir de sun seignur ;
Mes il l'aseürat de sei
84 Qu'il li porterat bone fei.
De li se departi a tant.
Il tient sun chemin tut avant,
A la mer vient, si est passez,
88 En Toteneis est arivez.

Plusurs reis i ot en la tere,
Entre eus eurent estrif e guere.
Vers Excestrë, en cel païs,
92 Maneit un hum mut poëstis.
Vieuz hum e auncïen esteit ;
Karnel heir madle nen aveit.
Une fille ot a marïer.
96 Pur ceo k'il ne la volt doner
A un suen per, sil guerrïot,
Tute sa tere li gastot.
[173 c] En un chastel l'aveit enclos.
100 N'ot el chastel hume si os
Ki cuntre lui osast eissir,
Estur ne mellee tenir.

Toutefois est sage et avisé celui qui se conduit loyalement avec son seigneur et maintient de bons rapports avec ses voisins.

Éliduc ne voulut pas demeurer plus longtemps dans le pays : il passera la mer, se dit-il, et gagnera le royaume de Logres, il y vivra quelque temps, en laissant sa femme dans sa terre, il recommandera à ses vassaux de veiller loyalement sur elle, ainsi qu'à ses amis. Il s'arrêta à cette décision et s'équipa richement. Ses amis étaient consternés de son départ. Il emmena avec lui dix chevaliers, sa femme l'accompagna, en proie à une grande douleur au moment de la séparation ; mais il lui promit de lui rester fidèle. Alors il la quitta ; il poursuivit son chemin, arriva à la mer, fit la traversée et débarqua à Totness[3].

Plusieurs rois dans cette terre étaient en lutte et en guerre les uns contre les autres. Dans le pays, près d'Exeter, demeurait un très puissant seigneur, homme d'âge respectable. Il n'avait pas d'héritier mâle, mais une fille à marier. Parce qu'il refusait de la donner à l'un de ses pairs, celui-ci lui faisait la guerre et dévastait toute sa terre ; il l'avait assiégé dans un château et aucun des hommes du château n'osait faire une sortie contre lui ni l'affronter dans une bataille ou une mêlée.

Elidus en oï parler,
104 Ne voleit mes avant aler ;
Quant iloc ad guere trovee,
Remaner voelt en la cuntree.
Le rei ki plus esteit grevez
108 E damagiez e encumbrez
Vodrat aider a sun poeir
E en soudees remaneir.
Ses messages i enveia
112 E par ses lettres li manda
Que de sun païs iert eissuz
E en s'aïe esteit venuz ;
Mes li remandast sun pleisir,
116 E s'il nel voleit retenir,
Cunduit li donast par sa tere :
Avant ireit soudees quere.
Quant li reis vit les messagers,
120 Mut les ama e les ot chers.
Sun cunestable ad apelé
E hastivement comandé
Que cunduit li appareillast
124 E ke le barun amenast ;
Si face osteus appareiller
U il puïssent herberger ;
Tant lur face livrer e rendre
128 Cum il vodrunt le meis despendre.
Li cunduit fu appareillez
E pur Eliduc enveiez.
A grant honur fu receüz :
132 Mut par fu bien al rei venuz.
Sun ostel fu chiés un burgeis,
[173 d] Ki mut fu sagë e curteis.
Sa bele chambre encurtinee
136 Li ad li ostes delivree.
Eliduc se fist bien servir ;
A sun mangier feseit venir
Les chevaliers mesaeisiez
140 Ki el burc erent herbergiez.

Éliduc en entendit parler ; il ne voulut pas aller plus loin, puisqu'il avait trouvé là l'occasion de faire la guerre. Il décida de rester dans le pays, avec l'intention d'aider de toutes ses forces le roi en fâcheuse posture, victime des pires ravages, et de se mettre à son service. Il lui envoya des messagers et lui manda par lettres qu'il avait quitté son pays pour venir à son secours. Le roi devait en retour lui faire connaître sa volonté et, s'il ne désirait pas le retenir, lui donner un guide pour traverser ses terres : il continuerait sa route pour proposer ailleurs ses services.

Quand le roi vit les messagers, il leur montra son affection et son estime. Il appela son connétable et lui ordonna sur-le-champ de prévoir une escorte pour lui amener le chevalier, de faire préparer des logements pour les recevoir, de leur donner autant qu'ils voudront dépenser tout au long du mois. On réunit l'escorte et on l'envoya à Éliduc qui fut reçu avec de grands honneurs ; sa venue causa un immense plaisir au roi. Il eut son logement chez un bourgeois[4], fort sage et courtois ; son hôte lui aménagea une belle chambre garnie de tentures. Éliduc se fit bien servir ; il invita à sa table les chevaliers démunis qui logeaient dans le bourg.

A tuz ses hummes defendi
Que n'i eüst nul si hardi
Que des quarante jurs primiers
144 Preïst livreisun ne deniers.

Al tierz jur qu'il ot surjurné,
Li criz leva en la cité
Que lur enemi sunt venu
148 E par la cuntree espandu :
Ja vodrunt la vile asaillir
E de si k'as portes venir.
Elidus ad la noise oïe
152 De la gent ki est esturdie.
Il s'est armez, plus n'i atent,
E si cumpainuns ensement.
Quatorze chevalers muntant
156 Ot en la vile surjurnant ;
Plusurs en i aveit nafrez
E des prisuns i ot asez.
Cil virent Eliduc munter.
160 Par les osteus se vunt armer ;
Fors de la porte od lui eissirent
Que sumunse n'i atendirent.
« Sire, funt il, od vus irum
164 E ceo que vus ferez ferum. »
Il lur respunt : « Vostre merci !
Avreit il nul de vus ici
Ki maupas u destreit seüst
168 U l'um encumbrer les peüst ?
[174 a] Si nus ici les atendums,
Peot cel estre, nus justerums ;
Mes ceo n'ateint a nul espleit,
172 Ki autre cunseil en savreit. »
Cil li diënt : « Sire, par fei,
Pres de cel bois, en cel ristei,
La ad une estreite charriere
176 Par unt il repeirent ariere.
Quant il avrunt fet lur eschec,
Si returnerunt par ilec ;
Desarmez sur lur palefrez
180 S'en revunt il soventefez :

Il défendit à tous ses hommes d'accepter, pendant les quarante premiers jours, des vivres ou de l'argent.

Le troisième jour de son séjour, le cri s'éleva dans la cité que les ennemis étaient là et s'étaient répandus dans la contrée ; ils voulaient prendre d'assaut la ville et venir jusqu'aux portes. Éliduc entendit le tumulte des gens frappés de stupeur ; il s'arma sans attendre, ainsi que ses compagnons. Il y avait dans la ville quatorze chevaliers disposant d'une monture (mais aussi plusieurs blessés et de nombreux prisonniers). Voyant Éliduc monter à cheval, ils allèrent s'armer dans leurs logis, sortirent avec lui par la porte, sans attendre d'ordre. « Seigneur, dirent-ils, nous irons avec vous et nous ferons ce que vous ferez. » Il leur répondit : « Je vous remercie. Y en a-t-il un parmi vous qui connaisse un passage difficile ou un défilé où l'on puisse les surprendre ? Si nous les attendons ici, nous engagerons sans doute le combat, mais nous n'y aurons pas l'avantage. Quelqu'un proposerait-il une autre tactique ? » Ils lui dirent : « Seigneur, ma foi, près de ce bois, en ce champ de lin, il est un étroit chemin par lequel ils se replient. Quand ils auront fait leur butin, ils s'en reviendront par là : sans armes, sur leurs palefrois ils y passent souvent.

Ki se mettreit en aventure
Cume de murir a dreiture
Bien tost les purreit damagier
184 E eus laidir e empeirier. »
Elidus lur ad dit : « Amis,
La meie fei vus en plevis,
Ki en tel liu ne va suvent
188 U quide perdre a escïent
Ja gueres ne gaainera
Ne en grant pris ne muntera.
Vus estes tuz hummes le rei,
192 Si li devez porter grant fei.
Venez od mei la u j'irai,
Si fetes ceo que jeo ferai.
Jo vus asseür lëaument,
196 Ja n'i avrez encumbrement,
Pur tant cume jo puis aidier.
Si nus poüm rien gaainier,
Ceo nus iert turné a grant pris
200 De damagier noz enemis. »
Icil unt pris la seürté,
Si l'unt de si que al bois mené.
Pres del chemin sunt enbuschié,
[174 b] Tant que cil se sunt repeirié.
205 Elidus lur ad tut mustré
E enseignié e devisé
De queil manere a eus puindrunt
208 E cum il les escrïerunt.
Quant al destreit furent entrez,
Eliduc les ad escriez ;
Tuz apela ses cumpainuns,
212 De bien faire les ad sumuns.
Il i ferirent durement
Ne nes esparnierent nïent.
Cil esteient tut esbaï :
216 Tost furent rut e departi,
En poi de hure furent vencu.
Lur cunestable unt retenu
E tant des autres chevaliers,
220 Tut en chargent lur esquïers ;

Qui prendrait le risque d'affronter la mort pourrait vite leur infliger défaite, pertes et dommages. « Amis, leur dit Éliduc, je vous en donne ma parole, qui ne tente sa chance de propos délibéré par crainte d'un insuccès ne fera jamais de grands gains et n'accroîtra pas beaucoup sa réputation. Vous êtes tous les vassaux du roi, vous devez lui faire preuve d'une entière fidélité. Venez avec moi là où j'irai et faites ce que je ferai. Je vous l'assure en toute bonne foi, vous n'y essuirez aucun échec. Avec l'aide que je puis vous apporter, si nous réussissons à obtenir quelque succès, cela nous vaudra une belle réputation d'infliger des pertes à nos ennemis. » Ils font crédit à sa parole et le mènent jusqu'au bois. Ils s'embusquent près du chemin jusqu'au retour de l'ennemi ; Éliduc leur explique avec précision comment ils chargeront sur eux et comment ils pousseront le cri de guerre.

Quand leurs adversaires furent entrés dans le défilé, Éliduc lança son cri de défi, appela tous ses compagnons, les exhorta à bien se comporter. Ils frappèrent fort, sans épargner personne. Les autres furent abasourdis, vite mis en débandade et en déroute ; en peu de temps ils furent vaincus. Éliduc et ses compagnons firent prisonniers leur connétable et tant d'autres chevaliers qu'ils remirent à leurs écuyers ;

Vint e cinc furent cil de ça,
Trente en pristrent de ceux de la.
Del herneis pristrent a grant hait :
224 Merveillus gaain i unt feit.
Ariere s'en revunt tut lié :
Mut aveient bien espleitié !

Li reis esteit sur une tur.
228 De ses hummes ad grant poür,
De Eliduc forment se pleigneit,
Kar il quidout e si cremeit
Quë il eit mis en abandun
232 Ses chevaliers par traïsun.
Cil s'en vienent tut aruté
E tut chargié e tut trussé.
Mut furent plus al revenir
236 Qu'il n'esteient al fors eissir ;
Par ceo les descunut li reis,
Si fu en dute e en suspeis.
[174 c] Les portes cumande a fermer
240 E les genz sur les murs munter
Pur traire a eus e pur lancier.
Mes il n'en avrunt nul mester ;
Cil eurent enveié avant
244 Un esquïer esperunant,
Ki l'aventure lur mustra
E del soudeür li cunta
Cum il ot ceus de la vencuz
248 E cum il s'esteit cuntenuz.
Unques teu chevalier ne fu !
Lur cunestable ad retenu
E vint e noef des autres pris,
252 E muz nafrez e muz ocis.
Li reis, quant la novele oï,
A merveille s'en esjoï.
Jus de la tur est descenduz
256 E encuntre Eliduc venuz.
De sun bienfait le mercïa,
E il les prisuns li livra ;
As autres depart le herneis.

à vingt-cinq qu'ils étaient ils en capturèrent trente du camp adverse ; ils s'emparèrent d'un important matériel, firent un énorme butin et revinrent tout joyeux de leur succès.

Le roi était sur une tour ; il craignait fort pour ses hommes et critiquait vivement Éliduc, pensant et redoutant qu'il eût trahi ses chevaliers en les exposant au danger. Mais ils arrivent en belle troupe, tout chargés et encombrés de leur butin ; ils sont à leur retour bien plus nombreux qu'à leur départ, aussi le roi ne les reconnaît-il pas, plein de soupçon et de méfiance. Il ordonne de fermer les portes et à ses gens de monter sur les remparts pour tirer sur eux et leur lancer des projectiles. Mais ils n'auront pas besoin de le faire : les vainqueurs ont déjà envoyé un écuyer, piquant des deux, pour conter l'aventure et dire au roi comment son capitaine a remporté la victoire et comment il s'est comporté : il n'y eut jamais un pareil chevalier ! Il a fait prisonnier le connétable et pris vingt-neuf autres combattants, il en a blessé et tué un grand nombre.

Quand le roi apprend la nouvelle, il en est transporté de joie. Il descend de la tour et va à la rencontre d'Éliduc, le remerciant de son exploit. Éliduc lui livre les prisonniers et partage le butin des équipements entre les autres ;

260 A sun eos ne retient que treis
Chevals ki li erent loé ;
Tut ad departi e duné
La sue part communement
264 As prisuns e a l'autre gent.

Aprés cel fet que jeo vus di,
Mut l'amat li reis e cheri.
Un an entier l'ad retenu
268 E ceus ki sunt od lui venu.
La fiance de lui en prist,
De sa tere gardein en fist.

Eliduc fu curteis e sage,
272 Beau chevalers e pruz e large.
La fille al rei l'oï numer
[174 d] E les biens de lui recunter.
Par un suen chamberlenc privé
276 L'ad requis, prié e mandé
Que a li venist esbanïer
E parler e bien acuinter :
Mut durement s'esmerveillot
280 Quë il a li ne repeirot.
Eliduc respunt qu'il irrat,
Volenters s'i acuinterat.
Il est munté sur sun destrier,
284 Od lui mena un chevalier ;
A la pucele veit parler.
Quant en la chambre dut entrer,
Le chamberlenc enveie avant,
288 E il s'alat aukes targant
De ci que cil revint ariere.
Od duz semblant, od simple chere,
Od mut noble cuntenement
292 Parla mut afeitieement
E mercïat la dameisele
Guillïadun, ki mut fu bele,
De ceo que li plot a mander
296 Que il venist a li parler.

il ne garde pour lui que trois chevaux qu'on lui avait réservés ; sa part de butin à lui, il la partagea et en fit don aux prisonniers et aux autres combattants. À la suite des événements que je vous relate, le roi lui témoigna estime et affection. Il le retint une année entière avec ses compagnons, lui fit prêter serment de fidélité et fit de lui le gardien de sa terre.

Courtois et sage, Éliduc était un beau chevalier, vaillant et généreux. La fille du roi entendit prononcer son nom et raconter ses mérites. Par un de ses chambellans familiers elle lui envoya un message et le pria de venir lui parler, de la distraire et de faire sa connaissance : elle s'étonnait de ne pas avoir reçu sa visite. Éliduc répondit qu'il irait et qu'il ferait volontiers sa connaissance. Il monta sur son destrier, emmenant avec lui un chevalier, et alla s'entretenir avec la jeune fille. Sur le point d'entrer dans la chambre il envoya le chambellan pour l'annoncer et ralentit ses pas jusqu'au retour de celui-ci.

D'un air doux et affable, avec noblesse, en des termes choisis il remercie Guilliadon, la belle demoiselle, de l'avoir invité à venir lui parler.

Cele l'aveit par la mein pris,
Desur un lit erent asis.
De plusurs choses unt parlé.
300 Icele l'ad mut esgardé,
Sun vis, sun cors e sun semblant ;
Dit en lui n'at mesavenant,
Forment le prise en sun curage.
304 Amurs i lance sun message
Ki la somunt de lui amer,
Palir la fist e suspirer ;
Mes ne l'en volt mettre a reisun,
308 Qu'il ne li turt a mesprisun.
[175 a] Une grant piece i demura,
Puis prist cungé, si s'en ala ;
El li duna mut a enviz,
312 Mes nepurquant s'en est partiz.
A sun ostel s'en est alez.
Tut est murnes e trespensez,
Pur la belë est en effrei,
316 La fille sun seignur le rei,
Ki tant ducement l'apela
E de ceo ke ele suspira.
Mut par se tient a entrepris
320 Que tant ad esté el païs
Que ne l'ad veüe sovent.
Quant ceo ot dit, si se repent :
De sa femme li remembra
324 E cum il li asseüra
Que bone fei li portereit
E lëaument se cuntendreit.

La pucele ki l'ot veü
328 Vodra de lui fere sun dru :
Unques mes tant nul ne preisa.
Si ele peot, sil retendra.
Tute la nuit veillat issi,
332 Ne reposa ne ne dormi.
Ell demain est matin levee,
A une fenestre est alee ;
Sun chamberlenc ad apelé,
336 Tut sun estre li ad mustré :

Elle le prend par la main et ils s'assoient sur un lit, ils s'entretiennent de choses et d'autres. La jeune fille ne détache pas ses regards de son visage, de sa personne, de ses belles manières ; elle se dit qu'en lui il n'y a rien pour lui déplaire et elle l'estime au fond de son cœur. Amour lui lance son message qui la contraint à l'aimer ; il la fait pâlir et soupirer, mais elle ne veut pas lui en parler la première, de peur de s'attirer son mépris. Éliduc reste là un long moment, puis il prend congé et s'en va ; elle lui donne son congé à regret, mais se résigne à le voir partir. Éliduc gagne son logis, morne et abattu, troublé par la belle demoiselle, la fille du roi, son seigneur, par son tendre appel et par ses soupirs. Il se juge malheureux d'avoir si longtemps été dans le pays sans l'avoir vue plus souvent. Mais après ces réflexions il se reprend : il lui souvient de sa femme, des promesses qu'il lui a faites de sa fidélité et d'une loyale conduite.

La jeune fille qui l'a distingué veut faire de lui son ami ; jamais elle n'a eu pareille estime pour un homme : si elle peut, elle le retiendra auprès d'elle. Elle reste ainsi éveillée toute la nuit, sans repos ni sommeil. Le lendemain matin elle se lève, va à une fenêtre, appelle son chambellan et le met au courant.

« Par fei, fet ele, mal m'esteit,
Jo sui cheüe en malvés pleit !
Jeo eim le novel soudeer,
340 Eliduc, le bon chevaler.
Unques anuit nen oi repos
Ne pur dormir les oilz ne clos.
Si par amur me veut amer
[175 b] E de sun cors asseürer,
345 Jeo ferai trestut sun pleisir ;
Si l'en peot grant bien avenir :
De ceste tere serat reis.
348 Tant par est sages e curteis
Que, s'il ne m'aime par amur,
Murir m'estuet a grant dolur. »
Quant ele ot dit ceo ke li plot,
352 Li chamberlenc que ele apelot
Li ad duné cunseil leal :
Ne li deit hum turner a mal.
« Dame, fet il, quant vus l'amez,
356 Enveez i, si li mandez ;
Ceinturë u laz u anel
Enveiez li, si li ert bel.
Si il le receit bonement
360 E joius seit del mandement,
Seüre seez de s'amur.
Il n'ad suz ciel empereür,
Si vus amer le volïez,
364 Ki mut n'en deüst estre liez. »
La dameisele respundi,
Quant le cunseil de lui oï :
« Coment savrai par mun present
368 S'il ad de mei amer talent ?
Jeo ne vi unques chevalier
Ki se feïst de ceo preier,
Si il amast u il haïst,
372 Que volenters ne retenist
Cel present ke hum li enveast.
Mut harreie k'il me gabast.
Mes nepurquant par le semblant
376 Peot l'um conustre lui alquant.

« Ma foi, dit-elle, je me suis mise dans une mauvaise situation : j'aime le nouveau guerrier, Éliduc, le bon chevalier ; je n'ai pas connu le repos cette nuit et je n'ai pas fermé l'œil pour dormir. S'il consent à m'aimer d'amour et à m'assurer de sa fidélité, je ferai tout ce qui lui plaira ; il peut en espérer un grand avantage, il sera roi de cette terre. Il est si sage et si courtois que s'il n'a pas d'amour pour moi, il ne me reste qu'à mourir de chagrin. »

Quand elle eut dit ce qu'elle avait sur le cœur, le chambellan à qui elle avait fait appel lui donna un conseil loyal : elle n'encourrait pour autant aucun reproche. « Dame, fait-il, puisque vous l'aimez, envoyez-lui un message, une ceinture, un lacet ou un anneau, comme il vous plaira. S'il est content de le recevoir et s'il se réjouit de votre envoi, soyez sûre de son amour ; tout empereur sur terre serait heureux d'avoir le vôtre. »

Après avoir entendu ce conseil, la demoiselle répondit : « Comment saurai-je par mon cadeau s'il a envie de m'aimer ? Je n'ai jamais vu un chevalier, qu'il soit amoureux ou non, se faire prier pour recevoir un cadeau qu'on lui offre. Je serais furieuse, s'il se moquait de moi, mais la mine des gens permet de les connaître.

Aturnez vus e s'il alez !
— Jeo sui, fet il, tut aturnez.
[175 c] — Un anel de or li porterez
380 E ma ceinture li durez.
Mil feiz le me saluërez. »
Li chamberlenc s'en est turnez.
Ele remeint en teu manere,
384 Pur poi ne l'apelet arere,
E nekedent le lait aler.
Si se cumence a dementer :
« Lasse ! cum est mis quors suspris
388 Pur un humme de autre païs !
Ne sai s'il est de haute gent,
Si s'en irat hastivement,
Jeo remeindrai cume dolente.
392 Folement ai mise m'entente !
Unques mes n'i parlai fors ier
E or le faz de amer preier !
Jeo quid kë il me blamera ;
396 S'il est curteis, gré me savra.
Ore est del tut en aventure !
E si il n'ad de m'amur cure,
Mut me tendrai a maubaillie :
400 Jamés n'avrai joie en ma vie. »

Tant cum ele se dementa,
Li chamberlenc mut se hasta.
A Eliduc esteit venuz.
404 A cunseil li ad dit saluz
Que la pucele li mandot,
E l'anelet li presentot ;
La ceinture li ad donee.
408 Li chevalier l'ad mercïee,
L'anelet d'or mist en sun dei,
La ceinture ceinst entur sei ;
Ne li vadlet plus ne li dist
412 Ne il nïent ne li requist
Fors tant que del suen li offri.
[175 d] Cil n'en prist rien, si est parti.

Préparez-vous et allez le trouver. — Je suis tout prêt, dit-il. — Vous lui porterez un anneau d'or et vous lui donnerez ma ceinture, en le saluant mille fois de ma part. »

Le chambellan s'éloigne et elle reste seule ; elle est sur le point de le rappeler, mais finalement le laisse aller. Elle se met alors à se lamenter : « Hélas, comme mon cœur est épris d'un étranger ! Je ne sais s'il est de noble famille ; il s'en ira bientôt et je resterai avec ma peine. C'est folie d'avoir pensé à lui ! Je ne lui ai parlé qu'hier et maintenant je lui fais adresser une requête d'amour ! Je crois bien qu'il me blâmera, mais s'il est courtois, il m'en saura gré. À présent le sort en est jeté. S'il reste indifférent à mon amour, je m'estimerai bien malheureuse, jamais je n'aurai plus de joie dans ma vie. »

Tandis qu'elle se désolait, le chambellan pressait le pas. Arrivé chez Éliduc, il lui transmet les salutations de la demoiselle, il lui présente l'anneau et lui donne la ceinture. Le chevalier le remercie, il met le petit anneau d'or à son doigt et la ceinture autour de sa taille. Le serviteur ne lui dit rien de plus et Éliduc ne lui demande rien non plus, se contentant de lui faire un don de sa bourse. Mais le chambellan n'accepte rien et se retire.

A sa dameisele reva,
416 Dedenz sa chambre la trova ;
De part celui la salua
E del present la mercïa.
« Diva, fet el, nel me celer !
420 Veut il mei par amurs amer ? »
Il li respunt : « Ceo m'est avis,
Li chevaliers n'est pas jolis ;
Jeol tienc a curteis e a sage,
424 Que bien seit celer sun curage.
De vostre part le saluai
E voz aveirs li presentai ;
De vostre ceinture se ceinst,
428 Par mi les flancs bien s'en estreinst,
E l'anelet mist en sun dei.
Ne li dis plus ne il a mei.
— Nel receut il pur druërie ?
432 Peot cel estre, jeo sui traïe ! »
Cil li ad dit : « Par fei, ne sai.
Ore oëz ceo ke jeo dirai :
S'il ne vus vosist mut grant bien,
436 Il ne vosist del vostre rien.
— Tu paroles, fet ele, en gas !
Jeo sai bien qu'il ne me heit pas :
Unc ne li forfis de nïent,
440 Fors tant que jeo l'aim durement ;
E si pur tant me veut haïr,
Dunc est il digne de murir.
Jamés par tei ne par autrui,
444 De si que jeo paroge a lui,
Ne li vodrai rien demander ;
Jeo meïsmes li voil mustrer
Cum l'amur de lui me destreint.
448 Mes jeo ne sai si il remeint. »
[176 a] Li chamberlenc ad respundu :
« Dame, li reis l'ad retenu
Desque a un an par serement
452 Qu'il li servirat lëaument.
Asez purrez aver leisir
De mustrer lui vostre pleisir. »

Il revient chez la demoiselle qu'il trouve dans sa chambre ; il la salue de la part d'Éliduc qui la remercie de son présent. « Allons, dit-elle, ne me cache rien ! Veut-il m'accorder son amour ? — Je le crois, lui répond-il. Ce chevalier n'est pas volage, je le trouve courtois et sage, il sait rester discret sur ses sentiments. Je l'ai salué de votre part et je lui ai présenté vos cadeaux, il a mis votre ceinture autour de sa taille, en la serrant bien, et à son doigt le petit anneau. C'est tout ce que nous nous sommes dit. — Ne les a-t-il pas reçus comme des gages d'amour ? Peut-être que je me suis trompée. — Ma foi, dit le chambellan, je ne sais pas. Mais écoutez bien ce que je vais vous dire : s'il ne vous voulait pas grand bien, il n'aurait rien accepté de vous. — Tu veux rire ! fait-elle. Je sais bien qu'il n'a aucune raison de me haïr ; je ne lui ai jamais fait d'autre tort que de l'aimer avec passion et si malgré tout il veut me détester, il mérite la mort. Jamais par ton intermédiaire ou celle d'un autre je ne lui demanderai rien, avant de lui avoir parlé. Je veux lui dire moi-même combien me tourmente l'amour que j'ai pour lui ; mais j'ignore s'il est dans le pays à demeure. — Dame, répond le chambellan, le roi l'a retenu pour une année en lui faisant prêter serment de le servir loyalement. Vous aurez tout loisir de lui ouvrir votre cœur. »

Quant ele oï qu'il remaneit,
456 Mut durement s'en esjoieit,
Mut esteit lee del sujur ;
Ne sot nïent de la dolur
U il esteit puis que il la vit.
460 Unques n'ot joie ne delit
Fors tant cum il pensa de li.
Mut se teneit a maubailli,
Kar a sa femme aveit premis,
464 Ainz qu'il turnast de sun païs,
Que il n'amereit si li nun.
Ore est sis quors en grant prisun !
Sa lëauté voleit garder,
468 Mes ne s'en peot nïent jeter
Que il nen eimt la dameisele,
Guillïadun ki tant fu bele,
De li veer e de parler
472 E de baiser e de acoler ;
Mes ja ne li querra amur
Ki li aturt a deshonur,
Tant pur sa femme garder fei,
476 Tant pur ceo qu'il est od le rei.
En grant peine fu Elidus.
Il est munté, ne targe plus,
Ses cumpainuns apele a sei,
480 Al chastel vet parler al rei.
La pucele verra s'il peot,
C'est l'acheisun pur quei s'esmeot.
Li reis est del mangier levez,
[176 b] Es chambres sa fille est entrez ;
485 As eschés cumence a juër
A un chevaler de utre mer ;
De l'autre part de l'escheker
488 Deveit sa fillë enseigner.
Elidus est alez avant ;
Le reis li fist mut bel semblant,
Dejuste lui seer le fist.
492 Sa fille apele, si li dist :

Quand elle apprit qu'il restait dans le pays, elle fut transportée de joie. Heureuse de ce séjour prolongé, elle ignorait tout de la souffrance qu'il endurait, depuis qu'il l'avait vue ; il n'avait de plaisir et de soulagement qu'à penser à elle, mais il se tenait pour bien malheureux, car il avait promis à sa femme, avant de quitter son pays, de n'aimer qu'elle. Et voilà son cœur prisonnier ! Il voulait rester fidèle, mais ne pouvait s'empêcher d'aimer la demoiselle, la belle Guilliadon, de désirer la voir, lui parler, l'embrasser, l'étreindre ; mais jamais il ne requerra d'elle un amour qui tourne à son déshonneur, tant pour rester fidèle à sa femme que parce qu'il est au service du roi.

Éliduc était dans un grand embarras. Il monta à cheval sans tarder davantage, appela ses compagnons et alla au château parler au roi ; il verra la demoiselle, s'il le peut, et dans cet espoir il se met en route. Le roi s'était levé de table et était rentré dans les appartements de sa fille ; il commençait une partie d'échecs avec un chevalier d'outre-mer placé en face de lui et qui voulait donner une leçon à sa fille, quand Éliduc s'avança vers lui. Le roi lui fit bonne figure, le fit asseoir près de lui, appela sa fille et lui dit :

« Dameisele, a cest chevaler
Vus devrïez bien aquinter
E fere lui mut grant honur :
496 Entre cinc cenz nen ad meillur ! »
Quant la meschine ot escuté
Ceo que sis sires ot cumandé,
Mut en fu lee la pucele.
500 Dresciё s'est, celui apele,
Luinz des autres se sunt asis.
Amdui erent de amur espris ;
El ne l'osot areisuner
504 E il dutë a li parler,
Fors tant ke il la mercïa
Del present que el li enveia :
Unques mes n'ot aveir si chier !
508 Ele respunt al chevalier
Que de ceo li esteit mut bel.
« Pur ceo li enveat l'anel
E la ceinturë autresi
512 Que de sun cors l'aveit seisi ;
Ele l'amat de tel amur,
De lui volt faire sun seignur.
E s'ele ne peot lui aveir,
516 Une chose sace de veir :
Jamés n'avra humme vivant.
Or li redie sun talant ! »
[176 c] « Dame, fet il, grant gré vus sai
520 De vostre amur, grant joie en ai ;
E quant vus tant me avez preisié,
Durement en dei estre lié.
Ne remeindrat pas endreit mei.
524 Un an sui remés od le rei,
La fiancë ad de mei prise.
N'en partirai en nule guise
De si que sa guere ait finee,
528 Puis m'en irai en ma cuntree,
Kar ne voil mie remaneir,
Si cungé puis de vus aveir. »
La pucele li respundi :
532 « Amis, la vostre grant merci !

« Demoiselle, vous devriez bien faire la connaissance de ce chevalier et le traiter avec grand honneur : sur cinq cents il n'y en a pas de meilleur. »

Quand la jeune fille eut entendu l'invitation de son père, elle en fut heureuse. Elle se leva, appela Éliduc et ils s'assirent à l'écart des autres. Tous les deux brûlaient d'amour, mais elle n'osait pas lui adresser la parole et lui aussi hésitait à parler, se bornant à la remercier du présent qu'elle lui avait envoyé : il n'en avait jamais eu de si précieux. Elle répondit au chevalier qu'elle en était contente, « si elle lui avait envoyé l'anneau et la ceinture, c'est parce qu'elle lui avait fait don de sa personne. Elle l'aimait d'un tel amour qu'elle voulait faire de lui son époux et si elle ne pouvait l'avoir, qu'il le sache bien, jamais elle n'épouserait un autre homme. À son tour de lui dire maintenant ses sentiments. — Dame, fait-il, je vous suis reconnaissant d'avoir votre amour et j'en suis au comble de la joie ; puisque vous m'avez tant estimé, je ne puis qu'en être heureux et je n'en ferai pas mystère. Je vais rester un an chez le roi, il en a reçu ma parole ; je ne le quitterai pas avant la fin de sa guerre, puis je rentrerai dans mon pays, car je n'ai pas l'intention de rester ici, si je puis obtenir de vous mon congé ». La jeune fille lui répond : « Ami, grand merci !

Tant estes sages e curteis,
Bien avrez purveü ainceis
Que vus vodrez fere de mei.
536 Sur tute rien vus aim e crei. »
Bien s'esteent aseüré.
A cele feiz n'unt plus parlé.
A sun ostel Eliduc vet,
540 Mut est joius, mut ad bien fet.
Sovent peot parler od s'amie,
Grant est entre eus la druërie.
Tant s'est de la guere entremis
544 Qu'il aveit retenu e pris
Celui ki le rei guerreia,
E tute la tere aquita.
Mut fu preisez pur sa pruësce,
548 Pur sun sen e pur sa largesce.
Mut li esteit bien avenu.

Dedenz le terme ke ceo fu,
Ses sires l'ot enveé quere
552 Treis messages fors de la tere.
Mut ert grevez e damagiez
[176 d] E encumbrez e empeiriez ;
Tuz ses chasteus alot perdant
556 E tute sa tere guastant.
Mut s'esteit sovent repentiz
Quë il de lui esteit partiz ;
Mal cunseil en aveit eü
560 E malement l'aveit creü.
Les traïturs ki l'encuserent
E empeirerent e medlerent
Aveit jeté fors del païs
564 E en eissil a tuz jurs mis.
Pur sun grant busuin le mandot
E sumuneit e conjurot,
Par l'alïance qu'il li fist
568 Quant il l'umage de lui prist,
Que s'en venist pur lui aider,
Kar mut en aveit grant mester.

Vous êtes assez sage et courtois pour avoir décidé d'ici là ce que vous voudrez faire de moi. Je vous aime plus que tout et j'ai confiance en vous. » Forts de cette certitude, ils n'en disent pas davantage pour cette fois. Éliduc regagne son logis, satisfait d'avoir bien agi. Il peut désormais parler avec son amie ; leur amour est profond. Il a si bien mené la guerre qu'il a capturé et fait prisonnier l'ennemi du roi et il a libéré tout le royaume. Il est estimé pour sa prouesse, pour sa sagesse et pour sa générosité. Tout lui a bien réussi.

Sur ces entrefaites, son seigneur l'envoya chercher par trois messagers : « il subissait de graves pertes et dommages, acculé et mis à mal ; il perdait l'un après l'autre tous ses châteaux et voyait toute sa terre ravagée. Il avait plus d'une fois regretté de s'être séparé d'Éliduc, on lui avait donné ce mauvais conseil et il avait eu le tort de le croire ; il avait chassé hors du pays et banni pour toujours les traîtres qui avaient accusé, dénigré et calomnié Éliduc ; aussi dans les moments difficiles qu'il traversait faisait-il appel à lui ; il l'exhortait et le conjurait au nom du serment prêté lors de l'hommage[5], de venir à son aide, car il en avait grand besoin ».

Eliduc oï la novele ;
572 Mut li pesa pur la pucele,
Kar anguissusement l'amot
E ele lui, ke plus ne pot.
Mes n'ot entre eus nule folie,
576 Jolivеté ne vileinie ;
De douneer e de parler
E de lur beaus aveirs doner
Esteit tute la druërie
580 Par amur en lur cumpainie.
Ceo fu s'entente e sun espeir :
El le quidot del tut aveir
E retenir s'ele peüst ;
584 Ne saveit pas que femme eüst.
« Allas, fet il, mal ai erré !
Trop ai en cest païs esté !
Mar vi unkes ceste cuntree !
588 Une meschine i ai amee,
[177 a] Guilliädun, la fille al rei,
Mut durement, e ele mei.
Quant si de li m'estuet partir,
592 Un de nus deus estuet murir,
U ambedeus, estre ceo peot.
E nepurquant aler m'esteot :
Mis sires m'ad par bref mandé
596 E par serement conjuré,
E de ma femme d'autre part
Or me covient que jeo me gart.
Jeo ne puis mie remaneir,
600 Ainz m'en irai par estuveir.
S'a m'amie esteie espusez,
Nel sufferreit crestïentez.
De tutes parz va malement.
604 Deu, tant est dur le partement !
Mes ki k'il turt a mesprisun,
Vers li ferai tuz jurs raisun :
Tute sa volenté ferai
608 E par sun cunseil errerai.
Li reis sis sires ad bone peis :
Ne quit que nul le guerreit meis.
Pur le busuin de mun seignur
612 Querrai cungé devant le jur

En apprenant la nouvelle, Éliduc en eut un profond chagrin pour la demoiselle qu'il aimait passionnément et qui de tout son cœur répondait à son amour. Ils n'avaient pas commis de folie, de dévergondage ou d'acte impudique ; leur liaison se limitait à de tendres entretiens, à des échanges de beaux cadeaux, à jouir de leur compagnie. Le seul désir et le seul espoir de la demoiselle était de l'avoir tout à elle, de le garder près d'elle, si elle le pouvait. Elle ne savait pas qu'il était marié. « Hélas, dit-il, j'ai mal agi, j'ai trop longtemps été dans ce pays, c'est pour mon malheur que je l'ai vu ! J'ai aimé de tout mon cœur une jeune fille, Guilliadon, la fille du roi, et elle m'a aimé. Puisqu'il faut me séparer d'elle, un de nous deux est condamné à mourir ou tous les deux peut-être. Et cependant je dois m'en aller ; mon seigneur m'a rappelé par une lettre en me conjurant au nom de mon serment. D'autre part, j'ai fait serment à ma femme, je ne puis rester ici, il faut m'en aller ; quant à épouser mon amie, la religion chrétienne me l'interdirait. De tous les côtés je suis au désespoir. Mon Dieu, que cette séparation est cruelle ! Mais qu'on me l'impute ou non à faute, je ferai toujours droit aux vœux de mon amie, j'agirai selon sa volonté et j'écouterai ses conseils. Le roi, son père, jouit maintenant d'une paix durable, je ne crois pas qu'on lui fasse désormais la guerre. Pour secourir mon seigneur dans la détresse,

Que mes termes esteit asis
Ke od lui sereie el païs.
A la pucele irai parler
616 E tut mun afere mustrer ;
Ele me dirat sun voler
E jol ferai a mun poer. »

Li chevaler n'ad plus targié,
620 Al rei veit prendre le cungié.
L'aventure li cunte e dit ;
Le brief li ad mustré e lit
Que sis sires li enveia,
[177 b] Ki par destresce le manda.
625 Li reis oï le mandement
E qu'il ne remeindra nïent.
Mut est dolent e trespensez.
628 Del suen li ad offert asez,
La terce part de s'herité,
E sun tresur abaundoné ;
Pur remaneir tant li fera
632 Dunt a tuz jurs le loëra.
« Par Deu, fet il, a ceste feiz,
Puis que mis sires est destreiz
E il m'ad mandé de si loin,
636 Jo m'en irai pur sun busoin,
Ne remeindrai en nule guise.
S'avez mestier de mun servise,
A vus revendrai volenters
640 Od grant esforz de chevalers. »
De ceo l'ad li reis mercïé
E bonement cungé doné.
Tuz les aveirs de sa meisun
644 Li met li reis en abaundun,
Or e argent, chiens e chevaus,
E dras de seie bons e beaus.
Il en prist mesurablement,
648 Puis li ad dit avenantment
Que a sa fille parler ireit
Mut volenters, si lui pleseit.
Li reis respunt : « Ceo m'est mut bel. »

je demanderai mon congé avant la date fixée pour mettre fin à mon séjour ici. Je vais aller parler à la jeune fille et lui exposer ma situation ; elle me dira ce qu'elle souhaite et je l'accomplirai de mon mieux. »

Le chevalier ne tarde plus et va prendre congé du roi ; il lui raconte ce qui lui arrive, lui montre et lui lit la lettre que son seigneur lui a envoyée en le rappelant en des jours de détresse. En apprenant l'appel adressé à Éliduc, le roi comprend qu'il ne restera pas. Il en est peiné et désolé, il lui offre une bonne part de ses biens, le tiers de son héritage et met entre ses mains son trésor. Pour qu'il reste, il est prêt à faire tant pour Éliduc qu'il n'aura qu'à se louer de lui. « Par Dieu, fait celui-ci, puisqu'à présent mon seigneur m'a appelé de si loin dans son désarroi, je m'en irai à son secours et je ne compte nullement rester. Si vous avez besoin de mes services, je reviendrai volontiers auprès de vous avec un grand renfort de chevaliers. »

Le roi le remercie et lui donne de bonne grâce congé. Il met à sa disposition tous les biens de sa maison, or et argent, chiens et chevaux, bonnes et belles étoffes de soie. Il en accepte avec modération, puis lui dit avec gentillesse qu'il irait volontiers parler à sa fille, s'il le lui permettait. « J'en suis ravi », répondit le roi.

652 Avant enveie un dameisel
Ki l'us de la chambrë ovri.
Eliduc vet parler od li.
Quant el le vit, si l'apela
656 E sis mil feiz le salua.
De sun afere cunseil prent,
Sun eire li mustre brefment.
[177 c] Ainz qu'il li eüst tut mustré
660 Ne cungé pris ne demandé,
Se pauma ele de dolur
E perdi tute sa culur.
Quant Eliduc la veit paumer,
664 Si se cumence a desmenter.
La buche li baise sovent
E si plure mut tendrement.
Entre ses braz la prist e tint
668 Tant que de paumeisuns revint.
« Par Deu, fet il, ma duce amie,
Sufrez un poi ke jo vus die :
Vus estes ma vie e ma mort,
672 En vus est trestut mun confort.
Pur ceo preng jeo cunseil de vus
Que fïancë ad entre nus.
Pur busuin vois en mun païs.
676 A vostre pere ai cungé pris,
Mes jeo ferei vostre pleisir,
Que ke me deivë avenir.
— Od vus, fet el, m'en amenez,
680 Puis que remaneir ne volez,
U si ceo nun, jeo me ocirai.
Jamés joie ne bien ne avrai. »
Eliduc respunt par duçur,
684 Ki mut l'amot de bone amur :
« Bele, jeo sui par serement
A vostre pere veirement :
Si jeo vus enmenoe od mei,
688 Jeo li mentireie ma fei,
De si k'al terme ki fu mis.
Lëaument vus jur e plevis,

Il envoie un page ouvrir la porte de la chambre. Éliduc va parler à la jeune fille ; quand elle le voit, elle l'appelle et le salue mille fois ; il lui demande conseil sur la conduite à tenir et l'entretient en quelques mots de sa situation. Avant qu'il en ait terminé et qu'il ait demandé ou pris congé, elle perd toutes ses couleurs et s'évanouit sous l'effet de la douleur. La voyant en cet état, Éliduc se met à se lamenter, il ne cesse de lui baiser la bouche et il pleure d'attendrissement. Il la prend dans ses bras et la tient contre lui jusqu'à ce qu'elle revienne à elle. « Par Dieu, fait-il, ma douce amie, laissez-moi vous le dire : vous êtes ma vie et ma mort, toute ma consolation est en vous, je vous demande conseil, au nom de la promesse qui nous lie. C'est par nécessité que je retourne dans mon pays ; j'ai pris congé du roi, votre père, mais je ferai ce qui vous plaira, quoi qu'il doive en advenir. — Emmenez-moi avec vous, dit-elle, puisque vous ne voulez pas rester, sinon je me donnerai la mort. Jamais je n'aurai joie ni bonheur. »

Éliduc qui l'aime d'un tendre amour lui répond : « Belle, par mon serment j'appartiens à votre père jusqu'au terme fixé. Si je vous emmenais avec moi, je violerais mon engagement. Mais je vous le promets et je vous le jure solennellement, si vous consentez à me donner congé,

Si cungé me volez doner
692 E respit mettre e jur nomer,
Si vus volez que jeo revienge,
[177 d] N'est rien el mund ki me retienge,
Pur ceo que seie vis e seins.
696 Ma vie est tute entre voz meins. »
Cele ot de lui la grant amur ;
Terme li dune e nume jur
De venir e pur li mener.
700 Grant deol firent al desevrer ;
Lur anels d'or s'entrechangierent
E ducement s'entrebaiserent.
Il est desque a la mer alez :
704 Bon ot le vent, tost est passez.

Quant Eliduc est repeirez,
Sis sires est joius e liez
E si ami e si parent
708 E li autre communement,
E sa bone femme sur tuz,
Ki mut est bele, sage e pruz.
Mes il esteit tuz jurs pensis
712 Pur l'amur dunt il ert suspris ;
Unques pur rien quë il veïst
Joie ne bel semblant ne fist,
Ne jamés joie nen avra
716 De si que s'amie verra.
Mut se cuntient sutivement.
Sa femme en ot le queor dolent,
Ne sot mie que ceo deveit ;
720 A sei meïsmes se pleigneit.
Ele li demandot suvent
S'il ot oï de nule gent
Que ele eüst mesfet u mespris
724 Tant cum il fu hors del païs ;
Volenters s'en esdrescera
Devant sa gent, quant li plarra.
« Dame, fet il, pas ne vus ret
728 De mesprisum ne de mesfet,

en m'accordant un délai et en me fixant le jour où vous souhaitez mon retour, rien au monde ne me retiendra de revenir, à condition que je sois vivant et en bonne santé. Ma vie est entre vos mains. »

Sûre de la profondeur de son amour, elle lui accorde un délai et lui fixe le jour où il devra revenir pour l'emmener. Ce fut un cruel déchirement au moment de la séparation. Ils échangèrent leurs anneaux d'or avec de tendres baisers. Éliduc gagna la mer, il eut bon vent et fit rapidement la traversée. Son retour apporta joie et satisfaction au roi, ainsi qu'à ses parents, à ses amis et à tous les autres gens du pays, mais surtout à sa noble, à sa belle, sage et honnête femme. Mais il était constamment soucieux, subjugué qu'il était par son amour. Rien de ce qu'il voyait ne le réjouissait ni ne le déridait, et il en sera ainsi jusqu'à ce qu'il revoie son amie.

Il semblait garder un secret, sa femme en eut le cœur gros, ne sachant quelle en était la raison. Elle s'interrogeait avec tristesse et lui demanda à plusieurs reprises s'il avait appris qu'elle se soit rendue coupable d'un tort ou mal conduite pendant son absence du pays : elle se justifiera volontiers, dit-elle, devant ses gens, quand il lui plaira. « Dame, fait-il, je ne vous accuse pas d'un tort ou d'une faute quelconque,

[178 a] Mes el païs u j'ai esté
Ai al rei plevi e juré
Que jeo dei a lui repeirer,
732 Kar de mei ad il grant mester.
Si li rei mis sires aveit peis,
Ne remeindreie oit jurs aprés.
Grant travail m'estuvra suffrir
736 Ainz que jeo puisse revenir.
Ja de si que revenu seie
N'avrai joie de rien que veie,
Kar ne voil ma fei trespasser. »
740 A tant le lest la dame ester.
Eliduc od sun seignur fu,
Mut li ad aidé e valu ;
Par le cunseil de lui errot
744 E tute la tere gardot.
Mes quant li termes apreça
Que la pucele li numa,
De pais fere s'est entremis :
748 Tuz acorda ses enemis.
Puis s'est appareillé de errer
E queil gent il vodra mener.
Deus suens nevuz qu'il mut ama
752 E un suen chamberlenc mena —
Cil ot de lur cunseil esté
E le message aveit porté —
E ses esquïers sulement ;
756 Il nen ot cure d'autre gent.
A ceus fist plevir e jurer
De tut sun afaire celer.

En mer se mist, plus n'i atent ;
760 Utre furent hastivement.
En la cuntree est arivez
U il esteit plus desirez.
Eliduc fu mut veizïez :
[178 b] Luin des hafnes s'est herbergez ;
765 Ne voleit mie estre veüz
Ne trovez ne recuneüz.
Sun chamberlenc appareilla
768 E a s'amie l'enveia ;
Si li manda que venuz fu,
Bien ad sun cuvenant tenu.

mais au pays où j'ai été j'ai promis et juré au roi de revenir chez lui, car il a grand besoin de moi. Si le roi, mon seigneur, obtenait la paix, je ne resterais pas huit jours de plus, mais je dois soutenir de dures luttes avant de pouvoir retourner là-bas et jusqu'à ce retour, je ne trouverai de plaisir à rien de ce que je vois, car je ne veux pas violer ma promesse. »

La dame alors le laisse. Éliduc reste donc auprès de son seigneur et lui apporte son aide et un secours précieux. Le roi suit ses conseils, fait de lui le gardien de toute sa terre. Mais quand approche le jour fixé par la jeune fille, Éliduc se hâte de conclure la paix et d'amener ses ennemis à un accord. Puis il fait ses préparatifs de voyage, choisit ceux qu'il désire emmener avec lui, rien que deux neveux qu'il aimait beaucoup, un de ses chambellans — celui qui était dans le secret et qui avait porté le message —, enfin ses écuyers. Il ne souhaitait pas d'autres compagnons ; à ceux-là il fit promettre et jurer de garder le silence sur son affaire.

Il se met en mer sans attendre, la traversée est rapide et il arrive dans la contrée où il était impatiemment désiré. Fort avisé, Éliduc se loge loin des ports pour éviter d'être vu, trouvé ou reconnu ; il équipe son chambellan et l'envoie à son amie pour l'avertir qu'il était arrivé et qu'il avait bien tenu sa parole :

La nuit, quant tut fut avespré,
772 S'en eissist fors de la cité ;
Li chamberlenc od li ira
E il encuntre li sera.
Cil aveit tuz changié ses dras ;
776 A pié s'en vet trestut le pas.
A la cité ala tut dreit
U la fille le rei esteit.
Tant aveit purchacié e quis
780 Que dedenz la chambre s'est mis.
A la pucele dist saluz
E que sis amis est venuz.
Quant ele ad la novele oïe,
784 Tute murnë e esbaïe,
De joie plure tendrement
E celui ad baisé suvent.
Il li ad dit que a l'avespre
788 L'en estuvrat od lui aler.
Tut le jur ont issi esté
E lur eire bien devisé.
La nuit, quant tut fu aseri,
792 De la vile s'en sunt parti
Li dameisel e ele od lui,
E ne furent mais que il dui.
Grant poür ad ke hum ne la veie.
796 Vestue fu de un drap de seie
Menuëment a or brosdé,
E un curt mantel afublé.
[178 c] Luinz de la porte, al trait de un arc,
800 La ot un bois clos de un bel parc ;
Suz le paliz les atendeit
Sis amis, ki pur li veneit.
Li chamberlenc la l'amena,
804 E il descent, si la baisa,
Grant joie funt a l'assembler.
Sur un cheval la fist munter,
E il munta, sa reisne prent,
808 Od li s'en vet hastivement.

à la nuit, quand le soir sera tombé, qu'elle sorte de la cité et, accompagné de son chambellan, il ira à sa rencontre. Celui-ci change donc d'habits et part à pied, d'un bon pas, et va tout droit à la cité où était la fille du roi. Il fait tant et si bien qu'il réussit à pénétrer dans sa chambre. Il salue la demoiselle et lui dit que son ami est arrivé. Elle était triste et abattue, mais quand elle entend la nouvelle, elle verse des larmes de joie et couvre de baisers le messager. Il lui dit que, le soir venu, elle devra partir avec lui. Ils passent ainsi toute la journée à préparer leur voyage et le soir, quand la nuit est tombée, tous deux, seuls, quittent la ville. Vêtue d'une étoffe de soie finement brodée d'or et d'un court manteau, elle redoute d'être vue.

Loin de la porte de la ville, à une portée d'arc, était un bois entouré d'un beau parc : c'est là, sous la palissade qu'est venu l'attendre son ami. Le chambellan y conduit la demoiselle, Éliduc descend de cheval pour lui donner un baiser ; c'est une explosion de joie à ces retrouvailles. Éliduc la fait monter sur un cheval, il se met lui aussi en selle, prend ses rênes et part avec elle au galop.

Al hafne vient a Toteneis,
En la nef entrent demaneis ;
N'i ot humme si les suens nun
812 E s'amie Guillïadun.
Bon vent eurent e bon oré
E tut le tens aseüré.
Mes quant il durent ariver,
816 Une turmente eurent en mer
E un vent devant eus leva,
Ki luin del hafne les geta ;
Lur verge brusa e fendi
820 E tut lur sigle desrumpi.
Deu recleiment devotement,
Seint Nicholas e seint Clement,
E ma dame seinte Marie
824 Que vers sun fiz lur querge aïe,
Ke il les garisse de perir
E al hafne puissent venir.
Une hure ariere, une autre avant,
828 Issi alouent costeiant ;
Mut esteient pres de turment.
Uns des escipres hautement
S'est escriez : « Que faimes nus ?
832 Sire, ça einz avez od vus
Cele par ki nus perissums :
[178 d] Jamés a tere ne vendrums !
Femme leal espuse avez
836 E sur celi autre enmenez
Cuntre Deu e cuntre la lei,
Cuntre dreiture e cuntre fei ;
Lessez la nus geter en mer !
840 Si poüm sempres ariver. »
Eliduc oï que cil dist,
A poi que d'ire n'en esprist :
« Fiz a putain, fet il, mauveis,
844 Fel traïtre, nel dire meis !
Si m'amie leüst laissier,
Jeol vus eüsse vendu cher. »
Mes entre ses braz la teneit
848 E cunfortout ceo qu'il poeit
Del mal quë ele aveit en mer

Arrivés à Totness, ils s'embarquent aussitôt ; Éliduc n'a avec lui que ses hommes et son amie Guilliadon.

Ils eurent beau temps et bon vent pendant toute la traversée, mais sur le point d'aborder, ils subirent une tempête en mer ; un vent contraire se leva qui les rejeta loin du port, leur vergue se fendit et se brisa, déchirant toutes les voiles. Ils imploraient dévotement Dieu, saint Nicolas, saint Clément et madame sainte Marie d'obtenir pour eux l'aide de son fils, afin qu'il les préserve de la mort et qu'ils puissent venir au port. Tantôt en avant, tantôt en arrière, ils dérivent au large, tout près de la catastrophe. Un des matelots s'écrie à plein gosier : « Que faisons-nous ? Seigneur, vous avez à bord avec vous celle qui cause notre perte. Jamais nous ne toucherons terre ! Vous avez pour épouse une femme fidèle et vous en emmenez une autre contre la loi divine, contre le droit et contre la foi jurée. Laissez-nous la jeter à la mer, alors nous pourrons tout de suite aborder[6]. »

À ces mots, Éliduc presque pris de rage, « Fils de putain, fait-il, vaurien, sale traître, pas un mot de plus ! » S'il avait pu laisser son amie, il lui aurait fait payer cher ses paroles, mais il tient la jeune fille dans ses bras, la réconforte comme il peut du mal de mer

E de ceo que ele oï numer
Que femme espuse ot sis amis
852 Autre ke li, en sun païs.
Desur sun vis cheï paumee,
Tute pale, desculuree.
En la paumeisun demura
856 Que el ne revint ne suspira.
Cil ki ensemble od lui l'enporte
Quidot pur veir ke ele fust morte.
Mut fet grant doel, sus est levez,
860 Vers l'escipré est tost alez,
De l'avirun si l'ad feru
K'il l'abati tut estendu ;
Par le pié l'en ad jeté fors,
864 Les undes enportent le cors.
Puis qu'il l'ot lancié en la mer,
A l'estiere vait governer ;
Tant guverna la neif e tint,
868 Le hafne prist, a tere vint.
[179 a] Quant il furent bien arivé,
Le pont mist jus, ancre ad geté.
Encor jut ele en paumeisun,
872 Nen ot semblant si de mort nun.
Eliduc feseit mut grant doel :
Iloc fust mort od li sun voil.
A ses cumpainuns demanda
876 Queil cunseil chescun li dura,
U la pucele portera,
Kar de li ne se partira,
Si serat enfuïe e mise
880 Od grant honur, od bel servise,
En cimiterie beneeit :
Fille ert a rei, s'en aveit dreit.
Cil en furent tut esgaré,
884 Ne li aveient rien loé.
Eliduc prist a purpenser
Quel part il la purrat porter.
Sis recez fu pres de la mer,
888 Estre i peüst a sun digner.

et de la révélation qu'elle vient d'entendre sur son ami, marié dans son pays avec une autre femme qu'elle. Sur le visage de son ami elle s'écroule sans connaissance, pâle et sans couleur, et reste évanouie sans revenir à elle, sans pousser un soupir. Éliduc qui l'emporte dans ses bras croit vraiment qu'elle est morte et s'abandonne à sa douleur, puis il se dresse, se lance sur le matelot et d'un coup d'aviron l'abat tout de son long à terre, par les pieds il le jette par-dessus bord, les vagues emportent le corps. Après l'avoir lancé à la mer, il va piloter au gouvernail et maintient si bien la marche du navire qu'il arrive au port et aborde.

Quand ils ont touché le rivage, il abaisse la passerelle et jette l'ancre. La jeune fille était toujours étendue, évanouie, avec l'apparence d'une morte. Se laissant aller à sa douleur, Éliduc aurait souhaité mourir avec elle. Il demande à chacun de ses compagnons de le conseiller : où transporter la demoiselle, car il ne la quittera pas avant qu'elle soit inhumée avec de grands honneurs et un bel office dans la terre bénie d'un cimetière ; fille de roi, elle y a droit. Décontenancés, ses compagnons sont incapables de lui donner un conseil. Éliduc réfléchit, se demandant où il pourrait la transporter. Sa demeure était proche de la mer, il pouvait y être à l'heure du dîner ;

Une forest aveit entur,
Trente liwes ot de lungur.
Un seinz hermites i maneit
892 E une chapele i aveit ;
Quarante anz i aveit esté,
Meinte feiz ot od lui parlé.
A lui, ceo dist, la portera,
896 En sa chapele l'enfuira ;
De sa tere tant i durra,
Une abeïe i fundera,
Si i mettra cuvent de moignes
900 U de nuneins u de chanoignes,
Ki tuz jurs prierunt pur li :
Deus li face bone merci !
Ses chevals ad fait amener,
[179 b] Sis cumande tuz a munter,
905 Mes la fïaunce prent d'iceus
Quë il n'iert descuverz par eus.
Devant lui, sur sun palefrei,
908 S'amie porte ensemble od sei.

Le dreit chemin unt tant erré
Qu'il esteient el bois entré.
A la chapele sunt venu,
912 Apelé i unt e batu ;
N'i troverent kis respundist
Ne ki la porte lur ovrist.
Un des suens fist utre passer,
916 La porte ovrir e desfermer.
Oit jurs esteit devant finiz
Li seinz hermites, li parfiz ;
La tumbe novele trova,
920 Mut fu dolenz, mut s'esmaia.
Cil voleient la fosse faire —
Mes il les fist ariere traire —
U il deüst mettre s'amie.
924 Il lur ad dit : « Ceo n'i ad mie !
Ainz en avrai mun cunseil pris
A la sage gent del païs,
Cum purrai le liu eshaucier
928 U de abbeïe u de mustier.

tout autour était une forêt longue de trente lieues ; un saint ermite y habitait et y avait une chapelle, il y avait vécu quarante ans et plusieurs fois s'était entretenu avec Éliduc. C'est chez lui, se dit-il, qu'il amènera la jeune fille et il l'enterrera dans sa chapelle. Il lui donnera assez de terre pour y fonder une abbaye, il y établira un couvent de moines, de religieuses ou de chanoines qui tous les jours prieront pour elle. Que Dieu lui accorde son généreux pardon ! Il ordonne à tous de se mettre en selle et obtient d'eux l'assurance de ne rien révéler.

Devant lui, sur son palefroi il emporte son amie. Ils ont tant cheminé, tout droit, qu'ils entrent dans le bois ; ils parviennent à la chapelle, appellent, frappent à la porte, mais ne trouvent personne pour leur répondre ou pour leur ouvrir. Éliduc fait entrer un de ses hommes pour débloquer et ouvrir la porte ; le saint ermite, le saint homme, était mort depuis huit jours. Éliduc trouve la tombe fraîchement creusée, il en est profondément ému et peiné. Ses compagnons voulaient faire la fosse où il devait déposer son amie, mais il les fait reculer : « Pas cela ! leur dit-il, mais je prendrai l'avis des sages du pays pour savoir comment je pourrai ennoblir ce lieu en y fondant une abbaye ou une église ;

Devant l'auter la cucherum
E a Deu la cumanderum. »
Il ad fet aporter ses dras ;
932 Un lit li funt ignelepas.
La meschine desus cuchierent
E cum pur morte la laissierent.
Mes quant ceo vint al departir,
936 Dunc quida il de doel murir.
Les oilz li baisë e la face.
« Bele, fet il, ja Deu ne place
[179 c] Que jamés puisse armes porter
940 Ne el siecle vivre ne durer !
Bele amie, mar me veïstes !
Duce, chere, mar me siwistes !
Bele, ja fuissiez vus reïne,
944 Ne fust l'amur leal e fine
Dunt vus m'amastes lëaument.
Mut ai pur vus mun quor dolent.
Le jur que jeo vus enfuirai,
948 Ordre de moigne recevrai ;
Sur vostre tumbe chescun jur
Ferai refreindre ma dolur. »
A tant s'en part de la pucele,
952 Si ferme l'us de la chapele.

A sun ostel ad enveé
Sun message, si ad nuncié
A sa femme quë il veneit,
956 Mes las e travaillé esteit.
Quant el l'oï, mut en fu lie ;
Cuntre lui s'est apareillie.
Sun seignur receit bonement,
960 Mes poi de joie l'en atent,
Kar unques bel semblant ne fist
Ne bone parole ne dist.
Nul ne l'osot mettre a reisun.
964 Tuz jurs esteit en la meisun.
La messe oeit bien par matin,
Puis se meteit suls al chemin ;
El bois alot, a la chapele,
968 La u giseit la dameisele.

nous la coucherons devant l'autel et nous la recommanderons à Dieu. » Il ordonne d'apporter les vêtements de la jeune fille ; ils lui font un lit et l'y étendent, la laissent pour morte.

Quand vint le moment de la quitter, Éliduc pensa mourir de douleur. Il lui baisait les yeux et le visage : « Belle, dit-il, à Dieu ne plaise que je porte désormais des armes ou que je vive plus longtemps en ce monde ! Belle amie, c'est pour votre malheur que vous m'avez vu ! Belle, vous auriez été reine sans cet amour loyal et parfait[7]. Vous m'avez aimé fidèlement, mais à cause de vous mon cœur est plein de détresse. Le jour de vos funérailles j'entrerai dans un ordre monastique ; sur votre tombe chaque jour j'apaiserai ma peine. » Il quitte alors la demoiselle et ferme la porte de la chapelle.

Il envoie un messager chez lui pour annoncer son retour à sa femme, mais il est las, à bout de force. À cette nouvelle, elle déborde de joie, se prépare pour aller à sa rencontre et accueille son mari avec effusion. Mais peu de bonheur l'attend, car il ne lui fait pas bonne figure et n'a pas pour elle une bonne parole. Personne n'ose lui adresser la parole ; il ne quitte pas la maison de la journée, il écoute la messe le matin, puis se met seul en route ; il se rend dans la forêt, à la chapelle où repose la demoiselle.

En la paumeisun la trovot :
Ne reveneit ne suspirot.
De ceo li semblot grant merveille
972 K'il la veeit blanche e vermeille ;
Unkes la colur ne perdi,
[179 d] Fors un petit que ele enpali.
Mut anguissusement plurot
976 E pur l'alme de li preiot.
Quant aveit fete sa priere,
A sa meisun alot ariere.

Un jur al eissir del muster
980 Le aveit sa femme fet gaiter
Un suen vadlet (mut li premist !) :
De luinz alast e si veïst
Quel part sis sires turnereit ;
984 Chevals e armes li durreit.
Cil ad sun comandement fait.
El bois se met, aprés lui vait,
Si qu'il ne l'ad aparceü.
988 Bien ad esgardé e veü
Cument en la chapele entra,
Le dol oï qu'il demena.
Ainz que Elidus s'en seit eissuz
992 Est a sa dame revenuz.
Tut li cunta quë il oï,
La dolur, la noise e le cri,
Cum fet sis sires en l'ermitage.
996 Ele en mua tut sun curage.
La dame dit : « Sempres irums,
Tut l'ermitage cercherums.
Mis sires deit, ceo quid, errer :
1000 A la curt vet al rei parler.
Li hermites fu mort pieça ;
Jeo sai asez quë il l'ama,
Mes ja pur lui ceo ne fereit
1004 Ne tel dolur ne demerreit. »
A cele feiz le lait issi.

Il la retrouve toujours sans connaissance, elle ne revenait pas à elle et ne respirait pas ; mais ce qui lui semble bizarre, c'est de la voir blanche et vermeille, elle n'a pas perdu ses couleurs, si ce n'est qu'elle a un peu pâli. Il pleure amèrement et prie pour le repos de l'âme de son amie ; sa prière terminée, il rentre chez lui.

Un jour, à la sortie de l'église, sa femme le fit surveiller ; elle demanda à un de ses serviteurs, en lui promettant une bonne récompense, de le suivre de loin et de voir de quel côté son mari portait ses pas ; elle donnerait à l'homme des armes et des chevaux. Il exécuta ses ordres ; il entra dans la forêt, suivit Éliduc sans se faire voir, il observa bien, vit son maître entrer dans la chapelle et l'entendit se livrer à sa douleur. Avant qu'Éliduc ne fût sorti de là, il revint chez sa maîtresse et lui raconta tout ce qu'il avait entendu, la douleur, les cris, les plaintes auxquels se livrait son mari dans l'ermitage. Bouleversée jusqu'au fond de son cœur, la dame dit : « Nous allons y aller tout de suite et fouiller tout l'ermitage ; mon mari doit, je crois, s'absenter et se rendre à la cour du roi pour lui parler. L'ermite est mort récemment, je sais qu'il l'aimait beaucoup, mais ce n'est pas pour lui qu'il montrait un tel chagrin. » Pour l'instant elle s'en tint là.

Cel jure meïsme, aprés midi,
Vait Eliduc parler al rei.
1008 Ele prent le vadlet od sei ;
[180 a] A l'hermitage l'ad menee.
Quant en la chapele est entree,
El vit le lit a la pucele
1012 Ki resemblot rose nuvele ;
Del cuvertur la descovri
E vit le cors tant eschevi,
Les braz lungs e blanches les meins,
1016 E les deiz greilles, lungs e pleins.
Or seit ele la verité
Pur quei sis sire ad duel mené.
Le vadlet avant apelat
1020 E la merveille li mustrat :
« Veiz tu, fet ele, ceste femme,
Ki de beuté resemble gemme ?
Ceo est l'amie mun seignur
1024 Pur quei il meine tel dolur.
Par fei, jeo ne me en merveil mie,
Quant si bele femme est perie.
Tant par pité, tant par amur,
1028 Jamés n'avrai joie nul jur. »
Ele cumencet a plurer
E la meschine regreter.
Devant le lit s'asist plurant.
1032 Une musteile vint curant,
De suz l'auter esteit eissue ;
E le vadlet l'aveit ferue :
Pur ceo que sur le cors passa,
1036 De un bastun qu'il tint la tua.
En mi l'eire l'aveit getee.
Ne demura ke une loëe,
Quant sa cumpaine i acurrut,
1040 Si vit la place u ele jut.
Entur la teste li ala
E del pié suvent la marcha.
Quant ne la pot fere lever,
[180 b] Semblant feseit de doel mener.

Ce même jour, après midi, Éliduc alla parler au roi ; elle prit avec elle son serviteur qui la conduisit à l'ermitage. En entrant dans la chapelle, elle vit le lit de la jeune fille : elle ressemblait à une rose fraîchement éclose. Elle lui enleva la couverture, vit le corps de formes parfaites, les longs bras, les blanches mains, les doigts minces, longs et pleins. Elle sut alors la vérité sur le deuil de son mari. Elle fait signe au serviteur de s'avancer et lui montre la merveille. « Vois-tu, fait-elle, cette femme dont la beauté est celle d'une perle ? C'est l'amie de mon mari, celle pour qui il ressent tant de souffrances. Ma foi, je ne m'en étonne pas, quand une femme aussi belle est morte. J'éprouve tant de pitié et d'affection pour elle que je ne connaîtrai jamais plus la joie. »

Elle se met à pleurer et à se lamenter sur la défunte, s'assoit en larmes devant le lit lorsqu'une belette sort en courant de dessous l'autel. Le serviteur, la voyant passer sur le corps, la frappe et la tue d'un coup de bâton, puis la jette au milieu de la nef. Peu après, la compagne de la bête accourt et la voit étendue sur place ; elle tourne autour de sa tête et plusieurs fois la pousse de sa patte. Ne pouvant la faire se lever, car elle montre des signes de douleur,

1045 De la chapele esteit eissue,
As herbes est el bois venue,
Od ses denz ad prise une flur
1048 Tute de vermeille colur.
Hastivement reveit ariere ;
Dedenz la buche en teu manere
A sa cumpaine l'aveit mise
1052 Que li vadlez aveit ocise,
En es l'ure fu revescue.
La dame l'ad aparceüe.
Al vadlet crie : « Retien la !
1056 Getez, franc hum, mar se en ira ! »
E il geta, si la feri
Que la florete li cheï.
La dame lieve, si la prent,
1060 Ariere va hastivement,
Dedenz la buche a la pucele
Meteit la flur ki tant fu bele.
Un petitet i demura,
1064 Cele revint e suspira.
Aprés parla, les oilz ovri :
« Deu, fet ele, tant ai dormi ! »
Quant la dame l'oï parler,
1068 Deu cumençat a mercier.
Demande li ki ele esteit,
E la meschine li diseit :
« Dame, jo sui de Logres nee,
1072 Fille a un rei de la cuntree.
Mut ai amé un chevalier,
Eliduc, le bon soudeer.
Ensemble od lui m'en amena.
1076 Peché ad fet k'il m'enginna :
Femme ot espuse, nel me dist
Ne unques semblant ne m'en fist.
[180 c] Quant de sa femme oï parler,
1080 De duel kë oi m'estut paumer.
Vileinement descunseillee
M'ad en autre tere laissee.
Trahie m'ad, ne sai que deit.
1084 Mut est fole ki humme creit !

elle sort de la chapelle, va dans la forêt chercher des herbes, prend dans ses dents une fleur de couleur toute vermeille, s'en retourne bien vite et la met dans la bouche de sa compagne tuée par le serviteur. Sur l'heure la belette revient à la vie[8].

La dame le remarque et crie au serviteur : « Retiens-la ! Lance ton bâton, mon brave, il ne faut pas qu'elle nous échappe ! » Il lance son bâton, la frappe et son coup fait tomber la petite fleur. La dame se lève, s'en saisit, revient aussitôt sur ses pas et met la fleur dans la bouche de la belle jeune fille ; la fleur n'y reste qu'un court instant, et la jeune fille revient à elle et se met à respirer ; puis, ouvrant les yeux, elle commence à parler. « Dieu, fait-elle, comme j'ai longtemps dormi ! »

Quand la dame l'entend parler, elle remercie Dieu et demande à la demoiselle qui elle est. « Dame, répond-elle, je suis native de Logres, fille d'un roi de la contrée. J'ai passionnément aimé un chevalier, Éliduc, le valeureux capitaine ; il m'a emmenée avec lui et il a commis un péché en me trompant : il a une femme, mais il ne me l'a pas dit et n'en a rien laissé soupçonner. Quand j'ai entendu parler de sa femme, de douleur je me suis évanouie. Il m'a lâchement abandonnée, sans appui, dans une terre étrangère ; il m'a trahie, je ne sais pourquoi. Folle est la femme qui se fie à un homme !

— Bele, la dame li respunt,
N'ad rien vivant en tut le munt
Ki joie li feïst aveir ;
1088 Ceo vus peot hum dire pur veir.
Il quide ke vus seez morte,
A merveille se descunforte.
Chescun jur vus ad regardee,
1092 Bien quid qu'il vus trova pasmee.
Jo sui sa spuse veirement ;
Mut ai pur lui mun quor dolent.
Pur la dolur quë il menot,
1096 Saveir voleie u il alot ;
Aprés lui vinc, si vus trovai.
Que vive estes grant joie en ai.
Ensemble od mei vus enmerrai
1100 E a vostre ami vus rendrai ;
Del tut le voil quite clamer
E si ferai mun chef veler. »
Tant l'ad la dame confortee
1104 Que ensemble od li l'en ad menee.

Sun vallet ad appareillé
E pur sun seignur enveié.
Tant errat cil qu'il le trova ;
1108 Avenantment le salua,
L'aventure li dit e cunte.
Sur un cheval Eliduc munte,
Unc n'i atendi cumpainun.
1112 La nuit revint a sa meisun.
Quant vive ad trovee s'amie,
[180 d] Ducement sa femme mercie.
Mut par est Eliduc haitiez,
1116 Unques nul jur ne fu si liez.
La pucele baise suvent,
E ele lui, mut ducement ;
Ensemble funt joie mut grant.
1120 Quant la dame vit lur semblant,
Sun seignur ad a reisun mis :
Cungé li ad rové e quis
Qu'ele puisse de lui partir :
1124 Nune voelt estre, Deu servir ;

— Belle, lui répond la dame, il n'y a être au monde qui puisse lui donner autant de joie. On peut vous l'avouer sans détours ; il croit que vous êtes morte, il vit dans une immense détresse ; chaque jour il vient vous contempler, je pense qu'il vous a trouvée évanouie. Je suis son épouse, sachez-le. Mon cœur était plein de tristesse pour lui ; et, voyant son désespoir, j'ai voulu savoir où il allait, je l'ai suivi et je vous ai trouvée. Vous êtes vivante, ce qui me comble de joie. Je vais vous emmener avec moi et vous rendre à votre ami. Je veux tout lui pardonner, puis je prendrai le voile. » La dame l'a si bien réconfortée qu'elle l'emmène avec elle.

Elle prévient son serviteur et l'envoie à la recherche de son mari ; il l'a tant cherché qu'il a fini par le trouver ; il le salue poliment et lui raconte l'aventure. Éliduc monte à cheval sans attendre ses compagnons et à la nuit regagne sa maison. En retrouvant vivante son amie, il remercie sa femme avec de douces paroles. Éliduc reprend goût à la vie, plus heureux que jamais ; il couvre de baisers la jeune fille qui les lui rend très tendrement. Tous deux s'abandonnent à leur joie.

Quand la dame voit l'accueil qu'ils se font, elle s'adresse à son mari et lui demande la permission de se séparer de lui : elle veut être religieuse et servir Dieu ;

De sa tere li doint partie
U ele face une abeïe ;
Cele prenge qu'il eime tant,
1128 Kar n'est pas bien ne avenant
De deus espuses meintenir,
Ne la lei nel deit cunsentir.
Elidus li ad otrié
1132 E bonement doné cungié :
Tute sa volunté fera
E de sa tere li durra.
Pres del chastel, einz el boscage,
1136 A la chapele, a l'hermitage,
La ad fet fere sun muster
E ses meisuns edifier.
Grant tere i met e grant aveir :
1140 Bien i avrat sun estuveir.
Quant tut ad fet bien aturner,
La dame i fet sun chief veler,
Trente nuneins ensemble od li ;
1144 Sa vie e sun ordre establi.

Eliduc ad s'amie prise ;
A grant honur, od bel servise
En fu la feste demenee
1148 Le jur qu'il l'aveit espusee.
Ensemble vesquirent meint jur,
[181 a] Mut ot entre eus parfite amur.
Granz aumoines e granz biens firent,
1152 Tant que a Deu se cunvertirent.
Pres del chastel, de l'autre part,
Par grant cunseil e par esgart
Une eglise fist Elidus.
1156 De sa terë i mist le plus
E tut sun or e sun argent ;
Hummes i mist e autre gent
De mut bone religïun
1160 Pur tenir l'ordre e la meisun.
Quant tut aveit appareillé,
Si nen ad puis gueres targé :
Ensemble od eus se dune e rent
1164 Pur servir Deu omnipotent.

qu'Éliduc lui cède une partie de sa terre et elle fondera une abbaye ; qu'il prenne pour femme celle qu'il aime tant, car il n'est ni moral ni convenable d'avoir deux femmes et la religion s'y oppose. Éliduc le lui accorde et de bonne grâce lui donne sa permission : il fera ce qu'elle voudra et lui cédera une partie de sa terre.

Près du château, dans la forêt et près de la chapelle et de l'ermitage il fait bâtir un monastère et construire les bâtiments ; il alloue de vastes terres et d'importantes sommes : sa femme disposera de tout le nécessaire. Quand tout est prêt, la dame prend le voile, entourée de trente religieuses, et fixe la règle de son ordre.

Éliduc épousa son amie. Le jour des noces, la fête se déroula dans de grands fastes et dans de belles cérémonies. Ils vécurent ensemble de longs jours, unis dans un parfait amour. Ils distribuèrent sans compter aumônes et sommes d'argent et finalement se consacrèrent à Dieu. De l'autre côté du château, en y mettant tous ses soins et toute son attention, Éliduc fit construire une église et lui donna presque toute sa terre et tout son or et son argent. Il y plaça des vassaux à lui et d'autres personnes de haute spiritualité pour maintenir la règle et régir la maison.

Quand les travaux furent terminés, il les rejoignit et s'associa à eux pour servir le Dieu tout-puissant.

Ensemble od sa femme premere
Mist sa femme que tant ot chere.
El la receut cum sa serur
1168 E mut li porta grant honur.
De Deu servir l'amonesta
E sun ordre li enseigna.
Deu priouent pur lur ami
1172 Qu'il li fëst bone merci,
E il pur eles repreiot.
Ses messages lur enveiot
Pur saveir cument lur estot,
1176 Cum chescune se cunfortot.
Mut se pena chescun pur sei
De Deu amer par bone fei
E mut par firent bele fin,
1180 La merci Deu, le veir devin !

De l'aventure de ces treis
Li auncïen Bretun curteis
Firent le lai pur remembrer,
1184 Que hum nel deüst pas oblier.

Auprès de sa première femme il plaça sa nouvelle épouse qu'il aimait tant ; elle l'accueillit comme sa sœur et la traita avec de grands égards, l'exhortant à servir Dieu et lui enseignant la règle de son ordre. Elles priaient Dieu pour leur ami, lui demandant de lui accorder son entier pardon, et lui de son côté priait pour elles. Il leur envoyait ses messagers pour savoir comment elles allaient et si chacune avait trouvé un réconfort. Chacun de ces trois êtres s'appliquait à aimer Dieu dans une foi sincère. Ils eurent une belle fin par la grâce de Dieu qui sait tout.

Pour rappeler l'aventure de tous les trois, les anciens Bretons, gens courtois, firent ce lai, afin d'en perpétuer le souvenir.

NOTES

Prologue, p. 31.

1. Il ne faut pas hésiter à montrer ses talents : idée fréquente dans les prologues d'œuvres narratives.
2. Priscien, grammairien du VIe siècle. Les écrivains du XIIe siècle se recommandent volontiers de lui pour affirmer que les modernes en savent plus que les anciens, du seul fait qu'ils viennent après eux. Marie de France, on le voit, se range parmi les modernes.

Guigemar, p. 35.

1. Ce prologue a été écrit avant le grand prologue où Marie explique ses intentions et rédige sa dédicace à Henri II.
2. C'est l'Armorique, la Bretagne continentale.
3. Le blanc est la couleur des bêtes mythiques : ainsi le blanc cerf dans le roman d'*Erec et d'Enide* de Chrétien de Troyes.
4. Cette technique s'apparente à celle du champ levé. Salomon est souvent cité dans les écrits médiévaux comme garant des œuvres d'art, et particulièrement en orfèvrerie : souvenir du grand roi constructeur (le Temple, le palais royal, etc.).
5. Objet magique qui maintient en éternelle jeunesse.
6. Ce livre est les *Remedia amoris* plutôt que l'*Ars amatoria.*
7. Comme beaucoup d'écrivains de cette génération, Marie s'inspire de l'*Enéas* pour peindre les émois et les souffrances de l'amour, ici et dans ses autres lais. Cf. entre autres le *Cligès* de Chrétien de Troyes.
8. La roue de la déesse Fortune qui élève ou abaisse les hommes à son gré est une image maintes fois reprise au Moyen Âge : voir en particulier la *Mort du roi Arthur,* roman du XIIIe siècle, le *Jeu de la Feuillée,* le *Roman de la Rose,* v. 3981 ss., etc.
9. Les lamentations amoureuses sont un motif inévitable dans les histoires sentimentales du roman médiéval.
10. Le bliaut est un vêtement de dessus, une sorte de tunique.
11. Ce mot désigne la grande salle où le roi tient sa cour, où se prennent les repas en commun et où se déroulent les réceptions et les festivités.

Équitan, p. 81.

1. C'est le thème de « l'amour de loin », de la « Princesse lointaine », avec une variante, puisque le roi a pu rencontrer celle qu'il aime. On aime une femme sur la seule renommée de sa beauté ou de ses mérites. Ce thème lyrique se retrouve dans plusieurs romans, le *Conte du Graal,* la *Mort du roi Arthur,* la *Vengeance Raguidal,* le *Chevalier aux deux épées, Humbaut, L'Atre Périlleux.*

2. La saignée est une thérapeutique fréquente au Moyen Âge, et encore plus tard (cf. Molière).

Frêne, p. 99.

1. Cette croyance appartient au folklore.

2. Ici, comme à plusieurs reprises ailleurs, Marie intervient dans son récit pour commenter, et souvent déplorer le sort des personnages.

3. Ce thème du dévouement et de la fidélité à l'époux est repris dans le roman de *Galeran de Bretagne,* au début du XIIIe siècle, dont la trame est celle du lai de Marie.

Bisclavret, p. 127.

1. Le loup-garou joue un rôle important dans la littérature du Moyen Âge. On le trouve par exemple dans le *Guillaume de Palerne,* roman du XIIIe siècle. Le *Bisclavret* de Marie a son pendant dans le lai anonyme de *Mélion.*

Lanval, p. 145.

1. C'est le nom dans les romans arthuriens de l'actuelle ville de Carlisle, en Cumberland. C'est une des villes où le roi Arthur tient sa cour.

2. Logres est l'Angleterre, le royaume d'Arthur.

3. Les pièces d'un vêtement ne sont pas boutonnées, mais cousues, ou lacées.

4. C'est-à-dire Auguste.

5. Encore un motif souvent exploité : une femme repoussée se venge en accusant celui qu'elle voulait séduire La *Châtelaine de Vergy* en est un célèbre exemple. Le lai anonyme de *Graelent* suit de près le scénario de *Lanval.*

6. Par ce terme le roi tient à souligner la grave faute de Lanval, coupable non seulement d'avoir essayé de séduire la reine, mais d'avoir rompu le lien vassalique.

7. La façon dont se déroule ce procès témoigne de la part de Marie d'une réelle connaissance des procédures. D'abord, les garants de Lanval, pour être libérés de leur engagement, devront le jour venu rendre vivant au roi le prévenu. Ensuite, explique le comte de Cornouailles, Lanval se justifiera par son serment de l'accusation de bélonie à l'égard du roi. Quant à sa vantardise, il n'aura qu'à produire le garant qui le justifiera sur ce point, c'est-à-dire son amie elle-même.

8. La couleur rousse de la chevelure est traditionnellement signe de méchanceté et de laideur ; c'est celle des traîtres.

9. Avalon est une île de l'Autre Monde, le séjour des fées : c'est en Avalon qu'elles emportent dans leur nef le roi Arthur, à la fin du cycle du *Lancelot-Graal. (La mort du roi Arthur.)*

Les Deux Amants, p. 179.

1. La petite ville de Pitres, dans l'Eure, près de Pont-de-l'Arche a gardé aujourd'hui encore le souvenir de la légende des Deux Amants.
2. C'est la situation qu'on lit dans la première partie de *Peau-d'Âne* : un roi amoureux de sa fille. Au XIIIe siècle la *Manekine* de Philippe de Beaumanoir, la *Belle Hélène de Constantinople* useront du même point de départ pour la suite des aventures.
3. Salerne possédait une école de médecine réputée au Moyen Âge ; elle est souvent citée comme telle dans les œuvres littéraires.
4. Préparation formée de poudres mélangées à du sirop et du miel. C'est un tonique.
5. Il n'est pas impossible que Marie ait à l'esprit la scène finale du *Tristan,* où Iseut meurt sur le corps de son ami inanimé.

Yonec, p. 193.

1. Avec Caerwent, et plus loin Carlion, Marie a placé l'aventure au pays de Galles.
2. C'est un proverbe, qu'on trouve dans le recueil de J. Morawski, *Proverbes français antérieurs au XVe siècle,* 1925.
3. Il faut noter cette intrusion d'exigences chrétiennes dans un univers féerique et profane. De façon analogue Tristan et Iseut demandent l'aide du ciel pour favoriser leur amour coupable.
4. Ces « terres protégées » sont probablement des chasses gardées.

Le rossignol, p. 223.

1. Peut-être souvenir de la situation des deux amants dans le conte ovidien de *Pirame et Tisbé,* où ils ne peuvent communiquer qu'à travers la fente d'un mur.
2. Ici, comme au début d'*Yonec* qui est aussi une histoire de mal mariée, apparaît le motif du retour printanier, favorable à l'amour.

Milon, p. 233.

1. Les jouteurs se mettent en position au bout de la piste afin d'avoir devant eux tout l'espace nécessaire pour se lancer contre l'adversaire.
2. La ventaille est la partie de la coiffe de fer portée sous le haubert qui recouvre le menton et protège le bas du visage.
3. Nombreux sont dans la littérature narrative, chansons de geste ou romans, les combats où s'affrontent un fils et un père sans se connaître. Tout se termine finalement par une reconnaissance (Lai anonyme de *Doon,* romans du *Bel Inconnu,* d'*Yder,* de *Richard le Beau,* etc.).

Le Pauvre Malheureux, p. 261.

1. Car elles écoutent complaisamment les avances qu'on leur fait. Petit trait malicieux de Marie.
2. Habitants du Hainaut.
3. Ce sont les manifestations habituelles du deuil et du désespoir.
4. La plainte funèbre, le *planctus,* prononcée sur le corps d'un guerrier mort à la bataille est un motif qui vient de la chanson de geste.

Le Chèvrefeuille, p. 275.

1. Arthur tient sa cour aux grandes fêtes de l'année, Noël, Pâques, l'Ascension, mais surtout à la Pentecôte.
2. C'est certainement le rappel d'un épisode du roman : Tristan et Iseut correspondent au moyen de copeaux jetés dans la petite rivière qui traverse la tente d'Iseut.
3. Donc tout le message était écrit sur la baguette de coudrier, mais plusieurs critiques contestent cette interprétation.

Éliduc, p. 283.

1. Cette « explication » ne se trouvait donc pas dans le lai breton qui ne devait être qu'un court schéma non circonstancié.
2. Les *Proverbes au vilain* sont un recueil de proverbes de la fin du XIIe siècle. Il faut comprendre : « la faveur du seigneur peut être retirée à tout moment, alors que le fief est accordé pour la vie ». (J. Richner.)
3. Totness est un port du Devonshire.
4. Au sens propre, un habitant du bourg.
5. Par l'hommage le vassal s'engage à venir à tout moment en aide à son suzerain.
6. Croyance répandue ; la présence d'un coupable à bord cause la tempête et le naufrage. Cf. S. Thompson, *Motif Index* Q 552, 14 et A. Guerreau-Jalabert, *Index des motifs narratifs,* p. 290.
7. Autre souvenir de *Tristan* : dans la dure existence qu'il mène avec la reine, il regrette d'avoir fait d'elle une malheureuse errante en la privant de son titre royal.
8. D'après une tradition ancienne certains animaux ont le don de connaître l'herbe qui permet de ressusciter un mort ; le plus souvent c'est un serpent, mais aussi la belette. Cf. S. Thompson, *Motif Index B 512* et A. Guerreau-Jalabert, *Index des motifs narratifs,* p. 291.

BIBLIOGRAPHIE

La bibliographie des *Lais* est copieuse, quelque deux cents titres. Nous nous bornerons à quelques ouvrages, études d'ensemble ou articles particuliers à un lai.

Éditions.

HOEPPFNER (Ernest), *Les Lais de Marie de France,* Bibliotheca Romanica, Strasbourg, 1921.

WARNKE (Karl), *Die Lais der Marie de France,* Halle, 1re éd. 1885, 2e éd. 1900, 3e éd. revue et complétée, 1924.

EWERT (A.), *Lais,* Oxford, Blackwell's French Texts, 1944.

LODS (Jeanne), *Les Lais de Marie de France,* Classiques français du Moyen Âge, Champion, 1959.

RYCHNER (Jean), *Les Lais de Marie de France,* Classiques français du Moyen Âge, Champion, 1966.

Études.

HOEPPFNER (Ernest), *Les Lais de Marie de France,* Paris, 1935.

FRAPPIER (Jean), *Remarques sur la structure du lai,* Actes du colloque de Strasbourg, La Littérature narrative d'imagination, 1961, pp. 23-38.

LODS (Jeanne), Introduction à son édition des *Lais.*

PAYEN (Jean-Charles), *Le Lai narratif*, Breppols, 1976.

MÉNARD (Philippe), *Les Lais de Marie de France*, PUF, 1979, étude la plus poussée et la plus complète.

HARF-LANCNER (Laurence), *Les Fées au Moyen Âge*, Champion, 1984.

FLORI (Jean), *Amour et société aristocratique au XXᵉ siècle, L'exemple des Lais de Marie de Fance, Le Moyen Âge*, t. 98, 1992, pp. 17-34.

Traductions.

Les Lais de Marie de France, traduits de l'ancien français par P. JONIN, Paris, Champion, 1978.

Les Lais de Marie de France, traduits de l'ancien français par Laurence HARF-LANCNER, Paris, le Livre de Poche, 1990.

Travaux consacrés à un lai seul.

Équitan

HOEPPFNER (E.) *Le Lai d'Eliduc de M. de France*, Mélanges. Kastner, Cambridge, 1932, pp. 294-402.

Lanval

WATHELET-WILLEM (Jeanne), *Le mystère chez M. de France*, Revue belge de Philologie et d'histoire, i. 39, 1961, pp. 661-680.

FRANCIS (E.), *The Trial in Lanval*, Mélanges Pope, 1959, pp. 115-124.

RYCHNER (Jean), pp. 257-261 de son édition.

Frêne

ADLER (A.), *Höfische Dialektik in Lai du Freisne*, Germanisch romantisch Monatsschrift, 1961, t. 42, pp. 44-51.

Bisclavret

HARF-LANCNER (Laurence), *La Métamorphose illusoire*, Annales École de Sèvres, 1985, I, pp. 208-226.

MÉNARD (Philippe), *Les Histoires de loup-garou au Moyen Âge*, Symposium in honorem M. de Riquer, 1986.

Les Deux Amants

WATHELET-WILLEM (J.), *Un lai de M. de France, Les Deux Amants,* Mélages R. Lejeune, Gembloux, 1969, t. I, pp. 1143-1157.

Yonec

PAYEN (Jean-Charles), *Structure et sens d'Yonec,* Le Moyen Âge, t. 82, 1976, pp. 263-287.

Le Rossignol

WOODS (W.S.), *Marie de France's Laüstic,* Romance Notes, t. 12, 1970-71, pp. 203-207.

Le Chèvrefeuille

LE GENTIL (Pierre), *À propos du lai du Chèvrefeuille,* Mélanges H. Chamard, 1951, pp. 17-27.

FRAPPIER (Jean), *Contribution au débat sur le lai du Chèvrefeuille,* Mélanges I. Frank, 1957, pp. 215-224.

RIBARD (Jacques), *Essai sur la structure du lai du Chèvrefeuille,* Mélanges P. Le Gentil, 1973, pp. 721.

Éliduc

PARIS (Gaston), *Le Mari aux deux femmes,* dans La poésie au Moyen Âge, 1895, pp. 109-130.

CALUWÉ (J. de), *La Conception de l'amour dans le lai d'Eliduc,* Le Moyen Âge, t. 77, 1971, pp. 53-77.

Pour plus d'éléments bibliographiques, voir :

G.S. BURGESS, *Marie de France : an Analytic Bibliography,* Londres, 1977, et *Supplement,* 1, Londres, 1986.

P. MÉNARD, *Les Lais de Marie de France,* Paris, Presses Universitaires de France, 1979.

CHRONOLOGIE

Les dates assurées pour les œuvres littéraires sont assez rares et on en est réduit à indiquer une fourchette, le signe + désigne un roman, le signe ° une chanson de geste.

1137 : Avènement de Louis VII marié à Aliénor d'Aquitaine.
1re moitié du XIIe siècle : *Couronnement de Louis°, Charroi de Nîmes°*. Troubadours.

1145-1150 : Portail royal de la cathédrale de Chartres.

1147 : Deuxième Croisade.
Pèlerinage de Charlemagne°.
La Chanson de Guillaume°.

1152 : Divorce de Louis VII et d'Aliénor qui épouse Henri Plantagenêt, duc de Normandie.

1154 : Henri Plantagenêt devient roi d'Angleterre.

1155 : *Brut+*, de Wace, chronique des rois anglo-saxons.

vers 1155 : *Roman de Thèbes+, Raoul de Cambrai°.*

vers 1159 : *Richeut,* peut-être le plus ancien fabliau (mais vers 1189 d'après Varvaro).

vers 1160 : *Roman d'Énéas+.*
Lais de Marie de France.

vers 1161 : *Floire et Blanchefleur+.*

1163 : Les Cathares dénoncés comme hérétiques.
Pose de la première pierre de Notre-Dame de Paris.

vers 1165 : *Roman de Troie+.*

1165-70 : *Tristan+,* de Beroul.

1166 : La Bretagne prête hommage à Henri Plantagenêt.

entre 1167-1189 : *Fables,* de Marie de France.

vers 1170 : *Erec et Enide+,* de Chrétien de Troyes.
Tristan+, de Thomas d'Angleterre.

1172 : Louis VII attaque la Normandie et l'Anjou, possessions anglaises.

1174 : Traité de Gisors entre la France et l'Angleterre.

vers 1175 : *Aliscans°.*
Branche II du *Roman de Renart+,* par Pierre de Saint-Cloud. Premières branches 1179-80 ; puis 1180-90, enfin 1195-1205.

1176-81 : *Eracle+,* de Gautier d'Arras.

après 1176 : *Ipomedon+,* de Huc de Rotelande.

1176-1177 : *Cligès+,* de Chrétien de Troyes.

1177-1179 : *Le Chevalier à la Charrette+, Le Chevalier au lion+,* de Chrétien de Troyes.

1178-1184 : *Ille-et-Galeron+,* de Gautier d'Arras.

1179-1182 : *Le Conte du Graal+,* de Chrétien de Troyes.

1180 : Philippe Auguste, roi de France. Il entreprend la lutte contre les grands vassaux.

1180-1190 : Trouvères : Gace Brulé, Conon de Béthune, châtelain de Coucy, *Roman d'Alexandre+,* d'Alexandre de Paris.

1181-94 : *De nugis curialium,* de Gautier Map.

1182-85 : *Partonopeus de Blois+.*

1185-90 : *Le Bel Inconnu+,* de Renaut de Beaujeu.

1187 : Prise de Jérusalem, par Saladin.

1188 : *Florimont+,* d'Aymon de Varenne.

1189 : Troisième Croisade.
Richard Cœur de Lion, roi d'Angleterre.

après 1189 : *L'Espurgatoire de saint Patrice,* de Marie de France.

vers 1190 : Sermons de Maurice de Sully, évêque de Paris.

1190-1220 : *Amadas et Idoine+*.

1193 : Guerre contre l'Angleterre.

1194-1260 : Reconstruction de la cathédrale de Chartres.

1199 : Mort de Richard Cœur de Lion.
Persécution des Cathares.

avant 1200 : Première et Deuxième Continuation en vers du *Conte du Graal*.
Et dans la deuxième moitié du XIIe siècle (dates imprécises) :
Jeu d'Adam, drame liturgique.
Ami et Amile+, *Robert le Diable+*.

1200 : Paix signée avec Jean sans Terre.

vers 1200 : *Joseph d'Arimatie ou Le roman de l'Estoire don Graal+*, de Robert de Boron.
La Mule sans frein+, de Paien de Maisières, *Girard de Vienne°*. *Aymeri de Narbonne°*.
La Passion des Jongleurs, poème narratif.

entre 1200-1220 : *Méraugis de Portlesguez+*, de Raoul de Houdenc.

1200-1202 : *Le Jeu de saint Nicolas*, premier miracle dramatique en langue vulgaire.
L'Escoufle+, de Jean Renart.

1202 : Quatrième Croisade.

après 1202 : *Galeran de Bretagne+*.

1203-1210 : *Merlin+*, en vers, de Robert de Boron, traduit ensuite en prose.

1204 : Prise de Constantinople par les Croisés.
Conquête par Philippe Auguste de la Normandie, de la Touraine, de l'Anjou et du Poitou.

1206 : *La Bible Guiot*, de Guiot de Provins.

1209-14 : *Otia imperialia* (Les Loisirs impériaux), de Gervais de Tilbury. Croisade contre les Albigeois.

vers 1210 : *Perceval+*, mise en prose d'un roman en vers de Robert de Boron. Traduction française des *Sermons* de saint Bernard.
La Vengeance Raguidel+, attribuée à Raoul de Houdenc.
Gliglois+.

1211-1300 : Construction de la cathédrale de Reims.

1212 : Victoire des Chrétiens sur les Maures à Tolosa.

vers 1212 (ou 1228 ?) : *Guillaume de Dole+*, de Jean Renart.

1214 : Victoire de Philippe Auguste à Bouvines.

1214-1220 : Continuation en vers du *Conte du Graal+*, par Manessier.

1215-1225 : *Lancelot+* en prose.

1216 : mort de Jean sans Terre.

1217 : Giraud de Barri, *De principis instructione.*

1220 : Création de la Faculté de Médecine de Montpellier.
Miracles de la Vierge (contes), de Gautier de Coincy.

vers 1220 : *Guillaume de Palerne+.*

1220-1264 : Construction de la cathédrale d'Amiens.

vers 1221 : *Lai de l'Ombre,* de Jean Renart.
Yder+.

1223 : Louis VIII roi de France.

vers 1225 : Reconstruction de la cathédrale de Beauvais.

1226 : Avènement de Saint Louis.

TABLE

GF Flammarion

07/08/131444-VIII-2007 – Impr. MAURY Imprimeur, 45330 Malesherbes.
N° d'édition LO1EHPNFG0759C007. – Février 1994. – Printed in France.